NAPOLÉON ET PARIS

DU MÊME AUTEUR

DANS LA MÊME COLLECTION

Histoire souriante de Paris
1962

CHEZ D'AUTRES ÉDITEURS

Les Musées de France
Paris, Presses Universitaires
coll. Que sais-je? 2e éd. 1964

La vie parisienne vue par les peintres
Paris, Nathan, 1953 (épuisé)

La femme dans la peinture moderne
Paris, Plon, 1955 (épuisé)

Fontaines de Paris
Paris, le Centurion, 1958 (épuisé)

Histoire et histoires de Sceaux
(préface de Georges Duhamel),
Sceaux, Les amis du musée de l'Ile de France, 1959

Évocation du Grand Paris
Paris, Les Éditions de Minuit
Tome I *La banlieue nord*, 1955
Tome II *La banlieue nord-ouest*, 1960
Tome III *La banlieue nord-est*, 1961

Paris, Guide bleu
(en collaboration avec Georges Monmarché)
Paris, Hachette, nouvelle édition, 1963

Ile-de-France, Guide bleu
(en collaboration avec Georges Monmarché)
Paris, Hachette, nouvelle édition, 1963

Châteaux de la Loire
Paris, Larousse, 2e éd. 1964

Ile-de-France, pays du dimanche
Tome I : Ouest
Paris, Arts et Métiers Graphiques, 1964

Moyen-Age en Ile de France
Paris, Fayard, en préparation

GEORGES POISSON

NAPOLÉON ET PARIS

ÉDITIONS
BERGER-LEVRAULT
5, RUE AUGUSTE-COMTE, PARIS
1964

A mon père,
ce Napoléon sans uniforme

INTRODUCTION

Bien des historiens de Paris ont minimisé l'œuvre de l'Empereur dans la capitale, la réduisant à quelques édifices et soulignant que plusieurs d'entre eux n'ont pas été achevés par lui. Ils oublient sur ce dernier point que le fait est commun à la plupart des monuments de Paris : Saint-Sulpice, commencé sous Anne d'Autriche, a été achevé sous Louis XVI, l'Opéra, mis en chantier par Napoléon III, a été inauguré par Mac-Mahon, et la Ve République a terminé la Maison de la Radio entreprise par la IVe.

Cette tendance à réduire l'œuvre de l'Empereur apparaît particulièrement nette dans un important ouvrage sur Paris, édité en 1946. Le responsable du chapitre de l'histoire parisienne y résume ainsi l'œuvre de Napoléon : « En fait, on lui doit surtout le percement de la rue de Rivoli, de la Concorde au Louvre. » Ce « résumé » n'est que l'exagération d'une opinion couramment répandue et remarquablement fausse, à savoir que Napoléon, s'il a conçu pour Paris des projets grandioses, n'a que peu réalisé.

Il fallait donc rappeler à ceux qui l'ont oublié que nous devons à l'Empereur, outre la rue de Rivoli, les deux arcs de triomphe, la colonne Vendôme, la Madeleine, la Bourse, la façade de la Chambre des Députés, l'aile Rivoli du Louvre et l'achèvement de la cour carrée, les ponts des Arts et d'Iéna, douze fontaines, les rues de la Paix et de Castiglione, la place Saint-Sulpice, les Catacombes, sans parler des monuments que les époques suivantes n'ont pas su préserver. Rappeler aussi qu'il a fait décorer le Panthéon par Gros, l'Hôtel de Ville par Ingres, les Tuileries par Percier et Fontaine. Mais dire aussi que la ville moderne telle que nous la voyons vivre, avec ses rues à trottoirs, ses quais, ses eaux, son port, ses cimetières, ses marchés, ses abattoirs, ses pompiers et son administration elle-même, est sa création. En vérité, en dehors du Second Empire, qui, sur beaucoup de points, ne fera que suivre la voie tracée, quel régime, en moins de quinze ans, peut aligner semblable bilan? Et encore faut-il penser que deux des plus importants projets du règne, le palais de Chaillot et le quartier administratif du Champ-de-Mars, dont l'exécution était commencée, n'ont pas été poursuivis par les successeurs de Napoléon, qui ont ainsi, par pusillanimité et surtout par indifférence, perdu le moyen de rénover tout l'ouest de la capitale.

Mais la personnalité de l'Empereur est telle que l'on ne peut étudier ses réalisations sans essayer de saisir les motifs qui les ont inspirés. On verra ici un Napoléon bien différent des champs de bataille, où il jugeait, jouait, gagnait; un Napoléon réfléchi, prudent, s'entourant de conseils, acceptant de modifier sa décision première sur les avis d'un technicien, mais sachant aussi se tenir à son sentiment quand il lui semblait inspiré par le bon sens. Un Napoléon héritier des traditions classiques de la fin du XVIIIe, mais désirant également, comme Louis XIV, faire servir les monuments à la gloire de son règne, et ne manquant pas d'en tirer la philosophie. Un Napoléon voyant grand, voyant juste, voyant souvent beau, et sachant freiner, quand cela était nécessaire, sa propre imagination trop prodigue. Un Napoléon passant du somptuaire à l'utilitaire à mesure qu'il mesurait la vanité des triomphes. Un Napoléon profondément humain.

Enfin, il nous a semblé qu'il n'était pas possible de séparer les réalisations urbanistiques et architecturales, ce qui est proprement l'histoire de Paris, des événements principaux de l'époque, c'est-à-dire l'histoire à Paris : les uns éclairent les autres, et c'est la raison pour laquelle on trouvera brièvement racontés ici des épisodes marquants de l'histoire parisienne, tels l'attentat de la rue Saint-Nicaise, le Sacre ou le mariage autrichien. De même n'avons-nous pas craint, en tête de cet ouvrage, d'évoquer les premières rencontres du jeune corse et de la capitale. Logiquement, le retour des cendres eut dû conclure cette riche histoire, mais ce sujet, que nous avons particulièrement étudié, nous a semblé assez nourri pour faire l'objet d'une étude indépendante.

A travers l'histoire, souvent pittoresque, des projets ou des réalisations de l'Empereur, nous avons surtout voulu montrer l'intérêt passionné porté par Napoléon à la vie, au développement, à l'embellissement de la capitale. Le souverain, né si loin de Paris, s'est pris, passionnément, d'amour pour cette ville, et il est bon, qu'à côté de son corps, dans le tombeau de porphyre des Invalides, repose son cœur, ce cœur que Marie-Louise refusa quand elle apprit que le prisonnier de Sainte-Hélène le lui avait légué.

Ce livre était entièrement rédigé quand est paru l'excellent ouvrage de Mme Marie-Louise Biver, Le Paris de Napoléon. *Nous tenons à dire que, tout en adoptant souvent une optique différente de cet auteur, nous avons trouvé dans son texte quelques utiles renseignements complémentaires, qui sont signalés en note.*

I

PREMIERS PAS DANS LA VILLE

Tiré par quatre chevaux, le coche d'eau de Bourgogne, qui descendait l'Yonne et la Seine depuis Auxerre, s'amarra le 21 octobre 1784 (1) au port Saint-Paul (2), devant l'hôtel de Sens (3). Les gens du quartier, toujours amateurs de ce spectacle et qui, dit-on, ne manquaient pas de quolibets pour les provinciaux, virent débarquer, en cette fin de journée, un frère minime suivi de cinq jeunes gens en uniforme. C'étaient des cadets-gentilshommes de l'école de Brienne admis à l'École militaire. Le plus petit, noiraud, chétif, mit pour la première fois le pied sur le sol de la capitale : Napoléon avait quinze ans, et quinze autres années lui suffiront pour devenir maître de cette ville. La première vision qu'il eut de Paris fut celle des tours de Notre-Dame, où, vingt ans plus tard, à un mois près, il devait être investi de la plus haute dignité humaine.

Nous ne nous étendrons pas sur les épisodes de l'instruction militaire et de la jeunesse du cadet corse. Qu'il nous suffise d'indiquer les différents toits qui ont abrité cette tête déjà trop pleine.

D'octobre 1784 à septembre 1785, Bonaparte, comme ses camarades, fut logé à l'École militaire, bâtiment qui avait le même âge que lui, peut-être dans une des mansardes du corps central. Marco de Saint-Hilaire a raconté qu'il fallait cent soixante-seize marches pour atteindre le réduit du jeune homme, mais les escaliers les plus élevés de l'école n'atteignaient pas ce chiffre. Sans doute avait-il dû mal compter... (4).

Bonaparte fut un peu étonné du caractère grandiose de l'école, et on dit même que, corse plus que français à l'époque, il y trouva la dépense excessive. On sait qu'il y reçut la confirmation (5), et fut l'objet de la célèbre appréciation : « Ira loin, si les circonstances le favorisent ».

Sur la place de Conti s'élève toujours, au n° 13, le petit hôtel Guénégaud ou de Sillery, construit par François Mansard en 1659. Mme de Genlis, propriétaire de l'hôtel au XVIIIe siècle, le loua de 1785 à 1792 à Mme Permon, amie de Laetizia Bonaparte, qui y reçut à plusieurs reprises le jeune élève-officier. Sa seconde fille, devenue duchesse d'Abrantès, a même prétendu plus tard, dans ses mémoires, que le jeune homme coucha parfois dans la mansarde du troisième étage, à l'angle de la place et de l'impasse Conti (6). Aussi, quand, en octobre 1785, Bonaparte sortit de l'école, quarante-deuxième sur cinquante-huit, et nommé lieutenant en second au régiment dit de la Fère, à Valence, n'eut-il rien de plus pressé que d'aller se présenter en uniforme à Mme Permon et à ses deux filles, qui pouffèrent en voyant, perdu dans ses bottes, ce garçon de seize ans, qui en paraissait quatorze :

— Vous avez l'air d'un chat botté !

— Taisez-vous ! fit, vexé, le sous-lieutenant Bonaparte, vous n'êtes qu'une petite pensionnaire !

Mais le lendemain, il apportait à l'impertinente une jolie édition du *Chat botté* et un pantin représentant l'animal du marquis de Carabas à sa jeune sœur, la future mémorialiste : c'est elle, là encore, qui a raconté la scène, et sans doute l'a-t-elle embellie (7). Bonaparte quitta Paris le 30 octobre 1785 par la diligence de Lyon.

En octobre 1787, entre deux séjours en Corse, le lieutenant vint se loger rue du faubourg-Saint-Honoré, à l'hôtel de Cherbourg, chambre 9, troisième étage. L'emplacement est actuellement occupé par le pavillon ouest des Halles (8), mais Lenôtre a encore connu l'escalier, qui s'éclairait « pauvrement sur un puits d'air creusé entre quatre murailles noires où s'ouvrent d'étroites fenêtres ». Dans sa chambre ascétique du troisième étage, Bonaparte composait un roman par lettres, racontant l'aventure authentique du baron de Neuhof, qui, en 1736, s'était proclamé roi de Corse, sous le nom de Théodore Ier.

Mais on comprend que le jeune homme, pour se distraire de ce terne décor, ait été aussi parfois se promener au Palais-Royal, où le 22 novembre 1787, il rencontra celle (« sa timidité m'encouragea, et je lui parlai ») qui devait être sa première, et peu reluisante aventure. Si nous la connaissons, c'est que, rentré dans sa chambre, Bonaparte, en bon disciple de Jean-Jacques, a lui-même relaté cette pauvre histoire. Brèche à son amour-propre et aussi à son porte-monnaie de petit officier besogneux. Il déjeunait à six sous la portion rue des Petits-Pères, ou aux Trois-Bornes, rue de Valois et, gêné par la modicité de son addition, la portait lui-même à la caisse. Quelques jours avant Noël, il repartit pour Ajaccio.

Le 28 mai 1792, après les premières déceptions en Corse, Bonaparte était de nouveau à Paris, dans le but de régulariser sa situation militaire, de demander de l'avancement, qu'on lui refusera, et de venir chercher sa sœur Élisa, alors à Saint-Cyr. Il s'installa d'abord à l'hôtel des Patriotes hollandais, rue des Moulins, puis, deux jours plus tard, le gîte étant trop cher pour sa bourse, dans une hôtellerie de la rue du Mail (9).

De la terrasse du bord de l'eau, en compagnie de l'ingénieur Perronet, le jeune officier put voir, le 20 juin, la populace envahir les Tuileries. Le 10 août, de chez Fauvelet, frère de son ami Bourrienne et marchand de meubles au Carrousel (10), il assista, écœuré, à la fuite de Louis XVI

— Che coglione...

et au pillage du château « par la plus vile canaille ». Au risque de se faire écharper, il sauva un des défenseurs du palais. Les deux fois, il s'indigna de ce qu'on n'ait su ou pu résister : il s'en souviendra au 13 vendémiaire. Il partit de Paris le 9 septembre (11).

Nommé, après Toulon et l'Italie, à la tête d'une brigade d'infanterie de l'armée de l'Ouest, et mécontent de cette nomination, le général Bonaparte revint à Paris le 9 prairial an III (28 mai 1795), pour protester contre cette mesure. Sans doute est-ce à ce moment que, après un séjour rue de la Michodière, il s'installa à l'hôtel du Cadran bleu, 10, rue de la Huchette, au troisième ou quatrième étage (12). La maison existe toujours, et sert toujours d'hôtel. Napoléon s'y est lui-même dépeint vivant « comme un ours, seul, seul avec mes livres, mes seuls amis d'alors ».

Refusant de se rendre à l'Ouest, faisant sa mauvaise tête de corse, Bonaparte fut d'abord réintégré comme chef d'escadron : c'est l'époque de la vache enragée, des emprunts à Joseph, du rôle de pique-assiette chez Mme Permon : Junot, qui le suivait partout, y gagnera d'épouser Laure. Les deux officiers déjeunaient d'une tasse de café, chez Cuisinier, à l'angle de la rue Saint-André-des-Arts et du quai.

Rétabli le 30 juin dans son grade de général, mais en demi-solde et toujours avec la même affectation, Bonaparte se fit porter malade, prolongea illégalement son congé, appela Barras au secours et, le 18 août (1er fructidor an III), fut finalement affecté au Bureau topographique.

Regain d'espoir : en même temps qu'il remettait le plan qui sera victorieusement appliqué en Italie, le général précisait ses projets matrimoniaux avec Désirée Clary, retenait pour son futur ménage un appartement, 9, rue de la Michodière, et, pour tromper son inaction, entreprenait d'écrire un roman, *Clisson et Eugénie*, dont les premières lignes sonnent comme un défi :

« Clisson était né pour la guerre. Encore enfant, il connaissait la vie des grands capitaines, il méditait les principes de l'art militaire. Dès l'âge de porter les armes, il marqua chaque pas par des actions d'éclat. Il était arrivé au premier grade de son métier militaire, quoique adolescent. Le bonheur seconda constamment son génie. Ses victoires se succédaient, et son nom était connu du peuple comme celui du fils le plus chéri du succès... »

Mais il n'avait pas eu le triomphe assez modeste : le futur Directeur Letourneur (dont le Premier Consul fera, quatre ans plus tard, un simple préfet) eut l'idée de revoir les dossiers des officiers « jacobins », et tomba sur celui du héros de Toulon. Le 29 fructidor an IV, le Comité de salut public, présidé par Cambacérès — le destin a de ces ironies — rendait deux arrêtés par lesquels le général Bonaparte, pour avoir refusé de se rendre à son poste, était « rayé de la liste des officiers généraux employés », et autorisé à se mettre au service de la Turquie. Voici Bonaparte pratiquement chassé de l'armée : il aura trois semaines pour maudire ses juges.

Bonaparte était, le 12 vendémiaire (4 octobre 1795), avec un billet de faveur de Talma, au théâtre Feydeau, où l'on jouait *Le bon fils*, pièce larmoyante du citoyen Hennequin, au moment où le sort de la Convention se jouait. La section Le Peletier, qui siégeait dans l'ancien couvent des Filles Saint-Thomas, à l'emplacement de la Bourse, s'était révoltée, et l'Assemblée avait envoyé contre elle la garnison de Paris, commandée par le général Menou. Celui-ci, impressionné par l'attitude résolue de la section, recula. Bonaparte, regagnant par le passage des Filles Saint-Thomas (l'actuelle rue des Colonnes) (13), à deux pas du siège de la section, le minable hôtel qu'il habitait alors, « A l'enseigne de la Liberté », rue des Fossés-Montmartre (rue d'Aboukir), fut témoin, rue Vivienne, de la retraite honteuse de Menou. Aussi indigné qu'au 10 août, le général en disponibilité se précipita derrière les troupes et courut aux tribunes de la Convention (elle vivait ses derniers jours) « pour y juger de l'effet de la nouvelle et suivre les développements et la couleur qu'on y donnerait » (14).

Ce fut vite fait. L'Assemblée destitua Menou sur-le-champ, et nomma Barras général en chef de l'armée de l'Intérieur, Barras à qui Bonaparte, le matin même, avait encore rendu visite dans sa maison de Chaillot, rue Basse-Saint-Pierre (15). Le nouveau général, militairement incapable, avait besoin d'un adjoint : il prononça le premier nom qui lui vint à l'esprit. Dans la nuit, Bonaparte partait de son hôtel pour le Luxembourg. Le lendemain soir, après la fameuse canonnade de Saint-Roch, tout était fini. Le jeune général qui, uniquement par déception d'amour-propre, avait refusé d'aller se battre en Vendée contre les royalistes, n'avait pas hésité à les mitrailler à Paris, et cela sans conviction aucune : « Si j'avais été à la tête des sections, dira-t-il à Junot, comme j'aurais fait sauter les représentants ! » En quelques jours, il avait forcé la gloire, et rencontré Joséphine (16).

Nommé général de division le 24 vendémiaire, il quittait, quelques jours plus tard, son hôtel pour s'installer dans la résidence du général commandant l'armée de l'Intérieur, hôtel Bertin, 22-24, rue des Capucines, ancienne demeure, aujourd'hui disparue, d'un receveur général des Finances. Travail avant tout : Bonaparte installa son bureau dans l'ancien salon du financier.

Sa vie a changé du jour au lendemain. Il a son hôtel, ses équipages, de larges frais de service. Et, déjà, une famille exigeante.

« Bonaparte, dit le commandant Lachouque, réorganise la Garde Nationale qu'il a dispersée, administre Paris, s'occupe du ravitaillement, harangue les ouvriers des faubourgs; on le voit partout, dans les casernes, à l'École militaire, où il loge lui-même des canonniers abandonnés sous la pluie, et envoie trente jours d'arrêts au chef d'état-major de l'artillerie, abasourdi et furieux. »

L'hôtel construit par Perard de Montreuil, rue Chantereine, inaugure la série des demeures « découvertes » par Joséphine. Celui-ci (17) fut loué par elle, le 30 thermidor an III, à Julie Carreau, future épouse de Talma, et Bonaparte y vint chaque fois qu'il le pouvait retrouver la belle créole (18). C'était une « folie » néo-antique, cachée au fond d'un jardin à demi-sauvage. On y accédait, depuis la rue Chantereine, par une grille décorée de faisceaux de licteurs et d'attributs militaires, puis par une étroite avenue d'arbres, longue de quatre-vingt mètres, qui débouchait devant le perron demi-circulaire, lequel sera par la suite, pour gagner un peu de place, transformé en vestibule. Quatre petites pièces au rez-de-chaussée, trois encore plus petites au premier : aimable garnison.

Le 2 mars 1796, Bonaparte était nommé commandant en chef de l'armée d'Italie, et, le 8 suivant (18 ventôse an V), Maître Raguideau, notaire, dressait le contrat de mariage du général et de Joséphine, sous le régime de la séparation de biens, biens inexistants de part et d'autre. Celle qui, huit ans plus tard, se parera de tous les joyaux de la Couronne, dut se contenter, pour bague de fiançailles, de deux cœurs accolés, l'un en brillants et l'autre en saphir (19).

Le lendemain, l'officier d'état civil de la « deuxième municipalité » se prépara à célébrer le mariage. La mairie, ancien hôtel de Mondragon, était située 3, rue d'Antin, et se trouve maintenant occupée par la Banque de Paris et des Pays-Bas. Le grand salon du premier étage, orné de boiseries de Pineau et de peintures de Hallé, existe encore, où Joséphine, accompagnée de ses témoins Barras et Tallien, arriva vers huit heures du soir, en robe de mousseline garnie de fleurs tricolores. Avec Leclercq, l'officier d'état civil, ils attendirent longtemps, longtemps, le marié. Vers dix heures du soir, enfin, un bruit de bottes : Bonaparte, flanqué du capitaine Lemarrois,. entra, et réveilla Leclercq assoupi :

— Mariez-nous vite, monsieur le maire!

Celui-ci, d'une voix somnolente, lut un acte bourré de fautes juridiques : un des témoins du marié, Lemarrois, dix-huit ans, était trop jeune pour remplir cet office; les états civils étaient falsifiés : Joséphine rajeunie de quatre ans, Bonaparte vieilli de dix-sept mois, au risque de le faire naître citoyen génois (20); enfin, l'acte le prétendait domicilié rue d'Antin, c'est-à-dire à la mairie même, sans doute pour dissimuler qu'il habitait déjà chez Joséphine (21).

La morale de cet étrange acte juridique, Napoléon lui-même devait la tirer dix-sept ans plus tard pour le même Lemarrois, devenu général et gouverneur de Magdebourg, en lui écrivant le célèbre : « Impossible n'est pas français... »

Quelques minutes plus tard, Bonaparte et Joséphine regagnaient la rue Chantereine, peut-être dans la calèche offerte à la créole par Barras l'année précédente (22).

Deux jours plus tard, Bonaparte franchissait la barrière d'Italie, puis revenait le 5 décembre 1797, nimbé d'une gloire nouvelle. Le 20 suivant, le Corps législatif lui offrait un grand banquet dans la galerie du bord de l'eau, au Louvre, et, huit jours plus tard, la rue Chantereine, en son honneur, devenait rue de la Victoire. Encore quelques semaines, et il achètera l'hôtel à Julie Carreau, déjà séparée de Talma.

Le général se garda, en ce nouveau séjour parisien, de toute activité politique, en dehors de la fameuse séance du Luxembourg où il présenta au Directoire le traité de Campo-Formio, et affecta d'être assidu aux réunions de l'Institut (23). Il resta à Paris jusqu'à son départ pour l'Égypte (4 mai 1798), et en revint le 16 octobre 1799, pour y avoir la fameuse scène que l'on connaît avec Joséphine. Dans l'hôtel de la rue de la Victoire, il prépara le coup d'État par de nombreuses conversations, et y rentra coucher pour la dernière fois, au soir du 19 brumaire (24). Le lendemain, il s'installait dans l'aile droite du Petit-Luxembourg, dans l'appartement aux boiseries de Boffrand actuellement occupé par le président du Sénat, en se souvenant peut-être des paroles qu'il prononçait cinq mois plus tôt, pendant la traversée de la Méditerranée : « Si j'étais le maître de la France, je voudrais faire de Paris, non seulement la plus belle ville qui existât, la plus belle ville qui ait existé, mais encore la plus belle ville qui puisse exister. »

II

TRAVAUX PARLEMENTAIRES

Le 20 brumaire an VIII (11 novembre 1799), les trois consuls provisoires, Bonaparte, Siéyès et Roger Ducos, se réunissaient au Luxembourg, dans la salle des Directeurs. Le 24 (15 novembre), la Constitution, élaborée dans l'appartement de Bonaparte, était proclamée dans les rues, et était appliquée à dater du 3 nivôse (24 décembre). Siéyès et Roger Ducos cédèrent avec résignation place à Cambacérès et Lebrun et, reconnaissance de son rôle au 19 brumaire, Lucien Bonaparte fut nommé ministre de l'Intérieur, ayant ainsi Paris dans son ressort (1). Le 27, le *Moniteur* était déclaré journal officiel : il va désormais être le principal instrument de la propagande impériale. D'ailleurs, dès le 17 janvier (27 nivôse), un arrêté consulaire supprimait soixante journaux sur soixante-treize, et interdisait d'en créer de nouveaux. Autoritarisme savamment mêlé de libéralisme : en même temps, la loi des suspects était rapportée, et Bonaparte alla lui-même délivrer ces derniers au Temple.

Le nouveau maître prenait possession d'un Paris délabré par dix ans de révolutions et d'incurie, qui s'étaient traduites par un grand désarroi dans les habitudes et un incroyable débraillé dans les mœurs. Il y avait beaucoup à reconstruire, au propre et au figuré, mais il fallait parer au plus pressé. Un des tous premiers problèmes consistait à loger les différents corps composant les nouvelles institutions : Sénat, Tribunat, Corps législatif, sans parler du Conseil d'État, créé et provisoirement installé au premier étage du Petit-Luxembourg, à côté du Premier Consul lui-même. Bonaparte, d'ailleurs, aimait cette demeure et, tous les matins, se mettait au travail en chantant. Et Dieu sait, dira Bourrienne, s'il chantait faux...

Après diverses hésitations, on affecta le Palais-Bourbon, précédemment occupé par les Cinq-Cents, au Corps législatif, surnommé l'Assemblée des trois cents muets, car ils votaient sans discussion. Le nom propre de la monarchie absolue va ainsi désormais, jusqu'à nos jours, symboliser le régime parlementaire. Les « représentants » s'installèrent donc dans la salle construite par Gisors et Lecomte sous le Directoire, au débouché du pont. Salle trop grande pour eux, dont les architectes Blève, Gisors et Poyet, successivement, améliorèrent l'acoustique et l'aération. Au début de l'Empire, on l'ornera d'une statue de Napoléon, œuvre de Chaudet, dont Louis XVIII fera, dix ans plus tard, cadeau au roi de Prusse : c'est un peu comme si, en 1919, le président allemand Ebert avait fait don à Clemenceau de l'effigie de Guillaume II. Le Corps législatif commanda encore à Ingres un portrait de l'Empereur, qui fut exposé au Salon de 1806, et fraîchement accueilli. On critiqua le manque de ressemblance, et la pâleur de la tête : « Il semble peint aux rayons de lune », disait-on, ou encore : « Napoléon mal-Ingres». Le tableau est aujourd'hui au Musée de l'Armée. Quant aux drapeaux ennemis pris sur les champs de bataille, et dont Napoléon avait fait, en 1806, 1808 et 1810, hommage à l'Assemblée, ils furent, lors de sa chute, cachés sous la tribune, et encadrent aujourd'hui la statue... d'Henri IV.

La salle du Sénat sous l'Empire, par Chalgrin ▶

A côté de l'édifice construit pour la duchesse de Bourbon se trouvait l'hôtel bâti pour son chevalier servant, le marquis de Lassay, et qui en a gardé le nom ; la Révolution y avait installé l'École polytechnique : elle y restera quelque temps.

Au Palais-Égalité, ci-devant Palais-Royal, Beaumont fut chargé d'installer le Tribunat, et adopta le principe instauré par Gisors au Palais-Bourbon : un amphithéâtre entouré d'une colonnade ionique, coiffé d'une demi-coupole à caissons, avec une niche pour le président. Cela dura jusqu'en 1807, date où Napoléon supprima cette assemblée pas assez docile.

En ce qui concerne la première Assemblée, un chassé-croisé marquait le changement de prééminence voulu par le nouveau régime : les consuls devaient s'installer aux Tuileries, ancienne résidence du Conseil des Anciens, tandis que le Sénat, qui succédait à ce dernier, partait pour le Luxembourg, où avaient jusque-là siégé les Directeurs. L'exécutif passait en tête, et ce n'était pas vain protocole.

Si les Tuileries possédaient une salle, celle du Manège, sans doute déjà condamnée dans l'esprit de Bonaparte, parce que trop riche en souvenirs, le Luxembourg n'en comportait pas. Il fallut donc prévoir dans le palais des travaux d'appropriation, qui furent confiés à celui qui, au service du comte de Provence, puis du Directoire, enfin de Bonaparte, était l'architecte du palais depuis vingt-cinq ans, Jean-François Chalgrin.

Celui-ci revenait de loin. Élève de Servandoni, grand prix de Rome en 1758, membre de l'Académie d'Architecture, il avait vu sa première femme, la fille de Joseph Vernet, guillotinée en 1794. Type même de l'homme d'Ancien Régime, il avait cependant réussi à s'adapter, jusqu'à se faire confier l'installation de la statue de la

Liberté, place de la Concorde, sur le socle de l'ancienne statue de Louis XV, socle dont il était également l'auteur.

Chalgrin continua donc les transformations, de la vieille demeure, commencées sous le Directoire. Pour permettre une circulation autour de la cour, il ferma les galeries situées en bordure de la rue de Vaugirard, et les éclaira de fenêtres. La terrasse, bordée de balustres, qui se trouvait au fond de la cour, disparut, et fut remplacée par un perron encadré des statues de Salomon de Brosse et de Sully, patronages peu dangereux. Dans le corps central, il supprima l'escalier du XVIIe siècle et le remplaça par un vestibule d'honneur, dont les colonnes doriques étaient placées sur des espacements décroissants vers le fond (3), afin de donner l'illusion de la perspective. Et comme il fallait remplacer l'escalier disparu, il prit la grave décision de supprimer la galerie des Rubens, vide depuis dix ans.

Les vingt et une toiles peintes par le grand anversois pour Marie de Médicis, parties pour le Louvre en 1790 (4), étaient restées cent soixante-cinq ans à l'emplacement pour lequel elles avaient été conçues, dans cette longue galerie qui occupait une grande partie de l'aile ouest, et où les tableaux étaient placés entre les fenêtres. Pensant peut-être, à l'époque, que le transfert des Rubens était définitif, Chalgrin creva le sol de la galerie et établit un grand escalier à volée droite, flanqué de lions impassibles, et montant entre deux murs décorés de frises. Sur le palier du premier étage, des colonnes, portant une voûte à caissons, vinrent encadrer les fenêtres. A chaque extrémité, les portes furent surmontées de bas-reliefs représentant deux génies couronnant une Minerve, que l'on attribue, quand on les regarde, tantôt à Durey, tantôt à Ramey. Enfin, tels des gardes républicains au port d'armes, huit statues de généraux et de législateurs de la Révolution jalonnèrent l'escalier. Ils seront relevés de leur faction sous Louis XVIII.

Cet escalier conduisit à une suite de salles, salle des gardes, des huissiers, des messagers d'État, dont le décor a été très remanié par la suite. L'*Hercule* de Puget, venant de Sceaux, que Chalgrin avait placé dans la première, est parti depuis pour le Louvre, mais il nous reste, dans le second salon, *le Silence* de Mouchy, qui a conservé sa valeur ironique. Dans la partie restante de la galerie des Rubens, Chalgrin aménagea l'actuelle salle de la commission des Finances, dont le plafond de Barthélémy, *Le triomphe de la philosophie*, a disparu ces dernières années (5). D'autre part, l'espace gagné grâce au déplacement de l'escalier permit d'installer, au premier étage du corps de logis central, à la place de la chapelle, un salon de l'Empereur, orné d'une statue de Napoléon par Ramey, aujourd'hui à Versailles, et une salle des séances, conçue sur le même type que celles du Corps législatif et du Tribunat, c'est-à-dire composée de deux hémicycles, inégaux face à face, l'un pour les membres, l'autre, plus petit, pour le bureau de l'Assemblée, rassemblé autour du trône, face auquel parlait l'orateur (ce trône est actuellement conservé dans le salon du livre d'or) (6).

C'est dans cette salle que siégèrent les quatre-vingts membres du Sénat consulaire, sous la présidence de Sieyès. Ils y proclamèrent l'Empire et, dix ans plus tard, y voteront à l'unanimité la déchéance de Napoléon. Cette salle, et celles qui l'encadraient, ont entièrement disparu lors des travaux de Gisors sous le Second Empire, et se trouvaient à l'emplacement de la partie centrale de l'actuelle galerie Napoléon III (7).

Par la suite, en 1802 (8), on décida de ramener les Rubens au Luxembourg. Leur place primitive étant inutilisable, Chalgrin, très logiquement, les plaça dans l'aile symétrique, dans la galerie est, qui, prévue à l'origine pour recevoir la vie d'Henri IV par Rubens, avait, en 1750, abrité le premier musée de France. Afin d'en compléter le décor, Chalgrin maroufla au plafond des toiles de Jordaens représentant les signes du zodiaque, provenant de la maison du peintre à Anvers, toiles qui se trouvent toujours dans la galerie (9). L'architecte constituait ainsi un ensemble flamand de grande allure, que l'on peut, dans une certaine mesure, regretter d'avoir vu dissocier. En effet, en 1815, pour compléter les vides de la Grande Galerie du Louvre dévastée par les restitutions, Louis XVIII y fera revenir les Rubens, et, trois ans plus tard, fera installer dans la galerie du Luxembourg un musée d'art contemporain, le premier en France, qui partira ensuite, d'abord pour l'orangerie du Luxembourg, puis bien plus tard pour les quais de la Seine.

Les nouveaux locaux reçurent une décoration appropriée et Bonaparte commanda d'un seul coup, pour le Sénat, trente statues. Le vieux Clodion, qui après quarante ans de polissonneries sculptées, essayait de se mettre au goût du jour, fit un Caton d'Utique et des bustes de sénateurs décédés. Le statuaire Dumont se vit commander une statue de Marceau, qui sera détruite à la Restauration (10). Dans la salle dite de la Réunion, le peintre Jean-Baptiste Regnault, rival de David, peignit, en triomphateur, un Napoléon, qui se transforma en Louis XVIII sous la première Restauration, pour redevenir Napoléon aux Cent-Jours. A la seconde restauration, de guerre lasse, on y substitua la France. Un buste de l'Empereur, à la romaine, fut, à la même époque, décapité, et nanti d'une inscription impavide : *en réparation*.

En même temps, le jardin était aménagé. La Révolution, supprimant le couvent des Chartreux qui limitait le parc vers le sud, avait enfin permis l'extension du domaine de ce côté. Chalgrin traça, entre le Luxembourg et l'Observatoire, bâtis par un hasard providentiel sur le même axe, une avenue qui, pour sa première étape, s'arrêta au niveau du boulevard Montparnasse. De chaque côté de cette perspective, l'architecte modifia le dessin du jardin en traçant deux demi-lunes.

Enfin, Chalgrin projetait une grande place devant le palais, à la place des premières maisons de la rue de Tournon. Le projet ne reçut un commencement d'exécution qu'en 1938, par la démolition du restaurant Foyot. Quel régime soucieux d'urbanisme le reprendra?

III

L'ÉPOQUE ARDENTE DU CONSULTAT

Garin, qui se trouvant un beau jour à Venise.
Emporta sur son dos le lion de Saint-Marc

VICTOR HUGO

Le Consulat, disait le régime, c'était toujours la République, affermie et consolidée. Les royalistes le croyaient encore, et essayèrent de répliquer par une manifestation assez enfantine : le 21 janvier, anniversaire de la mort de Louis XVI, ils tendirent de noir la porte de la première église de la Madeleine. Fouché fit arrêter et fusiller un jeune homme de dix-neuf ans, le chevalier de Toustain. Et, le 9 février, à la cérémonie en l'honneur de Washington, qui venait de mourir, Fontanes était autorisé à prononcer l'éloge de Bonaparte, qui pouvait encore soutenir la comparaison.

Un des phénomènes les plus curieux de cette époque est le refleurissement, pratiquement spontané, des couvents : dès 1799, soixante-deux maisons, abritant plus de quatre cents religieux, étaient nouvellement ouvertes à Paris.

Mais ces communautés se trouvaient, la plupart du temps, installées dans des locaux de fortune, et les plus célèbres monastères, non réoccupés, étaient voués à la disparition : dès 1800, on voyait démolir l'église des Jacobins de la montagne Sainte-Geneviève, une des plus intéressantes de Paris; l'église des Théatins devenait salle de spectacles (1). La même année, on commençait aussi la démolition de l'église Saint-André-des-Arts, où Voltaire avait été baptisé.

C'est ici le lieu de dire que l'époque napoléonienne, à côté de créations multiples, inaugure aussi ce que M. Lavedan a appelé « l'urbanisme dévastateur », c'est-à-dire « la démolition systématique de parties de la ville déjà bâties, entraînant la disparition d'œuvres d'art souvent considérables ». Bonaparte, d'ailleurs, avait nettement pris parti. Le respect du passé, peut-être manifestation d'impuissance, sentiment tout moderne, qui nous anime, était étranger à son époque comme à lui-même, et il n'hésitait pas à traiter Paris comme sont traitées aujourd'hui les villes américaines, comme un arbre que l'on peut fortement ébrancher pour en modifier l'aspect et même la vie : « Pour embellir Paris, disait-il, il y a plus à démolir qu'à bâtir. Comment ne pourrait-on pas mettre en évidence tous ces édifices qu'on a pris soin de fermer au soleil et au froid, quand on avait en arrière de grandes cours et de grands jardins pour respirer? N'est-il pas urgent de désinfecter, par de larges courants d'air, maintenant que les espaces intermédiaires sont remplis et comblé? N'y a-t-il pas (et ici apparaît l'homme des systèmes) un grand parti à prendre?

« Pourquoi, continuait-il, ne pas abattre tout ce quartier de la Cité? C'est une vaste ruine, qui n'est plus bonne qu'à loger les rats de l'ancienne Lutèce! (2) » Ici, Bonaparte sera suivi par Haussmann. Et ce n'est peut-être pas tellement ce qui a disparu qu'il y a lieu de regretter, mais ce que l'on a mis à la place...

Et Bonaparte trouvait encore le temps de s'occuper de mode. Les robes de gaze légère, à la transparence équivoque, en vogue depuis le Directoire, ne pouvaient que lui déplaire, et il s'efforça de les faire disparaître, mais avec diplomatie. Sur son ordre, le *Moniteur* faisait paraître des comptes rendus mondains affirmant que la soie détrônait la gaze. Et, au Luxembourg, le Premier Consul faisait activer les feux dans les salons :

— Ne voyez-vous pas que ces dames sont presque nues?

Mais cette année ne s'était pas terminée sans que Bonaparte se soit préoccupé de l'embellissement de Paris. Quelques semaines auparavant, il avait fait la connaissance, chez lui, rue de la Victoire, de deux jeunes architectes que Joséphine employait déjà depuis quelque temps à Malmaison, Charles Percier et Pierre Fontaine.

Fils, l'un du concierge des Tuileries, l'autre d'un entrepreneur de Pontoise, les deux jeunes gens s'étaient connus dans l'atelier de Peyre, un des architectes de l'Odéon. S'étant retrouvés à Rome en 1785, ils avaient vivoté pendant la Révolution et étaient devenus en 1794 décorateurs de l'Opéra. L'aménagement de l'hôtel de M. de Chauvelin, rue de la Victoire, avait attiré sur eux l'attention de David, puis de Joséphine. Bonaparte, pratiquant sur eux sa technique de la question à brûle-pourpoint, leur avait demandé ce qu'ils pensaient de son projet d'exposer à Saint-Louis des Invalides les prises artistiques rapportées d'Italie. Fontaine n'avait pas hésité à critiquer le projet et à déclarer que seuls des drapeaux conviendraient au décor de l'église. Bonaparte, surpris, ne répondit rien et se retira, tandis que les assistants accablaient Fontaine de reproches. Quelques jours plus tard, le jeune architecte recevait l'ordre d'organiser la décoration des Invalides pour la fête funèbre de Washington.

Dès lors, il accorda à Percier et Fontaine, Fontaine surtout, une confiance qu'il ne leur retirera pas. En décembre (frimaire-nivôse), suite logique du premier projet, il leur confiait la tâche de faire des Invalides « l'Élysée des guerriers ». L'église deviendrait Temple de Mars (nous verrons cette idée suivre Napoléon pendant tout son règne) et, sur l'esplanade, on érigerait les tombes des guerriers morts pour la patrie. Dès le 16 nivôse an VIII (6 janvier), Fontaine notait ses projets dans son journal intime : « Le lion de Saint-Marc, portant la grande table en pierre de Saint-Denis, ornera la fontaine qui sera élevée au centre de l'esplanade, dans l'alignement de la rue Saint-Dominique » (3).

Ces lignes demandent quelques mots d'explication. Près de trois ans auparavant, le traité de Campo-Formio, imposé à l'Autriche, avait été le signal d'une gigantesque razzia d'œuvres d'art. Quand les Autrichiens étaient entrés dans Venise, ils n'avaient trouvé qu'une ville méconnaissable, tant elle avait été pillée (4).

La « commission des arts » avait dirigé sur Paris tout un lot d'œuvres d'art, et en particulier deux des plus célèbres monuments de Venise : le quadrige en bronze du porche de la basilique Saint-Marc et le lion de la Piazzetta. Ces deux morceaux célèbres vont être, pendant tout le Consulat, l'objet d'innombrables projets.

Le lion de Saint-Marc présente cette particularité de ne pas posséder d'état civil : on lui a donné successivement une origine syrienne, byzantine, sassanide, persane. On sait seulement que c'est en 1178 que l'animal fut hissé sur une des colonnes venues de Syrie en 1126. Quant aux chevaux de cuivre, les Vénitiens, aussi amateurs de souvenirs de voyage pendant leurs époques de gloire que Bona-

« Entrée triomphale des monuments d'Italie »
On voit au premier plan les chevaux de Venise

parte dans la sienne, s'en étaient emparés au moment de la IVe croisade à Constantinople, où ils ornaient la loge impériale de l'hippodrome. Peut-être remontent-ils à un modèle lysippéen (5).

Quant à la « grande table en pierre de Saint-Denis » dont parle Fontaine, ce n'était autre que le lavabo de l'abbaye royale, apporté à Paris, au moment du pillage des tombes, par les soins de Lenoir.

Donc, le 19 nivôse an VIII (9 janvier 1800), Percier et Fontaine apportaient au maître un projet qui était approuvé, et le 24 (14 janvier) ils étaient autorisés à commencer les travaux. Les architectes proposaient d'installer les chevaux dans la cour des Invalides et de jucher le lion de Saint-Marc et la vasque de Saint-Denis sur une fontaine au centre de l'esplanade (6). Ils commencèrent donc les terrassements et plantations.

Pendant ce temps, Bonaparte préparait son installation aux Tuileries, avec doigté, car la nouvelle causait quelques murmures. Pour ménager les royalistes, il refusa à grand bruit d'y emménager le 2 pluviôse (21 janvier), jour anniversaire de la mort de Louis XVI et, pour se concilier les républicains, il ordonna de conserver, sur la façade du palais, les traces de boulets soulignés de l'inscription : *Dix août*.

Entre temps, le 17 février (28 pluviôse an VIII), sortait la loi établissant l'administration de Paris, sur laquelle nous vivons encore en partie. On conserva la division de la capitale selon les fameuses « sections » révolutionnaires, qui seront rebaptisées « quartiers » en 1811, et le groupement, qui existait depuis 1796, de ces sections par quatre en « municipalités », qui devinrent arrondissements (7), mais l'on réorganisa le système. A la tête de chaque arrondissement furent placés un maire et deux adjoints nommés. Vingt-quatre conseillers composaient le conseil municipal, confondu avec le conseil départemental. Le 8 mars, les fonctions attribuées sous le régime précédent à la Commission administrative et au Bureau central étaient dévolues à un second préfet, qui prenait le titre de préfet de police. Il reçut dans ses attributions le maintien de l'ordre, la surveillance des vagabonds, malfaiteurs, conspirateurs, émigrés, prêtres (*sic*), déserteurs, des lieux publics, théâtres et hôtels; il devait délivrer les passeports et permis de séjour, viser les congés militaires. Il avait en commun avec le préfet de la Seine la voirie, les incendies, inondations, subsistances et tractations commerciales. Il pouvait rédiger des ordonnances : il était subordonné, mais seulement en tant que fonctionnaire de police, au ministre de la Police, c'est-à-dire Fouché.

Il s'agissait maintenant de trouver l'oiseau rare capable de remplir ces fonctions délicates. Le Premier Consul convoqua, dit-on, à ce sujet, son collègue Cambacérès et récusa successivement tous les candidats proposés, disant : « Ils ne conviennent pas à la fonction, c'est la fonction qui leur convient ».

Mais cela est la légende, telle que l'a en grande partie fabriquée la duchesse d'Abrantès. En réalité, il ne semble pas que Bonaparte soit directement intervenu dans la nomination du nouveau préfet, Dubois, ni surtout que le choix ait été excellent. Ce dernier, ancien procureur au Châtelet, avait pour lui d'être hostile aux intrigues politiques, ce qui en fera l'adversaire déclaré de Fouché, mais contre lui une amoralité peu recommandable pour un préfet de Police. Quand il recevait à sa table ses collègues du Conseil d'État, ceux-ci trouvaient sous leur serviette un assortiment des derniers livres obscènes saisis chez les libraires. Il se réservait une part sur la taxe des jeux et sur celle des filles publiques. Il est vrai que ce gendre modèle consacrait ce dernier revenu à la toilette de sa belle-mère : c'est tout du moins Pasquier, son peu indulgent successeur, qui l'affirme.

Enfin, le personnage était fat, important, pointilleux, usant d'un langage boursouflé dont voici un échantillon :

« Le printemps est la saison, messieurs, où les fleurs sont recherchées avec le plus d'avidité... Élevez vos regards jusqu'à la lucarne qui éclaire le galetas du pauvre; vous y verrez des pots à fleurs souvent posés sur un pan incliné, et toujours dépourvu de points d'appui (8). »

Tout cela pour ordonner à ses inspecteurs de veiller à la sécurité des passants...

Comme préfet de la Seine, on choisit Frochot, ancien secrétaire de Mirabeau, ancien constituant, homme conciliant et consciencieux. Et une tradition, soigneusement conservée dans les deux administrations, assure que le premier geste de chacun des deux préfets, aussitôt installé, fut de s'asseoir à son bureau et de rédiger un rapport concluant à la suppression du poste de son collègue. Même si elle ne fut aussi matériellement exprimée, la rivalité exista, et se manifesta pratiquement pendant tout l'Empire.

Et, le 30 pluviôse an VIII (19 février 1800), digne conclusion de cette mise en place des institutions, les consuls emménageaient aux Tuileries, où ils partagèrent le palais avec le Conseil d'État. Installation en grande pompe, mais improvisée : faute de carrosses, on avait dû se contenter de fiacres dont on avait recouvert le numéro avec du papier. Avant d'installer le palais, il avait fallu en nettoyer les murs, « ignoblement barbouillés de bonnets rouges », et l'un des corps de garde portait encore cette inscription : « La royauté est abolie en France; elle ne sera jamais rétablie. »

La légende assure que, le soir, l'ancien cadet-gentilhomme, maître de la France à trente ans, déclara à Joséphine : « Allons, petite créole, couchez-vous dans le lit de vos maîtres. » Plus importants sont les mots adressés à Bourrienne : « Ce n'est pas tout que d'être aux Tuileries. Il faut y rester. »

La loi prévoyait que les Tuileries seraient la résidence *des* consuls. S'autorisant de ce pluriel, Lebrun, troisième d'entre eux, s'installa au pavillon de Flore. Cambacérès, plus subtil, crut s'éviter un déménagement prévisible en se faisant attribuer l'hôtel d'Elbeuf, situé dans la lacis de petites rues qui séparait le Louvre des Tuileries. Ils n'auront ni l'un ni l'autre à se féliciter de ce choix et devront tous deux déménager au bout de quelques mois, Lebrun pour laisser place entière au maître et Cambacérès pour abandonner le champ libre aux démolisseurs.

Ce vieux palais des rois, bien saccagé par la Révolution, il fallait l'accommoder à son nouveau rôle. L'architecte du palais, Étienne Cherubin Lecomte, fut chargé d'y aménager des appartements pour les Premier et Troisième Consuls, leurs épouses, la « citoyenne Hortense », pour Bourrienne, pour les généraux Murat, Clarke, Duroc, pour Fouché, pour Fesch. Il fallait encore des salles pour le Conseil d'État, pour les états-majors, pour les bureaux. Lecomte s'acquitta de toutes ces tâches sans génie, mais avec un suffisant bonheur. Bonaparte occupa au premier l'ancien appartement de Louis XVI, donnant sur les jardins, composé de sept pièces, et osa faire abattre les deux arbres de la liberté plantés dans la cour du palais le 10 août 1792.

Cependant, l'hiver était rude, et le chômage sévissait. Le préfet de Police demandait l'ouverture de travaux d'utilité publique « car beaucoup d'ouvriers sont sans ouvrage et le commerce est dans une grande stagnation ». Le bâtiment chômait, et l'on ne peut guère citer, comme édifice de cette époque, que le curieux immeuble « retour d'Égypte » du 2, rue du Caire, orné de chapiteaux hathoriques et de reliefs qui sont une curieuse anticipation du gothique troubadour. C'est le seul reste d'une sorte de souk, le « bazar du Caire », qui avait pris l'emplacement de la dernière cour des miracles de Paris.

On organisa des ateliers nationaux, et le gouvernement annonça son intention d'entreprendre des travaux d'utilité publique. Mais il fallait avant tout remplir les caisses, et cette nécessité va avoir une conséquence parisienne directe : le 17 ventôse an VIII (8 mars 1800) un décret portait que le département qui, à la fin de germinal, aurait payé la plus forte partie de ses contributions serait proclamé comme ayant bien mérité de la patrie, et que son nom serait donné à la principale (*sic*) place de Paris. Les Lorrains répondirent les premiers à l'appel, et c'est la raison pour laquelle l'ancienne place royale, devenue place des Piques, puis de l'Indivisibilité, sous la Révolution, porte encore de nos jours le nom stupide de place des Vosges.

Dans les premiers temps de son installation aux Tuileries, Bonaparte, souvent, le soir, mettait sa redingote grise et disait à Bourrienne : « Allons faire un tour ». Il prenait son bras et ils allaient tous deux marchander des bibelots rue Saint-Honoré, demandant à la marchande : « Que dit-on de ce farceur de Bonaparte? » Le Premier Consul fut enchanté le jour où les deux compères durent fuir précipitamment devant les sottises que leur attirait ce ton irrévérencieux.

Bonaparte ne laissait pas également que de s'occuper des théâtres, inaugurant cette dictature des esprits à laquelle il ne renoncera jamais, et avec sa minutie habituelle. « Les consuls de la République, écrivait-il à son frère Lucien le 15 germinal an VIII (5 avril 1800), désirent, citoyen ministre, que vous fassiez connaître aux entrepreneurs des différents théâtres de Paris qu'aucun ouvrage dramatique ne doit être remis aux théâtres qu'en vertu d'une permission signée par vous. Le chef de la division de l'Instruction publique doit être personnellement responsable de tout ce qui, dans les pièces représentées, serait contraire aux bonnes mœurs et au principe du pacte social...

« P. S. Le Premier Consul verrait avec plaisir la suppression du couplet qui lui est personnel dans le vaudeville du *Tableau des Sabines* (9). »

Une autre distraction, célèbre jusqu'à l'engouement, le disputait aux théâtres dans les goûts des parisiens : les panoramas, vastes scènes de toile peinte représentant des villes célèbres ou des batailles. C'est pour deux de ces grands décors, l'un représentant Jérusalem, l'autre Rome, Naples et Florence, que l'on aménagea, en 1800, à l'emplacement de l'hôtel de Montmorency-Luxembourg, le passage des Panoramas (10), dont l'entrepreneur fut Fulton, que nous retrouverons créateur de bateaux à vapeur. Ce passage, ou plutôt cet ensemble de passages, sera, trente ans durant, Musset en reste témoin, un des lieux les plus animés de Paris, avant de sombrer dans l'indifférence. Il a perdu l'essentiel de sa décoration.

Les royalistes n'avaient pas désarmé, et pensaient encore que le temps travaillait pour eux. Le 19 floréal an VIII (9 mai 1800), la police découvrait l'agence parisienne de Monsieur, comte d'Artois, qui disparut. Celle de Louis XVIII subsista. Deux jours après, Bonaparte partait pour la nouvelle campagne d'Italie, qui devait se terminer à Marengo.

Six semaines plus tard, de Lyon, il annonçait ainsi son retour à Lucien Bonaparte (29 juin 1800 — 10 messidor an VIII) : « J'arriverai à Paris à l'improviste. Mon intention est de n'avoir ni arcs de triomphe, ni autres espèces de cérémonies. J'ai trop bonne opinion de moi pour estimer beaucoup de pareils colifichets. Je ne connais pas d'autres triomphes que la satisfaction publique. (11) »

Palinodie, bien sûr : Bonaparte savait qu'il avait été à deux doigts de sa perte, que Fouché avait envisagé sa chute, que des noms avaient couru à Paris pour son remplacement, et que, cette satisfaction publique, il lui appartenait de l'orchestrer. La modestie était payante : le soir de sa discrète arrivée, les acclamations populaires l'appelèrent plusieurs fois au balcon des Tuileries, et, dès le 14 juillet suivant, l'architecte Gisors jeune élevait devant le Corps législatif un temple à colonnes dédié à la Victoire. Temple orné de vertus guerrières, représentées sous l'aspect d'une curieuse ménagerie : « L'amour de la Patrie symbolisé par le pélican, le courage par le lion, la valeur par le cheval, la prudence par le cerf, la patience par le chameau, l'intrépidité par le sanglier, la tempérance par l'éléphant, le désintéressement par le chien, l'obéissance par le bœuf, la sagesse par la chouette, la vigilance par le coq (12). »

En même temps qu'une victoire décisive, Bonaparte avait rapporté la nouvelle d'une mort, celle de Desaix, tué aux dernières heures du combat en sauvant la situation. Républicain convaincu, assez méfiant à l'égard du Premier Consul, le jeune général aurait peut-être assez rapidement, comme Moreau, fait un opposant, mais, mort, sa gloire ne pouvait que servir celle du maître. Bonaparte, non content d'avoir attribué à son ami des dernières paroles qu'il n'avait jamais prononcées (13), décida de frapper l'imagination populaire en élevant un monument aux deux généraux qui, on l'apprit quelques semaines plus tard, avaient, le même jour, péri de mort tragique : Desaix, et Kléber, assassiné en Égypte.

Les emplacements pour des monuments ne manquaient pas à Paris. La Révolution avait supprimé le Henri IV du Pont-Neuf, les deux Louis XIV, de la place des Victoires et de la place Vendôme, et le Louis XV de la Concorde.

A ces places royales découronnées s'ajoutaient les emplacements des forteresses rasées, Bastille et Grand Châtelet, le nouvel espace aménagé devant Saint-Sulpice, la place du Carrousel, que l'on projetait déjà d'élargir, et même les collines de l'Étoile, de Chaillot et de Montmartre : autant de points sensibles qui occuperont la pensée de l'Empereur durant tout son règne : il procédera par tâtonnements, interchangera ou modifiera ses idées, mais son désir de meubler ces espaces vides ne variera pas, et, finalement, se réalisera dans la majorité des cas. A la chute de l'Empire, tous ces emplacements, à l'exception de la Concorde et de Montmartre, étaient garnis, ou en passe de l'être.

Ayant donc à la fois à « remeubler » les places royales, et à glorifier Desaix et Kléber, Bonaparte choisit pour cela la place des Victoires, devenue sous la Convention place des Victoires nationales.

Celle-ci, depuis la disparition du monument de Louis XIV, avait été un moment décorée d'une pyramide de bois à la gloire des insurgés du 10 août, et avait surtout fait l'objet de bien des projets. L'architecte Sobre, entre autres, avait proposé un monument figurant quatre éléphants portant, à eux tous, un sarcophage antique sur lequel serait juché un obélisque : compromis entre la fontaine de la Minerve à Rome et l'actuel monument de Chambéry. Le projet avait été enterré, mais on reparlera d'éléphant à la Bastille. Par la suite, Lucien Bonaparte avait pensé mettre là les chevaux de Venise. Finalement, Bonaparte décidait de faire des deux généraux républicains les successeurs de Louis XIV : « Il sera élevé, dit un arrêté du 19 fructidor an VIII (6 septembre 1800), un monument à la mémoire des généraux Desaix et Kléber, morts le même jour, dans le même quart d'heure (on en rajoutait, pour frapper l'imagination des foules), l'un en Europe, après la bataille de Marengo, l'autre en Égypte, après la bataille d'Héliopolis.

« Ce monument sera élevé au milieu de la place des Victoires » (14). Il devait affecter la forme d'un temple égyptien. Bonaparte en posa la première pierre le 27 septembre suivant (15), mais ce sera la seule.

Tandis que l'administration cherchait des artistes, un projet et des crédits pour ce monument, un groupe privé de personnalités décidait de son côté d'ouvrir une souscription en vue d'édifier un monument à Desaix seul. Quatre-vingt-dix personnes répondirent à l'appel. Parmi les souscripteurs, on note Lucien Bonaparte, pour 700 francs, Joseph pour 300, Delessert pour 150, Bourrienne pour 120, Davout pour un simple louis. Le Premier Consul s'abstint : protocole ou désaccord?

Ce maigre budget une fois réuni, on choisit l'emplacement, la place Dauphine, alors nommée place de Thionville, et on ouvrit un concours, dont le règlement prévoyait que le monument devrait être une fontaine. A ceux qui s'étonneraient de cette idée de traiter ainsi un monument commémoratif, presque funéraire, on rappellera qu'il était encore exceptionnel d'élever des monuments à des personnes autres que des chefs d'État. La fontaine servait de prétexte.

Les projets présentés devant le jury, dont faisait partie, entre autres, Bélanger, l'architecte de Bagatelle, furent au nombre de cent vingt-huit, et firent l'objet d'une exposition. Celui qui emporta ce prix, devant Vignon, n'était autre que Charles Percier. Son dessin au lavis, avec le plan et la coupe du monument, est aux Archives nationales (16).

Voici donc Percier chargé, d'une part par le gouvernement de l'installation des chevaux de Venise aux Invalides, et par ailleurs, par un groupe privé, du monument de Desaix. L'administration voulut-elle tenter une synthèse? Toujours est-il qu'en brumaire an IX (octobre-novembre

1800), Percier et Fontaine recevaient l'ordre d'arrêter les travaux de l'esplanade et, le mois suivant, Chaptal, qui venait de succéder comme ministre de l'Intérieur à Lucien Bonaparte, mal vu, chargeait Percier, avec Chaudet et Lemot, d'élever le monument de la place des Victoires, en utilisant pour cela les chevaux de Venise.

Percier n'en abandonna pas pour autant la fontaine dont il avait été chargé. Le statuaire Fortin, que nous retrouverons, fut chargé d'en exécuter, sur ses dessins, la partie sculpturale. Les travaux furent rapidement menés, et le monument dévoilé le 28 prairial an XI (17 juin 1803).

Sur un cylindre orné d'inscriptions et de mascarons cracheurs, un cylindre plus petit décoré de victoires supportait lui-même une guerrière à l'antique (17) couronnant de lauriers le buste du général : antiquité, allégorie, draperie, dévoilement héroïque, c'était le style cher à Quatremère de Quincy, héraut de l'antiquomanie et du « beau idéal ». L'accueil de l'opinion fut réservé : « On ne va pas puiser l'eau dans les tombeaux » (18), remarqua la presse. « Le Premier Consul est fort mécontent », rapporte Bourrienne.

La fontaine resta en place jusqu'en 1875, date où l'architecte Duc, trouvant que l'on manquait de recul pour admirer la nouvelle façade, combien admirable, dont il avait doté le palais de Justice, n'hésita pas à faire abattre le côté est de la place, base du triangle, et fit démonter la fontaine par la même occasion. Elle resta près de trente ans en magasin et fut finalement envoyée en 1904 à Riom, patrie de Desaix, où elle se trouve toujours.

L'été 1800 vit naître un projet de transfert de services, le premier de tous ceux que formera la féconde administration napoléonienne. On décida de transférer au parc

Monceau le Musée des Monuments français installé aux Petits-Augustins. Son créateur, Alexandre Lenoir, désespéré, protesta, supplia, et, en dernier ressort, en appela au Premier Consul. Finalement, le projet fut jugé trop dispendieux, et on y renonça.

Mais, dans la même période, on avait arraché à Lenoir deux pièces de choix : le monument de Turenne, provenant de Saint-Denis, et le corps du même général, qui avait été longtemps exposé... au Museum d'Histoire naturelle, entre un éléphant et un rhinocéros. Malgré les protestations de Lenoir, corps et monument furent transportés aux Invalides (19), en grande pompe, la bière portée par quatre généraux.

Pendant que la fontaine Desaix s'édifiait, Paris se nettoyait, se poliçait et supprimait quelques outrances. Un décret du 3 novembre 1800 avait révisé tous les noms de rues, et la plupart des vocables grotesques inventés par la Révolution disparurent. Les noms d'hommes politiques furent remplacés par des guerriers, censés représenter une gloire plus pure. Il faut beaucoup chercher aujourd'hui pour trouver, avec le passage de la Vérité par exemple, des vestiges de l'odonymie révolutionnaire ayant survécu à cette épuration. En revanche, la rue de Bourbon resta rue de Lille, et s'est maintenue ainsi jusqu'à nous.

Il ne s'agisssait d'ailleurs pas seulement de donner aux rues des appellations décentes : il fallait les rendre sûres, et les éclairer : les préfets s'y employèrent avec succès.

Quel était l'aspect intellectuel de Paris en cette fin d'année 1800 qui marquait le dernier terme du XVIIIe siècle? Les journaux politiques n'étaient plus que neuf : *Moniteur*,

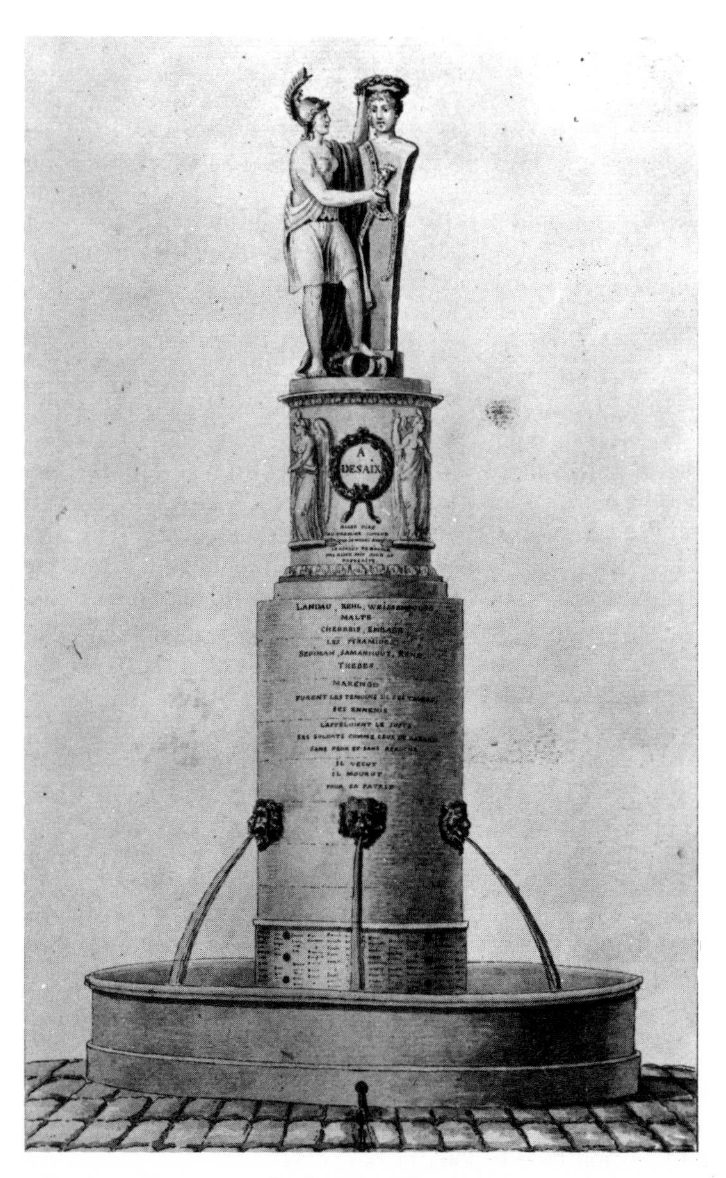

La fontaine Desaix

Journal des Débats, Journal de Paris, Publiciste, Clef du Cabinet, Citoyen français, Gazette de France, Journal du soir, Journal des défenseurs de la patrie, et le chiffre global des abonnés (la vente au numéro n'existait pas) était tombé de 50 000 à 35 000. En revanche, les journaux consacrés aux arts, lettres et sciences étaient passés de vingt-deux à trente-huit, de 4 000 abonnés à 7 000. La censure des journaux était installée chez Fouché, celle des théâtres au ministère de l'Intérieur.

Ceux-ci battaient leur plein. Pendant l'an VIII (1799-1800), trente salles (20) avaient joué dans Paris trois cent soixante-quinze pièces. Les représentations avaient lieu de sept heures à onze heures « de relevée », après le repas du soir. On «dînait» en effet à onze heures, et on «soupait» à cinq.

L'importance du théâtre à cette époque se marque par sa conjonction avec la politique. Le 10 décembre 1800, on découvrait le complot de l'Opéra. Les jacobins Arena, Topino-Lebrun, Ceracchi et Demerville furent arrêtés pour avoir voulu assassiner Bonaparte. Ils seront guillotinés le 31 janvier 1801 : il n'est pas impossible, d'ailleurs, que le complot ait été purement et simplement inventé par Fouché.

C'est encore sur le chemin de l'Opéra que, le 24 décembre (21), Bonaparte subit le plus sérieux attentat de sa carrière. Il avait été préparé par un chouan, Picot de Limoëlan, aidé de deux complices, Carbon et Saint-Réjant. Le 17 décembre, ils avaient acheté, pour deux cents francs, une légère charrette à ridelles, avec une jument noire au terme de sa carrière. Le 23 (3 nivôse), ils avaient, du côté de la porte Saint-Denis, chargé la carriole d'une futaille de poudre, et étaient repartis par la rue d'Aboukir. « Limoëlan tenait le cheval par la bride, et les deux autres ramassaient les « grès et cailloux qu'on trouvait » et les glissaient, tout en marchant, sous la bâche (22). »

Les conjurés s'installèrent, avec leur chargement, contre la façade de l'hôtel de Longueville, à l'emplacement longtemps occupé de nos jours par le monument de Gambetta, et attendirent le passage du cortège consulaire, prévu pour sept heures trois quarts : le spectacle, un oratorio de Haydn, *Saül*, était annoncé pour huit heures. Saint-Réjant, la pipe à la bouche, bien allumée, prêt à enflammer la mèche, attendait le signal que Limoëlan, posté à l'entrée de la place du Carrousel, devait lui donner. Le moment venu, il plaça sa charrette en travers de la rue, obstruant la moitié du passage, et, pour plus de sûreté, engagea pour douze sous une fillette de treize ans à tenir un instant la bride du cheval : crime encore plus impardonnable que de tuer un chef d'État.

Le cortège était en retard. Huit heures sonnaient quand les premiers cavaliers sortirent des Tuileries. Saint-Réjant attendait le signal, qui ne vint pas : Limoëlan, frappé de peur ou de remords à la dernière seconde, ne bougea pas. Saint-Réjant approcha sa pipe de la mèche, trop tard. Le coup eût cependant réussi si le cortège avait été bloqué dans la rue pendant les six ou sept secondes où brûla le cordon d'amadou, mais le cocher de Bonaparte, qui avait trompé son attente par quelques libations, paya d'audace et, enlevant son cheval, contourna l'obstacle. Ce « coup de trop » avait changé la destinée.

Le cortège avait presque atteint le Théâtre-Français quand l'explosion, terrible, se produisit. Bonaparte et sa suite étaient indemnes, mais la « machine infernale » avait tué vingt-deux personnes, dont, bien entendu, la fillette, et en avait blessé cinquante-six. Le Premier Consul, arrivé dans la salle, garda un calme parfait au milieu des applaudissements qui l'accueillaient, mais ensuite, au milieu de ses familiers, se lança dans une colère bien jouée (23) :

— Complot de terroristes ! Il faut délivrer la France de ces misérables !

L'occasion, en effet, était bonne de se débarrasser des jacobins. On en déporta cinquante-six, autant que de blessés, pendant que les colporteurs se hâtaient de diffuser des complaintes :

> Cette machine infernale
> était faite d'un tonneau,
> et renfermait au lieu d'eau,
> beaucoup de poudre et de balles;
> cette invention d'Enfer
> avait des cercles de fer.

En janvier, grâce aux débris du cheval noir, montrés à tous les maquignons de Paris, les vrais auteurs furent découverts, sans que l'on songeât pour autant à rapatrier les jacobins. Saint-Réjant et Carbon furent arrêtés, et guillotinés le 1er floréal (21 avril). En montant à l'échafaud, le second cria à la foule : « Mes bonnes gens, c'est pour le Roi ! » Limoëlan parvint à s'échapper et gagna l'Amérique : Lenôtre a conté comment le remords et le mysticisme se partagèrent le quart de siècle qui lui restait à vivre.

A la même époque, un décret ordonna la démolition des maisons endommagés par l'explosion, ce qui assainit le quartier : la politique sert parfois l'urbanisme (24). D'ailleurs, l'attentat avait fait une autre victime : pour des « propos inconsidérés » (25), l'architecte des Tuileries, Leconte, avait été disgrâcié, et Fontaine (26) nommé à sa place.

Tandis que les imaginations des thuriféraires brodaient sur le mode héroïque, celle de Bonaparte s'attaquait à des projets plus pratiques. En cette année 1801, on expose pour la première fois dans la cour du Louvre les produits de l'industrie grandissante (27), Lebon essaie l'éclairage au gaz, rue Saint-Dominique; un ancien officier devenu banquier, Benjamin Delessert, ouvre dans son domaine la première raffinerie de sucre de betterave; on assiste à la naissance de l'hôtel des Ventes (28). Le 24 ventôse (15 mars 1801), un décret prévoit la construction de trois ponts : entre le Louvre et le collège des Quatre-Nations, en face du Jardin des Plantes, et entre la Cité et l'île Saint-Denis, encore nommée « île de la Fraternité » : cela se fera.

Le 17 messidor an IX (6 juillet 1801), le corps des pompiers de Paris était fondé, avec 293 hommes, répartis en trois compagnies. On n'y pouvait entrer qu'en justifiant d'un métier pouvant servir de préparation à cette fonction, par exemple couvreur ou fumiste (29),

Les résultats ne furent guère probants. L'état-major « était composé, écrit Roger Vaultier, d'officiers trop âgés ou notoirement incapables; de plus, le préfet de police avait la haute main sur le service et celui de la Seine sur l'administration. Ces deux hauts fonctionnaires ne purent jamais bien s'entendre, principalement sur la question du logement des soldats du feu; ceux-ci durent provisoirement continuer à habiter chez eux où, le plus souvent, ils exerçaient le métier de cordonnier, « qui n'a aucun rapport, constate le ministre de l'Intérieur, avec les connaissances qu'exigent les incendies ».

Pas question donc de trouver un pompier le 27 juillet suivant, dans les coulisses de l'Opéra-Comique, qui naissait ce jour-là de la fusion des troupes Favart et Feydeau, et s'était installé dans l'ancien théâtre de cette dernière troupe, doté d'une subvention gouvernementale de

50 000 francs : Bonaparte s'était-il souvenu de la soirée du 12 vendémiaire? L'Opéra-Comique est d'ailleurs resté au même emplacement.

Pendant ce temps, le grand prix de Rome de peinture était attribué à Jean-Dominique Ingres, de Montauban (30), et Bourrienne se faisait décorer un ravissant hôtel heureusement venu jusqu'à nous (58, rue d'Hauteville) (31). Les architectes de l'ancienne monarchie se mettaient d'ailleurs avec enthousiasme au service du nouveau régime, et Brongniart, l'auteur de l'ancien couvent des Capucins, était nommé en novembre 1801 inspecteur général des Bâtiments.

A la même époque, Bonaparte semble à nouveau agité d'idées de transferts de services, qu'il veut déplacer comme troupiers en casernes. Il cherchait en particulier à recaser la Bibliothèque nationale, alors installée très à l'étroit dans l'hôtel de Nevers, à côté de son emplacement actuel. Cette idée le poursuivra pendant tout son règne, sans qu'il arrive à trouver une solution. En fructidor (21 juillet 1801), il décidait de la transporter au Louvre, et de transférer les artistes logés dans la grande galerie dans un autre palais national, la Sorbonne par exemple : la démolition de l'hôtel de Nevers assurerait les frais de l'opération. Il voulait encore transférer l'Imprimerie nationale au Quartier latin et mettre en vente l'hôtel occupé par elle. Deux mois plus tard, nouvel arrêté pour transférer l'École des Beaux-arts au collège Mazarin, « qui prendra le nom de palais des Beaux-Arts », tandis que le collège des Quatre Nations partira pour le collège du Plessis. Il était encore question de transférer la Préfecture de la Seine de la place Vendôme à l'Hôtel de Ville : cela se fera. Le ministère de la Justice viendra prendre la place de la Préfecture, et y restera; et c'est encore à Bonaparte que nous devons l'installation des bureaux de la Marine place de la Concorde, de ceux de la Guerre rue Saint-Dominique, où ils voisinèrent avec l'hôtel de Mme Laetizia, qu'ils annexeront par la suite, et de la Légion d'honneur à l'hôtel de Salm.

En même temps, le Concordat ayant été signé le 15 juillet 1801, on décide que les théophilanthropes ne pourront plus se réunir dans les édifices nationaux (arrêté du 21 vendémiaire an X, 4 octobre 1801), et Saint-Roch est rendu au culte, ainsi que l'église Saint-Benoît de la rue Saint-Jacques. A Saint-Germain des Prés, le culte eut lieu dans la chapelle de la Vierge jusqu'en 1802, date de sa démolition.

Mais un projet à la fois utilitaire et architectural allait naître. Chaptal, dans ses mémoires, a essayé de s'en attribuer la conception. Il raconte, que un jour de 1801, se promenant dans les jardins de Malmaison avec Bonaparte, celui-ci lui déclara :

« J'ai l'intention de faire de Paris la plus belle capitale du monde...Je veux faire quelque chose de grand et d'utile pour Paris. Quelles seraient vos idées à ce sujet?

— Donnez-lui de l'eau.

— Bah, de l'eau! Plusieurs fontaines et un grand fleuve coulent dans Paris.

— Il est vrai que des fontaines et un grand fleuve coulent dans Paris, mais il n'est pas moins vrai que l'eau s'y vend à la bouteille, et que c'est un impôt énorme que paie le peuple, car il faut une voie d'eau par personne et par ménage, ce qui, à 25 sous la voie, fait plus de 36 francs par an, et vous n'avez aujourd'hui ni fontaines publiques ni abreuvoirs, ni moyen de laver les rues.

— Quels seraient vos moyens pour donner de l'eau à Paris?

— Je vous en proposerai deux : Le premier serait de construire trois pompes à feu... Le second projet consisterait à amener la rivière de l'Ourcq à Paris : cette rivière, qui est à 22 lieues, verse ses eaux dans la Marne ; la Marne se vide dans la Seine; de sorte que l'Ourcq peut être aisément amené au haut de la Villette, d'où ses eaux se répandraient dans Paris.

— J'adopte ce dernier projet; envoyez chercher M. Gauthey en rentrant chez vous, et dites-lui de placer demain 500 hommes pour creuser le canal.

« Les choses n'allèrent pas tout à fait aussi vite, continue Chaptal, mais, le lendemain, M. Gauthey reçut l'ordre de se rendre sur les lieux et de parcourir la ligne pour faire un rapport. A son retour, le rapport fut approuvé et l'exécution ordonnée. On en estima approximativement la dépense à douze ou quinze millions. »

Il est bien certain que Chaptal, entraîné par son animosité contre Bonaparte, a voulu, dans ce passage, se donner le beau rôle : il l'a fait avec une maladresse naïve. Comment supposer que le Premier Consul, avec la clarté d'esprit qu'on lui connaît, ait pu, sur le simple énoncé d'un projet, en ordonner immédiatement l'exécution, sans se soucier des expropriations, sans savoir si les plans étaient prêts, et à combien s'élèverait la dépense?

Mais l'idée lui plut, il la murit et, en mai 1802, une loi décida de capter les eaux de l'Ourcq, et de les amener à Paris par un canal de soixante kilomètres. Ce canal assurerait l'alimentation en eau de la capitale, tout en servant à la navigation, chose que les contemporains trouvaient tout à fait normale. De plus, en attendant l'arrivée à Paris du nouvel aqueduc, le Premier Consul décida de solliciter au maximum les conduites existantes : « L'eau, décréta-t-il, coulera dans toutes les fontaines de Paris le jour et la nuit, de manière à pourvoir non seulement aux services particuliers, mais encore à rafraîchir les rues. » Et les fontaines, ainsi commandées, obéirent...

Quelque temps après l'entretien avec Chaptal, c'était la fête anniversaire du 19 brumaire. Un grand théâtre provisoire fut élevé pour la circonstance place de la Concorde (32), et Bonaparte présida les cérémonies en portant le Régent à la garde de son épée, ce qui fit murmurer quelques officiers. Mais les Parisiens, symbole des Français, étaient derrière Bonaparte, rétablisseur de la paix. Le mois précédent, ils avaient dételé et tiré avec enthousiasme la calèche du colonel Lauriston, qui rapportait de Londres la ratification des préliminaires de la paix d'Amiens, et la signature n'était qu'une question de semaines. Aussi le préfet de la Seine, interprète du désir des conseillers, avait-il émis l'idée, le 29 octobre 1801, d'un monument de reconnaissance de la Ville de Paris à Bonaparte.

Pour mettre au point cette idée, une commission fut formée au sein du conseil municipal, avec comme rapporteur le célèbre et grincheux archéologue Quatremère de Quincy. Le rapport, présenté le 8 frimaire (29 novembre) arrêta le type et l'emplacement du monument : ce sera un « portique triomphal », c'est-à-dire un arc de triomphe, et on l'élèvera « sur l'emplacement du Grand-Châtelet, édifice gothique qu'il faut démolir » (33). A la place de la forteresse sera établie une grande place, avec une fontaine et l'arc en question.

Le Grand-Châtelet fut effectivement en partie démoli cette année 1801 (34) : moins heureux que Perpignan, Paris n'a pas conservé son Castillet. Place et fontaine viendront par la suite, mais, pour le monument, Bonaparte comprit qu'il était trop tôt, et répondit avec diplomatie : « J'accepte l'offre du monument que vous voulez m'élever; que la place reste désignée; mais laissons au siècle à venir le soin de le construire, s'il ratifie la bonne opinion que vous avez de moi (35). »

Mais en même temps, dans un coin de sa formidable mémoire, il rangea l'idée d'un arc de triomphe.

La construction de la fontaine Desaix avait peut-être éloigné Percier des Invalides, ou les contre-ordres l'avaient-ils dégoûté, ainsi que Fontaine, de ce chantier? Toujours est-il que c'est sans eux que, en prairial an IX (mai 1801) les chevaux de Venise avaient été « définitivement » installés en haut de l'esplanade, alternés avec d'autres vestiges difficilement casables : les « nations soumises » de Desjardins, qui encadraient avant la Révolution la statue de Louis XIV, place des Victoires, et avaient été démontés en 1790. Six mois plus tard, cet étrange mariage à huit était rompu, et esclaves et chevaux regagnaient les magasins. C'est à cette époque, sans doute, que les Nations soumises furent installées sur la façade même de l'hôtel des Invalides, où elles sont restées jusqu'en 1939 (36). Quant aux chevaux, Bonaparte accepta, le 28 octobre 1801, qu'ils fussent placés sur les quatre piédestaux de la grille des Tuileries (37) : L'effet ne fut pas heureux de ces animaux faits pour être réunis et isolément juchés à plusieurs mètres les uns des autres; ils ne tarderont pas à redescendre.

Percier vit dans ce nouveau déplacement une occasion

de recaser la fontaine qu'il avait projetée l'année précédente avec son associé. Le 28 brumaire an X (19 novembre 1801), il écrivait au ministre de l'Intérieur pour proposer à nouveau de marier le lion de Saint-Marc et la vasque de Saint-Denis, et d'en faire une fontaine. Quant aux socles laissés vides par les chevaux et les nations soumises, il proposait d'y placer les tombeaux des guerriers morts pour la Patrie, et d'en faire un « Élisée » autour d'un bassin. Bonaparte repoussa ce projet macabre, et fit du même coup supprimer l'utilisation de la vasque de Saint-Denis. Elle resta finalement au musée des Monuments français, c'est-à-dire à l'École des beaux-arts, jusqu'en 1954, date à laquelle elle a été renvoyée à Saint-Denis.

Restait le lion. En 1802, Bonaparte décidait définitivement qu'il présiderait à une fontaine sur l'esplanade, dans l'axe de l'entrée des Invalides, avec lesquels s'accordait bien son caractère de trophée d'armes. L'année suivante, un vieil architecte nommé Trepsat, qui avait perdu une jambe dans l'attentat de la rue Saint-Nicaise, sans y gagner de talent, était nommé architecte des Invalides, et se voyait du même coup chargé de la construction du petit monument. Chaudet, ancien révolutionnaire convaincu, sculpta les mascarons du socle. Le tout fut achevé en juillet 1804.

On pouvait, par une porte pratiquée dans le piédestal, pénétrer à l'intérieur de celui-ci. La serrure de cette porte fut munie d'une belle clé formée d'une couronne de lauriers entourant l'aigle impérial. Cette clé est à Carnavalet : C'est tout ce qui nous reste de la fontaine.

En effet, en 1815, les Vénitiens revinrent chercher leur lion. On dressa des échafaudages, des palans, et, le lendemain, on commença à descendre l'animal de bronze. Mais, aussitôt, les cordes se rompirent, et le lion alla se fracasser sur le sol. Que s'était-il passé? Le factionnaire, vieux grognard qui veillait traditionnellement, dans sa guérite, au pied de la fontaine, avait-il, durant la nuit, coupé les cordes avec son briquet de fantassin? Il eut, en tous cas, la prudence de ne pas s'en vanter. Les Vénitiens recollèrent les morceaux et remportèrent l'animal, qui, dans l'aventure, avait perdu les pierres précieuses, ou soi-disant telles, dont ses yeux étaient incrustés. Les Italiens se consolèrent en déclarant qu'il valait mieux devenir aveugle que de voir les malheurs de sa patrie, et remontèrent leur palladium sur sa colonne de la piazzetta.

Restait le socle de la fontaine. La Restauration l'orna d'une grosse fleur de lys à quatre feuilles, que la monarchie de Juillet remplaça par un buste du vieux La Fayette, un moment remonétisé. Mais, celui-ci étant mort, on s'avisa, lors du retour des cendres, que le petit monument gênerait le déroulement de la cérémonie, et on la supprima purement et simplement. La fontaine disparaissait donc, dernier paradoxe, en l'honneur de celui qui l'avait créée.

Revenons au Consulat, époque de religion renaissante. Saint-Laurent et Saint-Nicolas-des-Champs étaient rendus au culte, et, le 18 avril 1802, jour de Pâques, le cardinal-légat Caprara célébrait, dans la cathédrale décorée par Chalgrin, une messe solennelle (38), dont la relation nous a été conservée en ses mémoires par Gilbert, le sonneur de Notre-Dame : « La nef était ornée de tapisseries des Gobelins et de tableaux provenant de la Galerie du Louvre. Le trône des Consuls était composé de quatre faisceaux d'armes surmontés d'un dais magnifique couvert d'une étoffe de Lyon brochée d'or. » Un autre trône, en face, avait été préparé pour le cardinal-légat. Des tribunes contenaient d'un côté les ambassadeurs, de l'autre la famille du Premier Consul, parmi lesquels Laetizia Bona-

La fontaine du lion de Saint-Marc

parte, qui « d'un regard pouvait voir ses cinq fils réunis dans la même solennité et se trouvait placée entre eux et le Ciel qui les lui avait donnés. » Après l'Évangile, les évêques de France vinrent prêter serment entre les mains du Premier Consul, conduits par les archevêques, dans l'ordre suivant : Paris, Malines, Tours, Besançon, Toulouse et Rouen. Après la messe, le légat entonna le *Te Deum*, accompagné par deux orchestres conduits par Mehul et Cherubini.

A l'entrée et à la sortie, généraux et soldats regardaient d'un œil gouailleur le cortège, où réapparaissaient pour la première fois des domestiques en livrée et où d'authentiques carrosses royaux se mêlaient à des fiacres dont on avait barbouillé le numéro. Quand, au soir de la cérémonie, Bonaparte demanda au général Augereau ce qu'il en pensait, le vieux soldat répondit :

— Il n'y a manqué que le million d'hommes qui sont morts pour abolir tout cela.

Beaucoup avaient encore du mal à prendre le virage. Le 7 mai, on arrêta quelques-uns de ces officiers trop fidèles aux souvenirs de la Révolution, et le 15 août, était pour la première fois célébré l'anniversaire du Premier Consul. Paris, qui, au recensement de cette même année 1802, dénombrait 547 736 âmes, comptait aussi un saint de plus : saint Napoléon, dont le rédacteur de l'*Almanach national* fixait, d'autorité, la fête au 16 août : son idée portera fruit.

Associant l'anniversaire du chef de l'État et l'institution du Consulat à vie, une grande fête fut célébrée, au cours de laquelle on éleva, sur une des tours de Notre-Dame, une étoile de dix mètres de diamètre, ornée au centre du « signe du zodiaque sous lequel se levait le jour de la naissance du Premier Consul » (lion) : goût du colossal qui se manifestait encore par l'utilisation du bastion du Pont-Neuf, socle cher aux architectes. Chaudet y éleva une immense statue de la Paix : avec son soubassement, le monument s'élevait à trente-cinq mètres de hauteur.

Sur le même modèle, le sculpteur réalisera quelques années plus tard, pour le Salon de la Paix aux Tuileries, une statue en argent, pour laquelle, crime perpétré par Denon, on utilisera les anges de Sarrazin et de Coustou des monuments des cœurs de Louis XIII et de Louis XIV (39). Elle a longtemps orné l'escalier de l'hôtel de Rohan, avant de repartir pour le Louvre, à quelques dizaines de mètres de son emplacement primitif.

On travaillait aussi dans l'île de la Cité. Pour la réunir à l'île Saint-Louis, on construisit, à l'emplacement de trois ponts successifs, une passerelle qui aura encore quatre successeurs. D'autre part, on commença, de façon discutable, à dégager la cathédrale des maisons qui l'entouraient.

En revanche, on amorcait, par le percement de la rue Clovis, la démolition de l'église abbatiale Sainte-Geneviève, dont le lycée Henri IV n'a conservé que le clocher. L'ancien couvent des Cordeliers disparut également vers cette époque (40).

Au mois d'août 1802, débarquait à Paris, profitant de la paix, un jeune aristocrate anglais, sir John Dean Paul, accompagné de son épouse. Pendant plusieurs jours, ils promenèrent sur Paris un regard sceptique, critique, sectaire même, avec une tranquille mauvaise foi d'insulaire et d'ex-ennemi. Leur témoignage n'en est que plus précieux.

Les rues boueuses de l'Ancien Régime ne leur conviennent guère : « Il n'y a pas de trottoirs, et les voitures rasent les murs au grand détriment des piétons. » Le Palais-Royal ne trouve pas grâce devant eux : « Dans le jardin et sous les arcades se trouve une fort mauvaise compagnie, les filles y fourmillent, si effrontées qu'une femme bien élevée ne saurait passer à côté d'elles sans être choquée et même offensée. » En revanche, le café Frascati les séduit : « Cet endroit est le plus joli que nous ayons jamais vu : salons, miroirs, orangers, acacias illuminés, grottes, temples, Mille et Une Nuits. » Mais le dernier jour, celui des comptes, leur enlèvera tout regret de départ : « Nous abandonnions Paris sans le moindre regret : en vrais John Bull, nous songions avec un plaisir croissant à la propreté et au roastbeef de la vieille Angleterre (41). »

En octobre 1802, Bourrienne, le confident et ami de toujours, le secrétaire investi d'un considérable pouvoir, était convaincu de tripotages et expédié à Hambourg. Son départ favorisa d'autres projets du Premier Consul, qui écrivit à Duroc, « gouverneur des Tuileries » :

« Le citoyen Bourrienne n'est plus employé auprès de moi. Mon intention est que son logement aux Tuileries reste meublé dans la situation où il se trouve; que les clés en soient remises à l'Intendant et qu'il ne soit disposé de ce logement et des meubles que par mon ordre. »

Bonaparte avait besoin d'une garçonnière...

Pour relier le palais des Beaux-Arts, ancien collège des Quatre Nations, et le Museum central des Arts, installé au Louvre, le pont projeté ne pouvait que s'appeler pont des Arts (42). Inauguré le 1er vendémiaire an XII (24 novembre 1803), c'était le premier monument napoléonien venu à terme. Il avait été construit en quelques mois par l'ingénieur Dillon et, grande nouveauté, en fer. Doté d'une arche de plus qu'aujourd'hui, laquelle a été absorbée, il y a une centaine d'années, par le quai Conti, il présenta comme étonnante nouveauté ses dix arcs de fonte, fondus à Tourouvre, dans le Perche, et qui ne sont plus aujourd'hui qu'attendrissants, ayant même perdu, tant nous y sommes habitués, leur aspect inesthétique qui provoquait à juste

Le pont des Arts
Remarquer, au premier plan, les lavandières et les flotteurs de bois

titre l'inquiétude du Premier Consul et celle de Fontaine (43). Mais nous n'y voyons plus les serres et les caisses d'orangers destinés à ombrager les piétons, ni l'aveugle qui, cinquante ans durant, préleva, pour la traversée, un péage d'un sou. Malgré cette formalité, le succès de la passerelle fut immédiat, et on enregistra, le premier jour, soixante-quatre mille traversées.

Le pont d'Austerlitz, commencé à la même époque, mettra quelques années de plus à parvenir à maturité.

En même temps, grande nouveauté, on commençait dans certains quartiers, par exemple rue du Mont-Blanc (Chaussée d'Antin), à substituer au ruisseau axial des rues, une chaussée bombée encadrée de deux trottoirs, hauts de trois à quatre pouces, longés de caniveaux.

L'on n'avait pas renoncé pour autant à élever un monument place des Victoires. Mais depuis déjà quelque temps (44) l'hommage à Kléber, farouche républicain, commençait à paraître déplacé (45). Un nouveau décret, celui du 1er octobre 1802, escamota purement et simplement le grand alsacien, ne laissant subsister que Desaix seul, pourtant guère moins ennemi du pouvoir personnel. En précisant :

« Sur le piédestal, il sera placé des bas-reliefs relatifs à la conquête de la Haute Égypte et à la bataille d'Héliopolis, *que ce général a gagnée.*

« L'exécution de cette statue sera confiée au citoyen Dejoux. »

Ceci au mépris de toute vérité historique : la bataille d'Héliopolis avait été livrée le 20 mars, vingt jours après le départ d'Égypte de Desaix. Comptant sur la mémoire courte des Français, Bonaparte attribuait sans vergogne à l'un le mérite de l'autre.

Dejoux, sculpteur obscur et éclectique, qui avait produit un Saint-Sébastien sous l'Ancien Régime et un Catinat sous la République, se mit à l'œuvre : il faudra, nous le verrons, attendre huit ans pour contempler le résultat — décevant — de son travail (46), qui semble toujours s'être ressenti des hésitations de la conception primitive, hésitations que l'on retrouve à maints chapitres de l'histoire parisienne du Premier Empire. Stendhal écrira : « On a dit que Napoléon était perfide. Il n'était que changeant. »

IV

CIMETIÈRES ET CATACOMBES

Une des tâches dévolues au préfet de la Seine, Frochot, était de s'occuper des cimetières, politique poursuivie sans interruption par la royauté, la Révolution et le nouveau régime.

Le gouvernement de Louis XVI avait supprimé les Innocents et beaucoup d'autres cimetières d'église. La Révolution, inaugurant la politique des grandes nécropoles, avait choisi deux terrains, l'un à la barrière de Vaugirard, à la place du lycée Buffon, l'autre entre les barrières Blanche et de Clichy, notre cimetière Montmartre (1). Puisqu'on ne retenait pas l'idée de Pierre Giraud, qui proposait « de dissoudre les chairs, de calciner les ossements et de les convertir en une substance indestructible destinée à composer le médaillon du défunt » (2), il fallait continuer.

Le problème se présentait sous deux aspects : entreposer de façon décente les ossements provenant des anciens cimetières d'une part, créer d'autre part de nouvelles nécropoles.

La première question avait reçu un commencement de solution dès la fin de l'Ancien Régime. Lors de la suppression des cimetières situés autour des églises, les ossements déterrés avaient été entassés, sur la rive gauche, dans d'anciennes galeries de carrières (3), que l'on commença dès cette époque à appeler « catacombes », bien qu'elles fussent sans rapport avec les premiers chrétiens. La Révolution continua à y enfouir des restes, au fur et à mesure de la suppression des anciens enclos. Cette politique fut continuée sans interruption par le régime impérial : de 1792 à 1814, seize cimetières parisiens furent ainsi supprimés, et les ossements, dirigés sur les catacombes, y furent rangés systématiquement avec l'indication de leur provenance (4). Ainsi furent successivement transférées, en 1803, les tombes de Saint-Jean-en-Grève, avec Simon Vouet, en 1804 celles du couvent des Capucines, avec Louvois et Mme de Pompadour (la reine Louise de Vaudémont, également inhumée à cet endroit, eut une autre destinée, que nous verrons plus loin) en 1804 également, les sépultures de Saint-Nicolas-des-Champs, avec Guillaume Budé et Gassendi, et encore les tombes de Saint-Laurent (1804), de l'île Saint-Louis (1811) et des Carmes de la place Maubert (1814).

Mais c'est ici qu'intervint l'imagination de l'inspecteur général des carrières Héricart de Thury. Au simple dépôt d'ossements prévu par l'Ancien Régime, et analogue sur un vaste plan aux anciens charniers des cimetières, il eut l'idée de substituer un ensemble spectaculaire, ouvert à la visite et propre à la méditation, comparable à certaines cryptes funéraires italiennes (5). Les travaux eurent lieu en 1810 et 1811. Pour cela, il fallut assainir l'endroit par des puisards, et « déblayer, dit-il, les anciennes galeries et en percer de nouvelles dans la masse même des ossements qui, dans quelques endroits, avait plus de trente mètres d'épaisseur ». Il fit ainsi aménager, ceinturé de murs, un itinéraire en méandres, circulant sous l'avenue du parc

Montsouris, la rue Rémy-Dumoncel et la rue d'Alembert, sur une longueur de huit cent mètres, qui ne représente que le huit centième des galeries existant sous Paris. Cheminement au long duquel les ossements furent empilés, le long des parois et autour des piliers, suivant un parti décoratif macabre : fémurs et tibias entassés avec ordre et méthode formèrent une paroi rectiligne, sur laquelle vinrent se détacher, par endroits, des crânes et des tibias croisés. Derrière cette sorte de muraille s'entassèrent les autres ossements, de forme moins décorative.

A ce goût militaire de l'ordre et de l'alignement se mêlait un parfum de romantisme en gestation, exprimé par toute une littérature philosophique. Depuis l'entrée de l'ossuaire, ornée d'un vers de Delille : « Arrête, c'est ici l'empire de la mort », jusqu'à la fin de ce labyrinthe muré d'ossements, d'innombrables devises cherchaient à mettre le visiteur « dans l'ambiance » : Homère, Job, *l'Imitation*, Virgile, Horace, La Fontaine, Malfilâtre, saint Paul, Marc-Aurèle, Lemierre (?) furent ainsi mis à contribution pour inciter le spectateur à réfléchir sur ses fins dernières. Il s'agissait, dit Héricart, de réunir « les plus belles sentences sur notre existence, sa fragilité, sa mort et enfin l'espoir d'une autre vie ». Certaines, d'ailleurs, devaient être de son cru : « Quelques-unes seulement sont dues à des auteurs vivants, qui ont voulu garder l'anonyme (6). »

Mais d'autres écrivains, moins modestes que le promoteur, ne dédaignaient pas cette publicité, et M. Ernest Legouvé, de l'Académie française, visitant les catacombes en 1811, fut fort satisfait de rencontrer un quatrain de lui, et s'attendrit sur le dernier vers :

Qu'effroyable pasteur, le temps mène au tombeau.
— Il est un de mes meilleurs, prononça-t-il...

Enfin, tout au long des galeries, de petits monuments,

reconstitués ou provenant des cimetières désaffectés, jouaient, *mutatis mutandis*, dans ce spectacle grand-guignolesque, le rôle dévolu aux fabriques dans les jardins paysagers de la fin du siècle précédent. Par exemple, un mausolée postiche avait été dédié au poète Gilbert, qui ne repose pas là, simplement pour caser les fameux vers :

Au banquet de la vie infortuné convive...

On se demande comment tout le cénacle romantique ne s'est pas, vingt ans plus tard, précipité aux Catacombes.

Pour ce qui est de la création de nouvelles nécropoles, Frochot eut le mérite de reprendre les plans révolutionnaires, en les amendant : Au cimetière Montmartre, ou du Nord, qui sera agrandi en 1805, au cimetière Montparnasse, ou du Sud, légèrement déplacé, viendra s'ajouter à l'Est une troisième nécropole (7), la plus vaste, établie sur le Mont-Louis, ancienne propriété des Jésuites, acheté le 17 floréal an XI, à M. Baron-Desfontaines, qui la possédait depuis 1765 (8). Ce terrain fut aménagé en priorité : Brongniart fut chargé de l'entourer d'un mur à arcades comme les campo-santos italiens, mais on ne lui laissera pas le temps de l'achever. Il put y dessiner une sorte de parc à l'anglaise, « où les fantômes des guerriers d'Ossian pourraient errer la nuit en des allées sinueuses à la lueur d'une lune qui éclairait les tableaux de Girodet et de Prudhon » (9). En revanche, la porte monumentale encadrée de sarcophages que Brongniart voulait édifier, ainsi que la pyramide qu'il songeait dresser à l'emplacement de la maison du Père Lachaise restèrent en cartons.

Et l'administration municipale put, en cette année 1804, ouvrir solennellement le cimetière, dont le premier occupant fut, le 15 prairial an XI, une demoiselle Adélaïde Paillard-Villeneuve. Malheureusement, la mode n'était pas encore aux grandes nécropoles, et les amateurs ne se précipitaient pas. La liste des concessions accordées sous l'Empire est courte, et compte peu de noms illustres : l'amiral Bruix en 1805, le général d'Hautpoul, tué à Eylau, en 1807, l'accoucheur Baudeloque en 1810, Marie-Joseph Chénier en 1811, près de qui fut réinhumé son frère André, en 1812 Carcel, connu par sa lampe. L'année 1813 fut plus féconde : l'horloger Berthoud, Parmentier, l'abbé Delille, le musicien Grétry et enfin Brongniart, architecte du cimetière, sur la tombe duquel fut gravé le plan de la Bourse. L'année 1814 vit inhumer l'architecte Celerier et Bernardin de Saint-Pierre : la réputation du cimetière s'affermissait.

C'est que, parallèlement, l'administration municipale avait lancé une véritable propagande, et cherché, pour le nouveau cimetière, des morts illustres susceptibles de donner l'exemple. C'est ainsi que la reine Louise de Vaudémont, femme d'Henri III, retrouvée sur l'emplacement des Capucines, où elle avait été enterrée, fut inhumée au Père-Lachaise, d'où elle partira sous la Restauration pour Saint-Denis. De même on transféra dans la nouvelle nécropole les dépouilles de Beaumarchais, des écrivains La Haye et Saint-Lambert, de Mlle Clairon et surtout, le 21 mai 1804, les restes supposés de Molière et de la Fontaine (10). La Restauration, on le sait, continuera cette politique en transférant ici en 1817 les cendres, peut-être authentiques, d'Héloïse et Abélard : dès lors, la vogue du lieu fut bien établie, et l'on sait que Napoléon lui-même songera, un moment à Sainte-Hélène, à y établir sa sépulture, « entre Masséna et Lefebvre » (11).

Enfin, cette politique mortuaire fut complétée par la création, en 1804, d'une morgue, que l'on eût la malencontreuse idée d'installer à la pointe est de l'île de la Cité, derrière Notre-Dame, où elle restera jusqu'en 1914.

V

LA VOIE TRIOMPHALE EST-OUEST

Les historiens de Paris ont répété à l'envi que la ville était née, et avait dû sa fortune, au croisement en son centre de deux grandes voies nord-sud et est-ouest. Mais, au début du XIXe siècle, cette « grande croisée » était encore bien peu visible : la branche nord-sud n'était marquée que par les rues Saint-Denis et Saint-Martin au Nord, Saint-Jacques et de la Harpe au sud, qu'Haussmann doublera de boulevards. Tandis que la branche est-ouest était constituée par deux chemins divergents : un chemin d'eau, la Seine, et un chemin de terre, la rue Saint-Honoré. La Révolution avait mis particulièrement en évidence l'insuffisance de ce dernier axe, avec ses émeutes autour des Tuileries, et le dramatique défilé des charrettes.

Bonaparte, qui se souvenait de Saint-Roch et du 13 vendémiaire, décida de s'attaquer à ce problème, dont la solution s'imposait à quiconque regardait un plan de Paris : la voie triomphale est-ouest, destinée à percer la ville de part en part, existait à l'ouest, de Neuilly à la Concorde : les Champs-Élysées, et à l'est, de la Bastille à Vincennes : faubourg Saint-Honoré et cours de Vincennes. Restait à joindre ces deux tronçons par un axe central. Celui-ci, pour éviter les Tuileries et le Louvre, devrait passer au nord des deux palais, qu'il dégagerait. La voie nouvelle pourrait ensuite, soit rejoindre en sifflet la rue Saint-Antoine (c'est la solution qui sera, beaucoup plus tard, exécutée) soit, partant de la colonnade, percer en droite ligne jusqu'à la Bastille. Bonaparte s'attaqua d'abord à la première partie du problème.

Le 17 vendémiaire an X (9 octobre 1801), un décret édictait le percement de la nouvelle rue, sur la lisière du jardin des Tuileries, et précisait que cette nouvelle voie lancerait vers le nord deux antennes, nos rues de Castiglione et des Pyramides. Là encore, d'ailleurs, Bonaparte ne faisait que reprendre un projet révolutionnaire, que l'on voit apparaître sur un plan de 1793.

Cette opération offrait en même temps l'avantage de faire disparaître la salle du Manège, où les assemblées révolutionnaires avaient siégé dix ans durant. La présence de cette salle désertée rendait trop sensible la suppression d'une véritable activité parlementaire, et Bonaparte ne fut pas fâché d'effacer ce symbole qui pouvait en même temps devenir lieu de pèlerinage. La mise en adjudication de la démolition fut chose faite en 1802, et, dès l'année suivante, les travaux de percement de la nouvelle voie furent commencés, après que les expropriations eussent été rondement menées. Tous les cafés et restaurants installés à la lisière nord des Tuileries durent déguerpir, à l'exception du célèbre restaurant Véry, qui, ayant eu l'idée d'intéresser Joséphine à son sort, obtint un sursis, qui se prolongera jusqu'en 1815.

En même temps, on traçait dans l'axe de la place Vendôme, toujours dépourvue d'ornement central, notre rue de Castiglione, à travers le couvent des Feuillants (1).

Dès 1803, la rue de Rivoli était tracée, de la Concorde

au passage Delorme, c'est-à-dire notre rue de l'Échelle. Elle fut doublée, sous terre, d'un égout monumental, modèle du genre, qui coûta la grosse somme de huit cent mille francs, et le pavage de la rue était terminé pour le Sacre.

Percer une voie nouvelle, à coups d'expropriations, n'est rien, si l'on dispose de l'argent nécessaire : Haussmann s'y livrera avec délices, sans jamais parvenir à faire œuvre monumentale. En revanche, Napoléon savait qu'il touchait là à ce que nos urbanistes appellent une « zone sensible », et il comprit, peut-être aidé par Fontaine, que le jardin et les palais ne seraient dignement accompagnés, bordés, pourrait-on dire, que par une ordonnance architecturale uniforme.

Les arcades, les passages, les promenoirs étaient à la mode chez ce peuple de piétons qu'étaient les Parisiens, et Bonaparte lui-même avait vu ce système largement employé dans ces villes d'Italie du nord dont il donnait les noms, les noms de ses premières victoires, aux rues de ce nouveau quartier. Est-ce lui, est-ce Fontaine qui eut l'idée d'immeubles identiques, bordés d'arcades? Ce projet convenait aux pensées profondes, et d'ailleurs justes, du maître :

« La symétrie et la bonne ordonnance, disait-il à Fontaine, sont-elles donc des obstacles à la commodité et au bien-être des habitations? Est-ce qu'il faut, pour avoir toutes les aises de la vie intérieure, mettre de côté la régularité, se priver des perfections qui font la célébrité des palais? Doit-on enfin repousser ce dont l'art fait ordinairement sa gloire? Non, certes, le bel arrangement et la méthode ne doivent pas être signalés comme choses à éviter, car hors de ces conditions en architecture, ainsi qu'en affaires plus importantes, il me semble que rien ne peut être beau et véritablement imposant. »

Percier et Fontaine dessinèrent donc (2) des immeubles à arcades, un peu secs de lignes, mais de bonnes proportions, et coiffés d'une toiture en carène de vaisseau imitée de la basilique de Vicence. Et un décret impérial obligea les candidats au « permis de construire » à se conformer rigoureusement aux épures de l'architecte. Seul, le profil du toit ne fut pas l'objet d'une prescription aussi stricte, ce qui entraînera par la suite quelques décrochements toujours visibles.

De plus, cette contrainte architecturale se doubla d'un dirigisme social. Napoléon voulait faire de la nouvelle voie une artère de luxe, et en bannir par conséquent toutes les activités peu présentables. Un décret proscrivit donc les « ouvriers travaillant du marteau », ainsi que charcutiers, boulangers et en général tous commerçants faisant usage d'un four, et interdit de placer des enseignes sur les arcades. Toutes prescriptions encore en vigueur aujourd'hui.

Plusieurs artérioles vinrent se jeter dans le vaisseau principal : rues de Mondovi, Neuve-de-Luxembourg (Cambon), du Mont-Thabor, Richepanse, Duphot. Enfin, en février 1806, un décret décida du percement, dans l'axe de la rue de Castiglione, d'une nouvelle rue qui, selon l'Empereur, devait être « la plus belle de Paris » et, en conséquence, s'appeler rue Napoléon. On débarrassa les jardins de l'ancien couvent des Capucines des baraques qui les encombraient, en particulier le cirque Franconi, qu'accompagnait, naturellement, un panorama, et l'on ouvrit vers le nord une voie nouvelle. C'est la Restauration qui la baptisera rue de la Paix, et personne ne se souvient plus aujourd'hui qu'il s'agissait d'une paix de défaite. D'ailleurs, parfumeurs, joailliers, couturiers se doutent-ils qu'ils doivent à l'Empereur une partie de leur gloire?

La place Vendôme se trouva donc traversée, des Tuileries aux boulevards, par une voie nouvelle, qui devait être encadrée d'immeubles semblables à ceux de la rue de Rivoli (3). En cela fut considérablement modifié le caractère de la place royale, ensemble volontairement fermé, à l'écart de la circulation urbaine, et qui ne communiquait autrefois avec le reste de la ville que par les rues des Capucines et des Petits-Champs. Dès lors, un axe de circulation nouveau fut créé à travers l'ensemble de Mansard, et la situation sera encore aggravée, sous le second Empire, par la création de la place de l'Opéra. Si cet axe n'était encore, comme sous le Ier Empire, qu'une voie pour piétons, nous n'aurions aucune raison de bouder notre plaisir...

Revenons à la rue de Rivoli, pour constater que les intérêts commerciaux et fonciers s'accommodent rarement de contraintes architecturales. Gabriel en avait déjà, un demi-siècle plus tôt, fait l'expérience, qui avait voulu border la rue Royale d'immeubles identiques et avait dû, au delà de la rue Saint-Honoré, renoncer à son dessein. Dans le nouveau quartier impérial, les amateurs étaient découragés par les servitudes, et ne se présentaient pas. Pendant sept ou huit ans, la nouvelle rue ne fut qu'une voie bordée, au nord, de terrains vagues au fond desquels se découvraient les arrières lépreux des maisons de la rue Saint-Honoré.

En 1810, l'Empereur décida d'encourager les acquéreurs éventuels, en les exemptant d'impôts pendant vingt, puis trente ans (décret du 11 janvier 1811). De plus, pour donner l'exemple, il décida la construction, entre les rues de Rivoli, de Castiglione, du Mont-Thabor et Cambon, d'un nouvel hôtel des Postes. Ce dernier, achevé seulement sous la Restauration, sera affecté au ministère des Finances et brûlé en 1871. En même temps, l'église de l'Oratoire, dont le chevet avait été dégagé par la nouvelle rue, et qui avait servi successivement de magasin de décors pour l'Opéra, de salle de séances pour la société de Médecine, de salle de banquets, de lycée des Arts, d'Académie d'écriture, était affectée au culte protestant.

Les nouvelles mesures rallièrent quelques amateurs, puis d'autres. En 1813, on ne voyait encore, d'après Chateaubriand, « que des arcades bâties par le gouvernement et quelques maisons, çà et là, avec leurs dentelures de pierres d'attente » (4). Mais le mouvement était donné, et se prolongea pendant tout le régime suivant. Une des plus nobles perspectives de Paris était créée, qui n'a guère eu comme détracteur que Victor Hugo :

> Le vieux Paris n'est plus qu'une rue éternelle
> Qui s'étire élégante et droite comme un I
> En disant : Rivoli, Rivoli, Rivoli

Le percement de la rue, on l'a vu, avait été arrêté au niveau de la rue de l'Échelle. Il fut ensuite esquissé le long de la nouvelle aile du Louvre, construite par Percier et Fontaine, mais sans que ce dernier tronçon fut ouvert à la circulation, et on ne pouvait encore atteindre le Palais-Royal que par un dédale tortueux. La rue de Rivoli aurait certainement accompagné le nouveau Louvre, mais la lenteur des travaux de celui-ci arrêta la voie dans son élan. Haussmann reprit le projet, et le mena à son terme, c'est-à-dire l'actuel métro Saint-Paul. L'architecture de Fontaine elle-même fut continuée jusqu'à la rue du Louvre, mais, pour les quartiers orientaux, plus modestes, on crut devoir y renoncer : on peut le regretter.

Mais Napoléon Ier s'était également préoccupé de l'autre extrémité de l'axe, et il eut l'idée de créer à l'est de l'ensemble Louvre-Tuileries une avenue triomphale qui serait l'exact pendant des Champs-Élysées : partant du milieu de la colonnade, elle foncerait à travers le quartier vétuste du Châtelet, traverserait la Bastille, emprunterait le faubourg Saint-Antoine rectifié et irait se confondre avec le cours de Vincennes : projet grandiose, à la mesure de Paris et de ses besoins, et qui eut peut-être évité, par la suite, la concentration dans la seule partie ouest de la ville de toutes les activités de prestige de celle-ci. « Voilà, disait Bonaparte à Bourrienne en regardant du côté de Saint-Germain l'Auxerrois, voilà où je ferai une rue impériale. Elle ira d'ici à la barrière du Trône; je veux qu'elle ait cent pieds de large, qu'elle soit plantée, qu'elle ait des galeries. La rue impériale doit être la plus belle de l'univers ».

C'est en 1806 que nous voyons se matérialiser ce projet, dans une note dictée par l'Empereur à Bausset, et dont nous reparlerons. Il y était prévu le percement de la nouvelle voie jusqu'à la rue de la Monnaie, avec, comme corollaire inévitable, la démolition de l'église Saint-Germain l'Auxerrois, qui serait remplacée par l'Oratoire : la chose nous révolte aujourd'hui, mais on ne peut demander à Napoléon d'avoir été plus sensible au gothique que la quasi-totalité de ses contemporains, et le projet ne faisait que reprendre l'idée formulée par Bernin et Perrault au XVIIe siècle, d'une vaste place devant la colonnade. Bien peu de voix se seraient élevées en faveur de la paroisse des rois de France, et certainement pas celle du ministre de l'Intérieur Champagny qui, en avril 1806, envoyait à l'Empereur un rapport où il s'écriait épistolairement :

« Vous avez achevé le Louvre, Sire, mais sa plus belle façade est, pour ainsi dire, déshonorée par les édifices mesquins ou gothiques (remarquer le rapprochement) qui s'élèvent devant elle. Ne sera-t-il pas jamais exécuté, le grand projet que Perrault, en cela d'accord avec Le Bernin, avait formé d'ouvrir une rue dans le prolongement dans l'axe du Palais, qui devait conduire depuis la colonnade jusqu'à l'ancienne place de la Bastille et qui aujourd'hui pourrait se prolonger plus loin encore? »

Effectivement, le projet fut sérieusement étudié, mais son coût le fit échouer : on fit la somme des expropriations à réaliser rue de l'Arbre-Sec, de La Monnaie, des Mauvais-Garçons, Clocheperce, etc. L'opération serait revenue à dix millions, et l'Empereur, dont les vues financières, en matière d'urbanisme, étaient un peu étroites, recula devant cette dépense, d'autant plus que l'époque ardente du Consulat était passée. On en était arrivé à une période où, comme nous le verrons, l'utilitaire commençait, dans l'esprit de l'Empereur, à primer le prestigieux. « Ce n'est pas, écrivait-il en 1810 à propos du projet de voie Louvre-Bastille, lorsqu'on a déjà entrepris de donner à Paris des eaux, des égouts, des tueries, des marchés, des greniers d'abondance, que l'on peut s'engager dans une si grande opération ».

Paris perdait ainsi l'occasion de recevoir sa voie triomphale Est, qu'Haussmann, plus attaché aux quartiers d'argent, ne saura pas davantage lui donner.

VI

PARIS CONSULAIRE
ET
PARIS IMPÉRIAL

Le Parisien de l'année 1803 voyait se transformer l'Hôtel-Dieu, reculé pour agrandir le parvis, en sacrifiant l'ancienne chapelle Saint-Christophe, transformée en magasin à linge dès 1792. Napoléon, instruit dans les sciences exactes et amateur de perspectives et de places comme le sera Haussmann cinquante ans plus tard, donnait là à ce dernier un bien mauvais exemple, qui sera malheureusement suivi. Quant à l'Hôtel-Dieu ainsi amputé, l'architecte Clavareau lui construisit la même année une façade en « dorique grec » qui durera assez longtemps pour être photographiée. Le terrain vague de la Bastille se transformait en place, et une autre place était ménagée devant Saint-Sulpice.

Quand Servandoni, cinquante ans auparavant, avait construit l'église, l'espace lui était tellement mesuré qu'il avait été obligé de placer son escalier *à l'intérieur* de la façade et non sur le devant. A quelques mètres s'élevait la façade du séminaire, énorme bâtiment qui interdisait tout dégagement. Cependant, Servandoni avait établi un projet de place et en avait même commencé la réalisation, en construisant l'élégant immeuble que l'on peut toujours voir à l'angle de la rue des Canettes. Mais les choses en étaient restées là.

Depuis la Révolution, le séminaire était occupé par des veuves de militaires morts pour la patrie. Est-ce leur réputation de veuves joyeuses qui précipita les intentions du vertueux Premier Consul? Toujours est-il que la démolition fut commencée brutalement en février 1803, et que les sulpiciens eurent à peine le temps d'enlever de la crypte le corps d'Olier, leur fondateur. Les autres caveaux, qui contenaient beaucoup de tombeaux, furent comblés tels quels : la place Saint-Sulpice est un cimetière.

Supprimant donc jusqu'au souvenir de l'ancien séminaire, qui sera reconstruit plus tard en bordure de la nouvelle place (1), on dégagea tout l'espace jusqu'à la rue du Pot-de-Fer que, justement, nous appelons aujourd'hui Bonaparte. Malheureusement, on négligea pour autant de suivre les plans de Servandoni et de construire tout autour du carré des immeubles dans le style de celui de la rue des Canettes. Des maisons construites à cette époque, nous avons conservé le 6, avec de belles portes.

En même temps que la place était dégagée, le culte était rétabli à Saint-Jacques-du-Haut-Pas, à Saint-Étienne-du-Mont, à Saint-Germain-des-Prés, Saint-Séverin, Saint-Pierre-de-Montmartre, et à Notre-Dame-des-Victoires, mais pour cette dernière, dans la sacristie (actuelle chapelle des catéchismes), car la nef était occupée par la Bourse. On affectait l'église de la Visitation au culte protestant. En revanche, la chapelle haute de la Sainte-Chapelle fut utilisée comme dépôt d'archives judiciaires, et les vitraux furent détruits sur deux mètres de haut pour installer des casiers le long des murs (2).

Tandis qu'Eugène de Beauharnais, promu colonel de hussards, payait 194 927 francs l'ancien hôtel de Torcy, construit par Boffrand, rue de Lille, l'ingénieur Fulton, auquel s'intéressait Bonaparte, faisait de grands projets. Il rêvait de construire un sous-marin qui allât placer des

« torpedos » (torpilles) aux flancs des vaisseaux ennemis. Sans aller jusque-là, il réussit à mettre au point le premier bateau à vapeur, que, le 9 août 1803, il essaya sur la Seine, en face de Chaillot. Lisons le *Journal des Débats :* « Pendant une heure et demie, il procura le spectacle étrange d'un bateau mû par des roues comme un chariot, ces roues armées de volants ou rames plates, mues elles-mêmes par une pompe à feu (machine à vapeur)... Sa vitesse nous parut égale à celle d'un piéton pressé... »

L'année suivante, Napoléon demandera à une commission scientifique d'étudier la proposition du citoyen Fulton « qui peut changer la face du monde ». La commission conclura au rejet, et Fulton partira pour l'Amérique. Ainsi, l'Empereur n'est-il pas directement responsable de cet échec qui lui est souvent imputé.

Bonaparte s'intéressa également, la guerre ayant repris, à la chaloupe canonnière que les élèves de Polytechnique, toujours installés au Palais-Bourbon, avaient obtenu de construire, d'armer et de lancer sur la Seine, pour concourir au projet de descente en Angleterre, dont on parlait de plus en plus. Elle fut mise à l'eau le 10 juin 1803 et baptisée *Polytechnique.*

Bonaparte, en même temps, se préoccupait du sort des ouvriers, et, de Saint-Cloud le 19 brumaire an XI, lieu et date illustres, écrivait à Chaptal :

« L'hiver sera rigoureux citoyen ministre, la viande très chère. Il faut faire travailler à Paris.

1. Faire continuer les travaux du canal de l'Ourcq.
2. Faire des travaux aux quais Desaix et d'Orsay.
3. Faire abattre toutes les maisons qu'on a le projet de démolir; en présenter l'état.
4. Travailler au pont du jardin des Plantes.
5. Faire paver les nouvelles rues.
6. Fournir d'autres travaux au peuple. »

Il fallait bien fournir du travail aux ouvriers, si l'on ne voulait pas les voir réclamer leurs libertés perdues. En effet, l'ancien régime permettait dans une certaine mesure les « coalitions », c'est-à-dire l'activité syndicale. La Révolution, si paradoxal que cela paraisse, les avait interdites, comme contraires à la liberté individuelle. L'administration consulaire maintint cette défense et, pour permettre la surveillance des travailleurs, étendit, en février 1804, à tous les ouvriers la pratique du livret, qu'ils devaient faire viser par le commissaire de police à chaque changement d'emploi. En revanche, on créa les bureaux de placement obligatoires.

Les salaires variaient de « 1,50 franc par jour pour certains terrassiers à 5, 6 et même 7 francs pour les tailleurs de pierre et les serruriers. Il était en moyenne de 2,50 à 3 francs pour les maçons, plombiers, parqueteurs, vitriers, carreleurs, plâtriers. Les ouvriers refusaient les heures supplémentaires » (Hautecœur).

Pendant ce temps, l'opposition préparait un dernier effort. Républicains et royalistes, ou au moins leurs représentants les plus exaltés et les moins réalistes, tentèrent de s'unir. Le 22 janvier 1804, Cadoudal et Pichegru arrivèrent à Paris.

Georges Cadoudal était le dernier chouan. Bonaparte, quatre ans auparavant, dans une entrevue à Paris (3), avait vainement essayé de le séduire, et le breton, désormais installé dans la rébellion, était reparti vers ses landes, essayant toujours d'attirer le comte d'Artois sur le sol de France pour prendre la tête d'une révolte de plus en plus hypothétique. La mort de Julien Cadoudal, enfant de vingt ans, fusillé pour le seul crime d'être le frère du chouan, n'avait pu que l'ancrer dans sa révolte. En celte, Cadoudal signifie : guerrier aveugle.

Le général Pichegru, évadé de Cayenne, était nécessaire à Cadoudal pour rallier les républicains, mais il n'était qu'un déporté en rupture de ban. Il fallait aux conjurés la caution d'un tenant du régime. Parmi les généraux républicains plus ou moins montés contre le Premier Consul, Cadoudal choisit Moreau. Pour essayer de l'attirer dans le complot, les deux dissemblables conjurés gagnèrent donc la capitale, et se cachèrent, avec Armand de Polignac, au 8 de la rue du Puits-de-l'Ermite, puis, au bout de quelques jours, dans une petite maison située au pied de la colline de Chaillot, pourvue de souterrains, découverte par un des agents parisiens de Cadoudal qui n'était autre que Charles d'Hozier, grand généalogiste de France.

Cadoudal et Pichegru eurent une entrevue avec Moreau le 28 janvier, à 9 heures, sur le boulevard de la Madeleine. Cela ne marcha guère. Moreau hésitait, ne montrait aucun enthousiasme pour les Bourbon. « De toutes façons, jeta-t-il sèchement à Cadoudal, cette affaire n'intéresse que les généraux. » Le chouan bondit : « Bleu pour bleu, j'aime encore mieux Bonaparte que vous ! »

L'affaire était pratiquement manquée, et eut-on laissé courir le temps qu'elle se fut dissoute dans les sables. Mais, quelques jours plus tard, Bonaparte apprenait la présence de Cadoudal à Paris, et entrait dans une grande colère contre Réal, qui avait remplacé Fouché. Toute la police parisienne se mit en chasse. Au même moment, Moreau et Pichegru se rencontraient à nouveau chez le premier, rue d'Anjou, mais celui-ci hésitait de plus en plus, d'autant plus que le terrain devenait brûlant.

Pendant ce temps, Cadoudal liquidait, renvoyant les faux hussards engagés pour enlever le Premier Consul sur la route de Malmaison, rendant les clés de la maison de

Chaillot, puis se terrant à nouveau rue du Puits-de-l'Ermite pour y attendre son domestique Picot. Mais celui-ci ne vint pas. Cadoudal comprit, et alla se cacher chez une fruitière de la rue de la Montagne-Sainte-Geneviève, dont Picot ne connaissait pas l'adresse, et ce fut sans résultat que la police écrasa les doigts de ce dernier dans des chiens de fusil : on regrette de dire que Bonaparte lui-même avait préconisé ce supplice.

Le 9 février, la police arrêtait un autre conjuré, Bouvet de Lozier. Celui-ci, de crainte de parler, se pendit dans sa cellule. On le dépendit, et le malheureux, dans son délire, lâcha les deux noms fatals, jusque-là ignorés du pouvoir : Pichegru et Moreau.

Le 10 février, à 7 heures du matin, la nouvelle était portée aux Tuileries, et Bonaparte faisait arrêter Moreau le jour même. Il fut écroué au Temple où, le 15, vinrent le rejoindre Lajolais et Rolland, deux autres complices.

Mais Cadoudal était introuvable, malgré la mobilisation générale de tous les policiers, agents, mouchards du réseau créé par Fouché. Le préfet Dubois, dans une proclamation (4), n'hésitait pas à qualifier la dénonciation d' « acte de vertu publique » et sur tous les murs de Paris était affiché ce signalement : « Brigand extrêmement ventru, d'une corpulence énorme, la tête très remarquable par son extraordinaire grosseur, le nez écrasé et comme coupé dans le bout, le cou très court, le poignet fort et gros, les jambes et les cuisses peu longues, marche en se balançant et les bras tendus. »

Cadoudal n'avait guère à redouter ce signalement d'homme de Cro-Magnon. Cependant, il allait de gîte en gîte, couchant même une nuit dans la crypte de Saint-Leu-Saint-Gilles, mais il finit lui aussi par être « donné ». Le 9 mars, en changeant de cachette entre la rue de la Montagne-Sainte-Geneviève et la rue du Four, il fut pris en chasse par une bande de policiers, qui réussirent à stopper son cabriolet au bas de la rue Monsieur-le-Prince. Cadoudal, de son pistolet, abattit l'agent qui avait sauté à la bride du cheval, et en blessa un autre, mais succomba sous le nombre et, garrotté, fut immédiatement conduit devant le préfet de Police. Celui-ci, entamant l'interrogatoire, commença par reprocher à Cadoudal le meurtre du policier, un père de famille.

— Une autre fois, fit le breton, glacial, vous me ferez arrêter par un célibataire.

Le soir, le conspirateur alla rejoindre ses complices dans la vieille tour des Templiers, dernière demeure du roi dont il était le dernier fidèle. Et, le 21 mars, alors que tout était fini, Bonaparte lançait sa terrible réplique : le duc d'Enghien tombait dans les fossés de Vincennes.

Le Premier Consul aurait voulu sauver Pichegru, son ancien répétiteur à Brienne, qu'il estimait. Mais, celui-ci, le 5 avril, s'étrangla dans sa cellule.

Il ne semble pas que ces événements politiques aient beaucoup remué l'opinion parisienne, qui avait compris qu'il valait mieux n'y pas trop porter d'intérêt. En revanche, les événements artistiques, peu dangereux, étaient célébrés : au lendemain de la présentation au Salon des *Pestiférés de Jaffa*, Gros, sur le pont des Arts, reçut une ovation improvisée, au milieu des jolies femmes et des caisses d'orangers. Et le pont vit aussi, à la même époque, un visiteur à cheval : Bonaparte en personne. On parlait en effet beaucoup de démolir les pavillons extrêmes de l'Institut, qui gênaient la circulation. D'autres protestèrent contre le projet. Le Premier Consul voulant se rendre compte par lui-même, sortit un jour des Tuileries à cheval, gravit les marches du Pont des Arts, regarda peut-être un moment l'hôtel de Sillery en se souvenant des demoiselles Permon, et décida :

— Que tout reste comme il est.

En revanche, son sens de l'économie lui faisait commettre des injustices : il s'emporta contre Fontaine, à propos de l'aménagement en hospice de l'ancien couvent de l'Assomption. L'architecte, pour se justifier, fit remarquer qu'il n'avait engagé que deux cent mille francs, alors que Beaujon, vingt ans avant, en avait dépensé six cent mille pour un édifice similaire. Bonaparte, rageur, écrivit en marge du rapport :

« Que m'importe M. Beaujon, et ce qu'il a pu faire ! L'architecte a perdu ma confiance, et il remettra ses comptes à celui qui me sera présenté, et que je nommerai dans la huitaine » (5).

Chaptal fut invité à présenter une liste des meilleurs architectes, à la réduire à cinq, puis à trois, puis à un nom, et maintint chaque fois celui de Fontaine en tête. Napoléon, devenu empereur entre temps, s'inclina de bonne grâce.

En même temps, le noviciat des Capucins, occupé sous la Révolution par un hôpital, accueillait un lycée nommé d'abord *de la Chaussée-d'Antin*, puis, très vite, *Bonaparte*, et que nous avons voué depuis 1883 à la gloire de Condorcet. Enfin, depuis quelques semaines, on élevait au quartier latin une fontaine qui n'était autre qu'un héritage de l'Ancien Régime.

Quand, en 1770, l'architecte Jacques Gondouin avait construit l'École de chirurgie, qui deviendra par la suite Faculté de médecine, il avait émis le projet d'édifier devant le nouveau bâtiment une place entourée d'édifices de son cru. Gondouin comptait construire tout autour d'une place à réminiscences archéologiques, une église, une prison et une fontaine. Le gouvernement de Louis XVI s'était refusé à exécuter ce plan plus étrange que grandiose. Les choses étaient donc restées en l'état, mais, en 1804, l'église des Cordeliers fut abattue, ménageant ainsi un espace libre devant l'École de médecine. Gondouin vit là l'occasion de « placer » sa fontaine. Celle-ci était en cours de construction en messidor an XII (juillet 1804), et ne fut achevée qu'en novembre 1807. Placée dans l'axe du portail de l'École, elle se composait d'un péristyle de quatre colonnes derrière lequel une cascade se déversait dans une vasque à ras de sol. Sur l'architrave, une inscription composée par la classe d'histoire et de littérature ancienne, c'est-à-dire l'ex-Académie des inscriptions, mariait, dans un latin bien balancé, l'Empereur, la Seine et Esculape.

Les contemporains, sensibles au dorique, applaudirent à l'ordonnance architecturale, mais critiquèrent le côté peu pratique de cette fontaine-cascade, à laquelle il était bien difficile de remplir un seau. On dut y ajouter deux vulgaires bornes-fontaines, anachroniques mais utilitaires.

Gondouin, sur sa lancée, espérait achever sa place à la Hubert Robert, et Napoléon l'approuva, jusqu'à allouer à ce projet un crédit de cinq cent mille francs (6). Mais on était en 1813, l'architecte avait soixante-dix-sept ans, et l'heure n'était plus aux grands projets.

En 1814, l'inscription fut supprimée, et en 1832, la fontaine changea de destination. En effet, ce fut à cette date que Gisors reconstruisit l'hôpital des cliniques; ayant besoin, pour son nouveau bâtiment, du terrain occupé par la fontaine, il décida d'utiliser celle-ci au lieu de la démolir. Supprimant la cascade, il conserva le péristyle monumental, qui servit d'entrée au nouvel hôpital. Une statue d'Esculape remplaça la cascade, et l'inscription, d'hydraulique, devint médicale. En 1878, l'édifice de Gisors fut démoli et les colonnes de l'ancienne fontaine impériale disparurent définitivement de cet emplacement.

Mais on parlait de plus en plus d'Empire. Le 18 mai, l'établissement du nouveau régime était accepté par les Chambres. Il y eut un opposant au Tribunat, Carnot, et un au Sénat, Grégoire. Le 20 mai, un cortège dirigé par les représentants des trois chambres parcourut Paris, en proclamant aux principales places de la ville l'avènement du nouveau souverain, qui n'avait pas dix ans à régner.

C'est donc devant la justice impériale, que s'ouvrit, le 10 juin, au Palais de Justice, le procès de Cadoudal et de ses complices. On avait fabriqué pour la circonstance une juridiction d'exception, parfaitement partiale selon la tradition de ce genre de justice, qui prononça vingt condamnations à mort, en infligeant deux ans de prison à Moreau. L'Empereur grâcia Polignac, son ancien condisciple de l'École militaire, et sept autres complices, et bannit le vainqueur d'Hohenlinden.

Le 25 juin, les conjurés furent conduits place de Grève. Cadoudal demanda, et obtint, le terrible honneur de passer le premier sur l'échafaud. Après sa mort, son squelette, monté sur fil de fer, servit dix ans durant aux étudiants de médecine.

Pour la distribution des premières étoiles de la Légion d'honneur, on avait choisi la date du 14 juillet : le nouvel Empereur ménageait les souvenirs de la Révolution. Mais, pour reposer Joséphine, surmenée, la cérémonie fut reportée au lendemain. Le 15, donc, à la fin de la matinée, un cortège de quatre carrosses quitta les Tuileries et, pour la première fois, emprunta l'allée centrale du jardin. Dans la première voiture, attelée de huit chevaux, on pouvait voir à travers les glaces « une femme au visage très peint », qui souriait : c'était Joséphine, impératrice depuis peu, et inquiète de l'être, qui allait rejoindre l'Empereur aux Invalides. Sur l'esplanade, le cortège contourna la nouvelle fontaine du lion de Saint-Marc, qui venait d'être achevée.

Napoléon arriva à cheval, fut reçu à la porte du palais par Murat et Sérurier, à la porte de la chapelle par le vieux cardinal du Belloy, archevêque de Paris, né sous Louis XIV (7). L'Empereur prit place sur un trône, face à la tribune où Joséphine siégeait, encadrée de ses dames d'honneur. La cérémonie dura trois heures. Après un office religieux, Napoléon reçut des mains du grand connétable Louis Bonaparte ses insignes de la Légion d'honneur. Ensuite, dit Constant, « M. de Lacépède, grand chancelier, prononça un discours qui fut suivi de l'appel des grands officiers de la Légion d'honneur ».

« Alors l'Empereur s'assit et se couvrit, et prononça d'une voix forte la formule du serment, à la fin de laquelle tous les légionnaires s'écrièrent : Je le jure !... Pendant que les chevaliers du nouvel ordre passaient l'un après l'autre devant l'Empereur, qui les recevait, un homme du peuple, vêtu d'une veste ronde, vint se placer sur les marches du trône. Sa Majesté parut un peu étonnée, et s'arrêta un instant. On interrogea cet homme, qui montra son brevet. Aussitôt, l'Empereur le fit approcher avec empressement, et lui donna la décoration avec une vive accolade ». En tout, Napoléon, aidé de Murat, distribua leurs « étoiles » à dix-neuf cents légionnaires. La cérémonie était presque achevée quand un jeune homme de seize ans se précipita aux pieds de l'Empereur en criant : « Grâce, grâce ! » C'était le fils du général « jacobin » Destrem qui implorait la libération de son père. Il l'obtint, mais trop tard :

quand la notification parvint au bagne, Destrem était mort.

Le soir, un autre jeune homme, qui avait vu passer le cortège, écrivit : « La cérémonie des Invalides a été cohue. Bonaparte est parti des Tuileries à midi et y est rentré à trois heures et demie. Il y avait de la place de reste aux Invalides. On a crié sur son passage : Vive l'Empereur!, mais très légèrement, et encore moins : Vive l'Impératrice! »

Henry Beyle n'était encore ni Stendhal, ni bonapartiste.

Le mois suivant, s'étant trouvé le rival de l'Empereur dans le lit d'une jeune actrice, Mlle Bourgoin, Chaptal quittait le ministère de l'Intérieur. L'Empereur le remplaça par Champagny, ancien ambassadeur à Vienne, dont le nom va revenir fréquemment dans les embellissements de Paris.

On commençait à se préoccuper du sacre, et Napoléon, pris d'une curieuse superstition, demanda au Conseil d'État si la cérémonie ne pourrait pas avoir lieu ailleurs qu'à Paris. « Cette ville, écrivait-il, a toujours fait le malheur de la France ». « Il souhaitait, dit d'Espezel, la seule chose qui lui manquât, l'onction de Reims. Comme l'anglais Henri VI, il n'eut que celle de Paris ».

Le projet, en effet, n'eut pas de suite, mais il fut sérieusement question du Champ-de-Mars, et la question fut débattue au Conseil d'État. L'Empereur l'écarta avec son bon sens habituel :

«Se représente-t-on, dit-il, l'effet que produiraient l'Empereur et sa famille exposés dans leurs habits impériaux à l'injure du temps, à la boue, à la poussière et à la pluie?

Quel sujet de plaisanterie pour les Parisiens, qui aiment tant à tout tourner en ridicule, et qui sont accoutumés à voir Chéron à l'Opéra, et Talma au Théâtre-français faire l'Empereur beaucoup mieux que je ne saurais le faire... »

On en revint donc à la cathédrale, et Percier et Fontaine élevèrent devant Notre-Dame un grand porche provisoire, orné des statues de Clovis et de Charlemagne, qui est un curieux exemple de gothique Premier Empire. Pendant ce temps, le peintre Isabey s'affairait Napoléon lui avait en effet commandé, *pour le surlendemain*, sept aquarelles représentant les différentes étapes de la cérémonie, avec les costumes et les emplacements exacts de chaque dignitaire. Le peintre s'en tira par un stratagème. Au jour dit, il arrivait aux Tuileries, et installait dans la galerie une centaine de petites poupées habillées de rubans, de morceaux de velours, de papier d'or et d'argent. On reconnaissait l'Empereur avec son manteau pourpre, Joséphine et son diadème, le grand maître des cérémonies violet et argent, les maréchaux de France bleu et or, sans oublier le monocle de Bernadotte, les princesses tenant la traîne de l'Impératrice, les frères de l'Empereur, tout de blanc vêtus, à l'espagnole, on ne sait trop pourquoi (8).

— Je vous félicite, fit l'Empereur, vous avez fait preuve d'esprit.

— Sire, à quoi servirait l'esprit, si ce n'est à nous tirer d'embarras?

— Je désire que chacune de ces poupées porte, écrit sur son dos, le nom du personnage qu'elle représente. Tous ceux qui figureront au cortège devront apprendre, de ces poupées, leur place et leur attribution.

Le pape arriva avec l'Empereur le 7 frimaire (28 novembre) et logea au pavillon de Flore.

Mais il restait une dernière formalité à accomplir, sur

laquelle Pie VII, averti par l'impératrice, se montrait intransigeant : le mariage religieux de Napoléon et Joséphine. L'Empereur, furieux, dut en passer par là, et le sacrement fut conféré aux époux, sept ans après le mariage de la rue d'Antin, par le cardinal Fesch, dans la chapelle des Tuileries. Seuls y assistèrent les témoins, et l'on oublia de prévenir le curé de Saint-Roch, dont dépendait le château : Napoléon, plus tard, s'appuiera sur cette irrégularité pour faire annuler le mariage (9).

Le 10 frimaire an XIII (1er décembre 1804), l'ingénieur Lebon mourait subitement (10). Son invention n'avait pas eu grand succès : son gaz sentait mauvais, et on ne l'avait guère employé qu'à l'hôpital Saint-Louis et au Palais-Royal (11). Et les Parisiens avaient autre chose à penser qu'à cette mort. Le lendemain matin, une salve de canon secouait Paris : le cortège impérial venait de quitter les Tuileries.

Le froid était terrible, malgré un pâle soleil. Le pape était arrivé le premier à Notre-Dame, avec sa suite, et avait dû attendre deux heures dans la cathédrale glacée. Finalement, arriva le cortège, somptueux, entourant Napoléon, vêtu du costume dessiné par David et Isabey, compromis entre l'antique et la Renaissance. L'Empereur, en manteau court et chapeau à plumes, ressemblait, dirent certains, à « un roi de cartes ». Mais il retrouva toute sa majesté quand il fut revêtu, dans le chœur, du splendide manteau de velours cramoisi, semé d'abeilles d'or et doublé d'hermine. Toute l'élite impériale remplissait les tribunes. Les maréchaux étaient groupés au pied de l'autel, et les sœurs de Napoléon portaient, en rechignant, la traîne de l'Impératrice.

On sait que Napoléon posa lui-même sur son front la couronne d'or faite de deux brins de laurier, mais l'on sait moins que ce geste, convenu à l'avance avec le pape, n'était pas une surprise. Le moment le plus plastique, celui que choisira David, fut celui où Napoléon, avec beaucoup de noblesse, posa un diadème d'or sur le front de Joséphine agenouillée et, malgré sa fatigue, toujours séduisante.

Au moment où le couple impérial sortait de Notre-Dame, une musique militaire placée sur le parvis attaqua l'air populaire de l'époque, dont le refrain était :

Jamais je n't'ai vu comme ça
Faire des bamboches (*bis*)
Jamais je n't'ai vu comme ça
Faire des bamboches de ce goût-là.

Napoléon envoya un officier faire cesser l'air mal approprié, mais trop tard : le public était en joie, et aussi le chef de musique, vieux compagnon d'armes de l'Empereur, inviolable, et enchanté du tour joué au « Tondu ».

Le lendemain, le Champ-de-Mars prit sa revanche avec la distribution des aigles (12), qui faillit échouer. Les étendards avaient été entreprosés à l'École militaire, gardés par une jeune recrue nantie d'une consigne simple : ne laisser entrer personne. Trois officiers s'étant présentés, la sentinelle les éconduisit : les survenants se précipitèrent alors sur le jeune soldat en essayant de le bâillonner. Celui-ci, se débattant, laissa tomber son fusil et réussit à appuyer sur la détente avec son pied. Les trois agresseurs prirent peur et s'enfuirent : c'était trois anglais déguisés.

La cérémonie put se dérouler, grande image d'Épinal parisienne illustrée par David (13), qui fera oublier le temps détestable sous lequel elle eut lieu. Il s'y ajouta l'épilogue édifiant de l'Empereur décorant le jeune factionnaire.

De ces cérémonies, il fallut ensuite régler les comptes. Louis Grégoire, secrétaire général des musiques de Sa

Majesté, avait mobilisé, pour la messe du couronnement, 460 musiciens, chanteurs et coryphées. D'où un mémoire de 51 000 francs, qui fut présenté à l'Empereur, et provoqua son indignation :

— Quoi ! 51 000 francs ! Ai-je bien lu?... Mais avec une pareille somme, j'équiperais un régiment de ma garde ! Il convient de regarder cela d'un peu plus près. Comment ! Je vois figurer ici ma musique. Je l'appointe. Elle est à mes ordres et où bon me semble... Que signifie?... Une plume, s'il vous plait.

Et, d'un trait, il raye : M. Rey, chef d'orchestre, 500 francs : Kreutzer, premier violon, 300 francs ; Baillot, deuxième violon, 250 francs ; Mme Branchu, première cantatrice récitante, 300 francs. Et le mémoire se trouva ramené à 30 000 francs.

L'Empereur ajouta :

— Je me réserve de donner une gratification à ces artistes.

« Mais, conclut Grégoire, qui a raconté la scène, Sa Majesté, sollicitée par d'autres préoccupations, oublia sa promesse. » L'Empereur aurait pourtant pu se montrer généreux à bon compte car, sur le budget prévu de 1 050 395 francs, restait un boni de huit mille francs « que l'on employa, dit Bausset, aux frais d'un livre du Sacre ».

Aux Tuileries, Napoléon organisa une cour, une garde, une chapelle composée de musiciens du Conservatoire. « Avec l'aide de la marquise de Montesson, veuve morganatique du père de Philippe-Égalité, une nouvelle étiquette fut instaurée. Les dames porteront désormais à la cour la robe ronde, en étoffe des manufactures françaises, complétée par la chérusque dressée aux épaules et le manteau de cour à longue queue. La valse est proscrite et remplacée par de languissants quadrilles menés par Caroline ou Hortense (14). »

Mais cette cour un peu guindée fut éclatante. Mme d'Abrantès a dit les splendeurs de la salle des maréchaux « garnie de trois rangs de femmes, presque toutes jeunes et jolies, couvertes de fleurs, de diamants, de plumes flottantes ». Les nouveaux dignitaires, chargés de broderies et de diamants, s'y voyaient mélangés, suivant des ordres précis, pour « l'amalgame », avec d'anciens gentilshommes... ou leurs homonymes considérés comme tels. Toute l'Europe y était représentée, et un cortège de princes étrangers accompagnait l'Empereur, les jours de grand cercle, à travers les salons des Tuileries. De grandes maisons renaissaient. Cambacérès donnait des dîners célèbres, mais mortels d'ennui, et Talleyrand des réceptions suivies de soupers exquis où la conversation reparaissait comme au temps de la douceur de vivre.

L'année 1805 vit, conséquence logique, la place du Trône renversé redevenir place du Trône. Elle vit aussi le transfert de l'École polytechnique, dont le Corps législatif réclamait les locaux du Palais-Bourbon. Après avoir hésité à les installer à Vincennes ou à Saint-Ouen, Napoléon leur affecta, par décret du 9 germinal an XIII (30 mars 1805), l'ancien collège de Navarre, où ils sont toujours. Ils en prirent possession en novembre suivant, revêtu de l'uniforme qui leur avait été récemment attribué, et qui rappelait celui que Napoléon lui-même avait porté à Brienne. L'Empereur leur remit leur drapeau, et leur assigna leur devise : « Pour la Patrie, les Sciences et la Gloire. » Cette installation devait malheureusement entraîner en 1811 la démolition du cloître de l'ancien collège, que suivra la plupart des autres bâtiments anciens.

Napoléon eut d'ailleurs quelques difficultés avec les polytechniciens, créés par la République, et restés républicains. Leur directeur, Monge, qui aimait l'Empereur « comme une maîtresse », dira Napoléon lui-même, mais ses élèves comme des fils, devra les défendre à plusieurs reprises.

Surtout, la même année, fut adopté, le 4 février 1805, un nouveau numérotage des rues.

En dehors d'un essai pratiqué au XVIe siècle sur le pont Notre-Dame, l'Ancien Régime n'avait pas connu de numérotage des maisons. Celles-ci étaient désignées par leur nom, quand ils s'agissaient d'un hôtel, leur enseigne pour une boutique, ou d'après leur voisinage. C'est la Révolution qui fit adopter un système égalitaire, mais peu rationnel, en établissant un numérotage unique à l'intérieur de chaque quartier, comme à Venise : les nombres pouvaient être très élevés, et difficiles à trouver; beaucoup avaient d'ailleurs disparu. Le nouveau système fut, paradoxalement, le résultat d'un conflit entre les deux préfets : Dubois ayant « pondu » un arrêté prescrivant à tous les propriétaires, pour raison de police, d'attribuer à leur maison un signe distinctif, Frochot considéra cette décision comme un empiètement sur ses attributions, et se fit attribuer l'étude et la mise au point de la réforme : mais il était partisan du système selon lequel l'ordre des numéros suivrait une face d'une rue puis arrivé à l'extrémité remonterait sur le côté opposé. L'Empereur fut frappé par l'illogisme du procédé et fit lui-même, après information, établir le système maintenant en vigueur dans la

France entière : séparation des numéros pairs et impairs, et numérotage dans le sens du fleuve, pour les rues parallèles, en partant de lui dans les rues perpendiculaires. Pour mieux faire comprendre le principe, les numéros des rues parallèles furent peints sur fond rouge, ceux des rues perpendiculaires sur fond noir : le bleu uniforme ne date que de la monarchie de Juillet.

Depuis sa création ou, si l'on veut, sa réorganisation par la République, l'Institut était logé au Louvre. Napoléon,

A. L. VAUDOYER — *La salle des séances de l'Institut après son aménagement par l'auteur en 1805*

désirant débarrasser le bâtiment et donner une meilleure installation au corps dont il était membre, lui assigna, par décret du 10 ventôse XIII (1er mars 1805) l'ancien collège des Quatre-Nations, et le transfert, à la différence de beaucoup d'autres restés lettre morte, se fit (15). L'architecte Antoine Vaudoyer fut chargé d'approprier les bâtiments à leur nouveau rôle, et se mit allègrement à les défigurer. Pour installer une salle de séances solennelles dans la chapelle, il supprima une partie du décor sculpté et plaça à l'intérieur du tambour une fausse coupole parfaitement disgracieuse (16). Au-dessus, il remplaça le lanternon par une énorme lanterne-phare, peut-être symbolique, mais à coup sûr inélégante, qui disparaîtra en 1877. L'intelligente restauration des années 1960-1963 a supprimé la plupart de ces modifications fâcheuses. Des travaux de Vaudoyer nous restent aujourd'hui, en dehors des lions, dont nous parlerons plus loin : la nouvelle horloge du fronton extérieur, posée par Lepaute en 1808; au fronton de la porte centrale, un buste de Minerve qui, remplaçant les armes de Mazarin, est venu s'intégrer entre deux figures de génies qui remontent au XVIIe siècle; la fontaine de la seconde cour, réalisée autour d'un buste de Houdon. L'escalier de la bibliothèque Mazarine, très élégante et habile composition ornée de bustes antiques, est un peu plus tardif.

En même temps, on commençait à remplir le bâtiment de statues et de bustes d'académiciens célèbres : à la série des grands hommes commandés par le comte d'Angiviller à la fin de l'Ancien Régime vinrent s'ajouter d'Alembert, par Lecomte, représenté en robe de chambre, un compas à la main, Poussin, par Julien, censé s'être relevé la nuit, saisi par l'inspiration, et pour cela vêtu d'une sorte de toge, enfin Napoléon lui-même, en grand costume, par Roland.

Pour compléter cet ensemble, on chargea Vaudoyer d'édifier, devant l'ancien collège, une fontaine. Il proposa d'abord d'ériger un monument au centre, en forme de vasque ou de statue de Minerve. Le Conseil des bâtiments civils préféra une forme plus discrète, intégrée à l'architecture même. Il y eut de longues discussions. Il fut d'abord question de deux têtes de lionnes, puis de deux lionnes entières, et enfin, sur les instances de l'architecte, de quatre : « Les doubles lionnes, écrivit inconsidérément Vaudoyer, ont l'avantage de former un soubassement mâle. » Elles furent adoptées, avec les deux vasques dans lesquelles elles devaient jeter des jets convergents. Vaudoyer avait pris cette idée à la fontaine des Innocents, où l'on avait placé, en 1790, des fauves semblables, copiés sur les lions égyptiens de la fontaine des Termini à Rome. Les animaux de bronze furent exécutés en 1810 à la toute nouvelle fonderie du Creusot. Leur attitude boudeuse, leur couleur verte, leur attirèrent bien des épigrammes. Voici celle d'Abel Hugo :

> Noble habitant du désert
> En ces lieux, dis-moi, que fais-tu?
> — Tu le vois à mon habit vert,
> Je suis membre de l'Institut.
> — Et la preuve, mon cher confrère?
> Mais, c'est que je fais de l'eau claire!

Alexandre Dumas, de son côté, raconte s'être abrité derrière les fauves impassibles pour faire le coup de feu lors de la Révolution de 1830.

En 1865, les académiciens prétendant que le bruit de l'eau et des commères venant la puiser les empêchait de travailler, on supprima les vasques et les jets. Dès lors, les fauves parurent « somnoler devant la salle des séances académiques » (17). Enfin, en 1950, dans le cadre des tra-

NASH — *Le pont d'Austerlitz*

vaux destinés à rendre à l'Institut son aspect du XVIIe siècle, les lions eux-mêmes ont été retirés et placés à Boulogne-Billancourt, dans un square bordé d'immeubles modernes (18).

Le 7 juin 1805, Eugène de Beauharnais était nommé vice-roi d'Italie, et partait bientôt pour son nouveau poste, laissant à sa mère le soin d'embellir son hôtel de la rue de Lille, que nous retrouverons. A la même époque,

Napoléon racheta à Murat l'hôtel Thélusson, construit par Ledoux (19), et que Leconte avait remanié sous le Consulat, et favorisa en échange l'achat, le 5 août 1805, par Caroline et son mari, de l'Élysée, confiscation révolutionnaire. Les Murat s'y installèrent et y firent faire, par le même Leconte, divers aménagements (20), dont certains subsistent. C'est ainsi que le salon Murat, où se tient aujourd'hui le Conseil des ministres, s'orne d'une peinture représentant le château de Benrath, à Dusseldorf, qui était alors la résidence officielle de Murat, grand-duc de Berg.

Cette même année 1805 voyait s'achever le pont du jardin des Plantes, qui sera ouvert à la circulation le 1er janvier suivant, sous son nouveau nom, paré d'une gloire tout fraîche, de pont d'Austerlitz. Construit par Becquey et Beaupré, et en fonte comme le pont des Arts (Napoléon, membre de l'Académie des sciences, aimait les techniciens, et les matériaux nouveaux), le nouvel ouvrage fut soumis à péage ; un sou par piéton, trois sous par carrosse, cinq sous par chariot. Son inauguration fut l'occasion de couplets anti-anglais, les Britanniques ayant été jusque-là seuls champions de l'architecture métallique, et aussi d'aménagements sur les deux rives : des quartiers, des places nouvellement créées reçurent ou recevront les noms d'officiers morts au champ d'honneur : Bourdon, Mazas, Morland, Valhubert. Qui, aujourd'hui, soupçonne leur état-civil? Le pont lui-même sera remplacé en 1854.

Et, en août 1805, l'Empereur quitta Paris pour Boulogne, d'où il devait s'élancer vers Austerlitz.

VII

LA COLONNE VENDÔME

L'Arc de Triomphe, c'est la France;
La Colonne Vendôme, c'est Bonaparte.

ROCHEFORT

Pendant que Napoléon, à l'automne 1805, entraînait son armée sur les routes de Bohême, la guerre avait provoqué à Paris une nouvelle crise de chômage. Champagny occupa les ouvriers au canal de l'Ourcq.

Le 22 décembre, un *Te Deum* était célébré pour fêter Austerlitz et quand l'Empereur revint, à la fin du mois suivant, il passa à la Villette sous un arc de triomphe énorme, aux pilliers ornés de trophées, et surmonté d'une victoire lui tendant des couronnes.

Napoléon resta à Paris du 26 janvier au 26 septembre 1806, entre Austerlitz et Iéna. Pendant ces huit mois, l'Empereur fit un pays, la Confédération du Rhin, deux chefs d'État : Joseph, roi de Naples, et Murat, grand-duc de Berg, des princes souverains (Élisa, Berthier,) des ducs. Le 10 mai, il créait l'Université impériale. Enfin, c'est la période qui voit la fondation des principaux monuments napoléoniens : aux chantiers de la colonne Vendôme et des deux arcs de triomphe, à ceux des ponts, viendront s'ajouter ceux destinés à pourvoir Paris de nombreuses fontaines. 1806 sera l'année du triomphe, l'année des constructions utilitaires et somptuaires, tant dans un but de propagande que pour procurer du travail à des corps de métier toujours en difficultés.

On avait, pendant son absence, démoli à tours de bras dans la cour du Carrousel : l'hôtel de Coigny, l'extrêmité de la rue des Orties, de la rue Saint-Thomas-du-Louvre à la rue Froidmanteau, les derniers arbres de la cour des Tuileries. La galerie du bord de l'eau, le pavillon de Flore étaient dégagés. A son retour d'Austerlitz, Napoléon put voir pour la première fois le Louvre depuis ses fenêtres des Tuileries et put aussitôt songer à aménager cet espace libre. Bausset raconte que, le 13 février, ayant mandé Fontaine, il parla avec lui des embellissements de Paris, de la réunion du Louvre et des Tuileries, de deux arcs de triomphe, l'un à la Guerre, l'autre à la Paix. « La Ville de Paris manque de monuments, s'écria l'Empereur, il faut lui en donner! » Et de dicter sur le champ :

1° Toutes les maisons qui pourraient nuire à l'agrandissement de la place du Carrousel seront démolies.
2° La grande rue qui conduira des Tuileries au Louvre sera percée dans l'année.
3° Il sera fait un arc de triomphe entre les deux palais.
4° La rue en face de la colonnade sera percée jusqu'à celle de la Monnaie, avec une place circulaire sur la place de l'Église-Saint-Germain-l'Auxerrois.
5° Cette église sera démolie et transportée dans celle de l'Oratoire.
6° L'hôtel et les jardins d'Angivilliers seront détruits jusqu'à l'alignement des bâtiments de l'Oratoire.

La note, dit Bausset, ne contenait pas d'ordre d'exécution, et bien peu de ces projets seront réalisés, heureusement pour Saint-Germain-l'Auxerrois, comme nous l'avons dit. D'ailleurs, comme toujours, le premier moment d'exaltation passé, Napoléon, impulsif dans la conception et réfléchi dans l'exécution, sériait les problèmes. On commença, nous le verrons, par les deux arcs de triomphe, mais on se préoccupait en même temps de régler enfin une question pendante depuis six ans, celle de la colonne que nous appelons Vendôme. L'histoire de ce monument est peut-être l'exemple-type de l'évolution, de la transformation même, d'un projet, parallèlement à l'infléchissement du régime : au lieu d'une série de monuments aux morts départementaux, on aura finalement un seul édifice, consacré à un seul homme.

Les artistes révolutionnaires, féconds sur le papier, et sur le papier seulement, avaient dressé des projets de colonnes à foison, commémorant les allégories les plus diverses. Dès 1791 (1), l'architecte Cathala avait proposé d'édifier sur l'emplacement de la Bastille « une colonne semblable à celle du Trajan » (2). C'est bien en effet chez les Romains que l'on était allé chercher cette idée de colonne unique et solitaire, idée illogique en soi, une colonne étant faite pour supporter quelque chose à son échelle, et de préférence un entablement. Jamais les Grecs, avec leur sens de l'harmonie, n'auraient pensé faire d'une colonne colossale le soutien d'une dérisoire statue.

David, de son côté, sans songer à une colonne, s'était, comme tant d'autres, attaqué au terre-plein du Pont-Neuf. Cette sorte de bastion, qui descendait à l'époque en à-pic jusqu'à la Seine (3) est peut-être l'emplacement parisien ayant le plus inspiré les architectes et sculpteurs. Tant au XVIIIe siècle, au moment où la statue d'Henri IV était en place, que sous la Révolution, après sa destruction, ce fut une débauche de projets de colonnades, portiques, arcs de triomphe, temples, colonnes, souvenirs mal digérés de Paestum ou de Pompéi, tous projets témoignant un parfait mépris pour l'ensemble architectural réalisé par Henri IV, mais tenant grand compte des événements de l'actualité et des personnages à encenser, ce qui explique qu'aucun n'ait bénéficié du temps matériel suffisant pour sa simple prise en considération. David, donc, dont le goût était parfois redoutable, avait proposé d'y ériger un monument au Peuple, colossal bien sûr, sous la forme d'une statue d'homme « élevée sur les débris amoncelés des idoles de la tyrannie et de la superstition », et qui porterait, inscrit sur son front : le mot LUMIÈRE, sur la poitrine : NATURE, sur les bras : FORCE, sur les mains : TRAVAIL. Un article du décret précisait : « La Victoire fournira le bronze » (4) : encore un héritage en puissance pour Napoléon.

Suivant le mouvement, l'architecte Poyet avait, en 1798, proposé (5) d'élever, toujours sur le terre-plein du Pont-Neuf, une colonne à la gloire du peuple français, haute de quatre-vingt-trois mètres (6) entourée d'une colonnade circulaire décorée de boucliers et de couronnes de lauriers (on verra réapparaître les couronnes à la colonne du Châtelet) et supportant un trépied fumant. Honorifique, la colonne devait être également utilitaire et servir à la fois d'observatoire, de château d'eau et de phare, et comporter « un cabinet de repos et de rafraîchissement ». Il avait présenté le projet à Bonaparte à la veille du départ pour l'Égypte et celui-ci, qui ne se souciait pas encore du républicanisme des héros, lui avait suggéré d'y adjoindre les statues de généraux morts au champ d'honneur : Dugommier, Hoche, Laharpe et Marceau. Malgré la réserve, au sujet des boucliers décoratifs, du Conseil des Ponts et Chaussées, lequel craignait que les générations futures pussent croire « que nous nous servions de boucliers quand nous avons affranchi l'Europe », le projet avait été approuvé, mais on s'en était tenu là.

Le gouvernement consulaire avait repris l'idée, en grand.

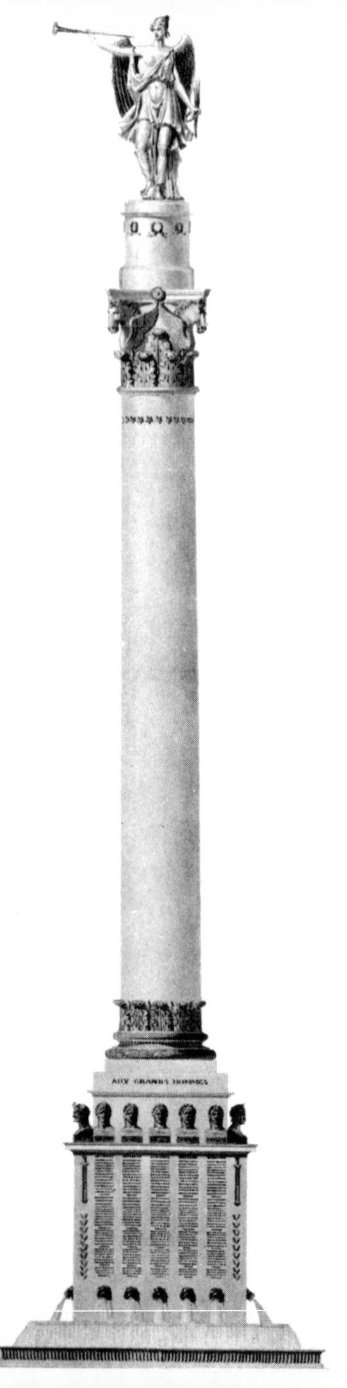

Deux décrets des 20 mars et 17 juin 1800 ordonnèrent l'érection, dans tous les chefs-lieux de France, d'une colonne consacrée « à la mémoire des braves du département ». Ces monuments locaux devaient avoir pour chef de file une colonne « nationale », érigée place de la Concorde. Paris devait donc en posséder deux, avec la colonne départementale de la Seine, prévue sur la place Vendôme.

Pour l'édification de cette dernière, on ouvrit un concours, dont le succès en dit long sur la vogue de ce motif : huit cent projets, dont nous avons conservé celui de Prudhon (7). C'est Pierre-Théodore Bienaimé, architecte picard, qui fut couronné (8), mais l'exécution, on ignore pourquoi, fut confiée à Molinos, qui proposa « un chapiteau composé de quatre Renommées », un fût enfilé de couronnes (c'est le motif qui sera repris place du Châtelet) et un soubassement orné de quatre fontaines (9). D'ailleurs, une fois la première pierre posée, le 14 juillet 1800, on en resta là.

L'on avait en même temps ouvert un concours pour la Concorde, qui provoqua quatre cents envois. Le projet de J. C. A. Moreau, élève de David, fut couronné : il comportait un soubassement circulaire autour duquel des jeunes gens « vêtus de la tunique, ancien costume gaulois », représentant les départements, esquissaient autour du monument une sorte de farandole : ainsi se représentait-on la concorde à cette époque. Puis venait un socle cubique garni de trophées aux angles, enfin une colonne des « mêmes dimensions que la colonne de Pompéi », surmontée de la statue de la République appuyée sur une pique.

Pour faire place à ce monument hautement symbolique, on avait démoli la statue de la Liberté, plâtre peint en faux bronze, œuvre de Lemot, qui, sept ans durant, avait figuré là (la Liberté de boue, disait les Parisiens). On avait également arasé le socle, qui n'était autre que le piédestal, approprié par Chalgrin, puis par Peyre, de l'ancienne statue de Louis XV (10). Le 4 juillet 1800, après démolition, on avait exhumé la boîte de cèdre contenant les médailles commémoratives placées là en 1754, et, le 14 juillet, les Consuls assistaient à la pose, par Lucien Bonaparte, de la première pierre de la colonne nationale,

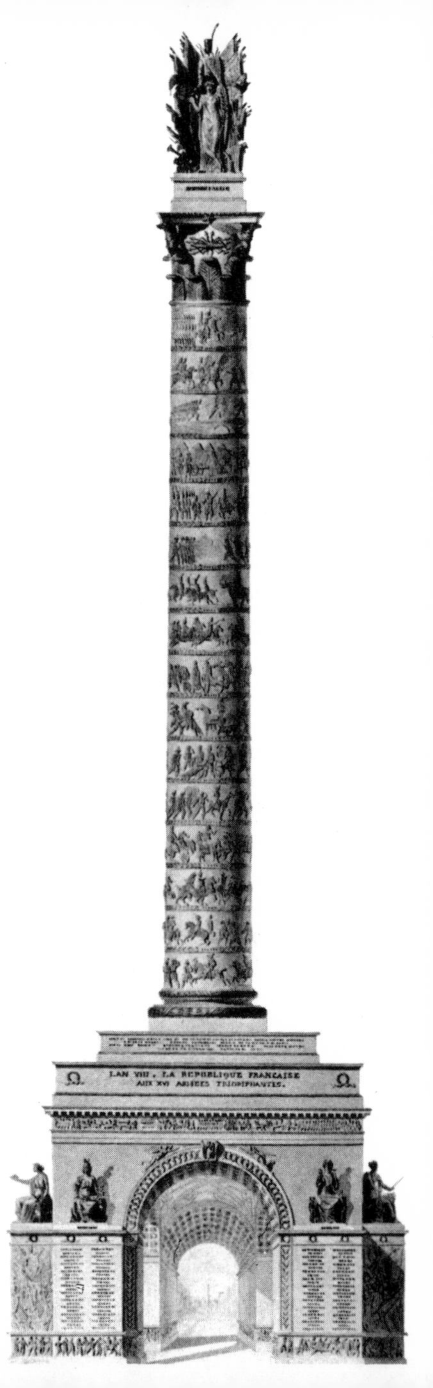

Deux projets inédits de « colonnes triomphales »

accompagnée d'un nouveau lot de médailles (11). Qui dira le destin des premières pierres que jamais ne suivit une seconde?

Quelques jours plus tard, sans que l'on sache pourquoi, les consuls (lisez : Bonaparte), changeant d'avis, faisaient transporter la première pierre à l'Étoile. Cela n'empêcha pas de dresser, en mai suivant, à la Concorde, une maquette grandeur nature de la colonne, en bois et plâtre. L'impression ne fut guère favorable, et quelqu'un compara le monument à un chandelier pascal. Devant les critiques, Moreau émit une idée qui portera ses fruits : entourer le fût de bas-reliefs en spirale. La maquette sera détruite six mois plus tard, et on n'entendra plus jamais parler du monument. Mais on oubliera du même coup la leçon à tirer de cette expérience, à savoir que les places royales, ensembles horizontaux, s'accommodent mal d'une chandelle centrale.

La Concorde était donc libre. C'est à ce moment que nous voyons entrer en scène une relique promise elle aussi à des desseins divers : la statue de Charlemagne, enlevée à Aix-la-Chapelle par les armées révolutionnaires. Cette statue avait été apportée à la Convention et était demeurée trois mois durant dans la cour des Tuileries. On en avait ensuite fait hommage au Comité de Salut public, qui s'en était débarrassée en la déposant dans les caves de la Bibliothèque Nationale. Bonaparte, qui ne l'avait pas oubliée, pensa, à l'époque, la placer à la Concorde, avant de se raviser en faveur de la colonne départementale de la place Vendôme, où nous la retrouverons. Pour la Concorde, toujours vacante, les imaginations se donnaient libre cours, et le gouvernement était saisi des projets les plus baroques. « Le citoyen Orsin, « artiste amateur », propose en 1801 un monument à la gloire des armées françaises et des arts : le piédestal en serait revêtu en marbre blanc et bleu turquin; sur le socle seraient coulés en bronze l'éléphant du stathouder, l'ours de Berne, le lion et l'autruche d'Afrique, lesquels jetterroient de l'eau par leur trompe, bec et gueule. » Le Conseil des Bâtiments civils « n'a pu refuser à l'auteur le tribut d'éloges dont son patriotisme et le zèle ardent qu'il témoigne pour la gloire des arts paraissent le rendre digne, en observant que ce projet, par l'absence presque totale des convenances qui devaient s'y rencontrer, l'incohérence de ses différentes parties et le défaut de proportion avec la place sur laquelle on se propose de l'exécuter, n'est pas susceptible d'être accueilli » (12).

Le temps passa, en hésitations, en paperassses administratives, en remises, et finalement Charlemagne fut tellement oublié que l'incompréhension fut totale quand les habitants d'Aix-la-Chapelle, devenus français entre temps par le traité de Lunéville, en demandèrent des nouvelles à l'automne 1802. « Ils saisissent le préfet de la Roer d'une pétition : puisqu'on n'utilise pas cette effigie, qu'on la leur rende; ils sont prêts à supporter les frais du transport.

« L'Administration, qui a perdu tout souvenir de cette affaire, questionne Lenoir... » (13)

Celui-ci n'en savait pas plus que les bureaux, mais, bourré de préjugés comme tous les amateurs d'art de l'époque, en prenait philosophiquement son parti : « Cette statue, plus ridicule qu'intéressante pour l'art, n'était qu'une caricature grossièrement exécutée en cuivre. Dans le cas où cette mauvaise statue, qui ne pourroit être d'aucune utilité, auroit été fondue, ce que j'ignore, elle ne seroit point à regretter, car elle étoit plutôt faite pour laisser de mauvaises impressions sur l'art de la sculpture que pour donner une idée de l'Empereur Charlemagne (14). »

Mais Bonaparte ne l'entendait pas de cette oreille. Il fit comprendre, à sa manière, que la statue devait être retrouvée, ce qui fut fait : l'administration égare souvent, mais ne perd jamais. Et le maître ordonna :

« Le ministre présentera un projet pour placer la statue de Charlemagne sur la place de la Concorde ou sur la place Vendôme » (29 avril 1803).

Chaptal s'inclina, mais l'administration se récria : « Cette statue est si gothique, si grossièrement exécutée que, placée de manière à attirer les regards, elle provoquerait les ris et les sarcasmes mêmes du public... Ne pourrait-on pas la faire transporter dans le Musée des monuments français où elle servirait à l'histoire de l'art? Une inscription placée sur le socle indiquerait que ce monument est une conquête : ainsi, sous ce rapport, l'intention du gouvernement se trouverait encore remplie » (25 mai 1803).

Mais les habitants d'Aix-la-Chapelle tiennent à leur statue. Ils reviennent à la charge par l'entremise de leur maire, Kolb. Cette fois Chaptal se dérobe, avec cet argument inattendu : la crainte de nuire à la mémoire de Charlemagne. « Cette statue est d'une si mauvaise exécution, elle est si peu digne du héros qu'elle représente, qu'il a été décidé de ne plus l'exposer aux regards du public. »

« En réalité, les considérations esthétiques invoquées par l'administration se heurtent maintenant à une arrière-pensée politique qui va rapidement prendre corps. Depuis les guerres d'Italie, Napoléon est obsédé par le souvenir de Charlemagne. Il se regardera comme l'héritier, non de Louis XIV, mais du grand empereur médiéval. Il répétera à maintes reprises dans sa correspondance : « Je suis Charlemagne. » Le 7 janvier 1806 il écrit au cardinal Fesch : « Pour le Pape, je suis Charlemagne, parce que, comme Charlemagne, je réunis la couronne de France à celle des Lombards et que mon empire confine à l'Orient. »

Et voilà pourquoi, sur le rapport de Chaptal, le gouvernement arrête le 1er octobre 1803 :

« Article I. — Il sera élevé à Paris, au centre de la place Vendôme, une colonne à l'instar de celle érigée à Rome en l'honneur de Trajan.

« Article II. — Cette colonne aura 2,73 m de diamètre sur 20,78 m de hauteur. Son fût sera orné dans son contour en spirale de 108 figures allégoriques en bronze ayant chacune 0,97 cm de proportion et représentant les départements de la République.

« Article III. — La colonne sera surmontée d'un piédestal terminé en demi-cercle, orné de feuilles d'olivier et supportant la statue pédestre de Charlemagne.

Aussitôt connue à Aix-la-Chapelle, cette nouvelle remplit de fierté les gens de la ville, si du moins il faut en croire cette lettre du maire Kolb à Chaptal (11 octobre 1803) :

« Citoyen ministre, les regrets qu'éprouvent les habitants d'Aix-la-Chapelle que la statue de Charlemagne qui a décoré depuis tant de siècles la place principale de cette cité mémorable ne leur sera pas restituée sont calmés par la nouvelle que le gouvernement est intentionné de la faire placer sur la colonne qu'il fait élever au centre de la place Vendôme à Paris. Ils se félicitent même de ce que le gouvernement juge digne la statue de ce grand homme, à qui la ville d'Aix-la-Chapelle doit son origine, de décorer la capitale de la France. En vous faisant connaître, citoyen ministre, les sentiments de nos administrés, je crois de mon devoir de vous informer que la couronne, le sceptre et le sabre (*sic*), lesquels sont d'un métal pareil à la statue et qui ont été détachés lors de son envoi à Paris, sont encore déposés dans l'atelier de cette commune et de vous les offrir pour vous dispenser du soin d'en faire confectionner de nouveaux (15). »

Les dés semblent donc jetés, et l'Empereur franc définitivement destiné à passer de la grande place d'Aix-la-Chapelle à la place Vendôme. Il n'en sera rien.

Six mois plus tard, l'élévation de Napoléon au trône de Charlemagne rappelait sur ce personnage l'attention des habitants d'Aix. Que devenait la statue du grand empereur? Ne voyant pas venir l'érection promise, ils n'hésitèrent pas à envoyer leur maire à Paris.

« Ce bon maire, mande le préfet au ministre, est persuadé que les habitants de ce pays verraient avec envie cet ancien monument et que, si quelque chose pouvait augmenter leur amour pour la personne de Sa Majesté, ce serait d'avoir toujours sous leurs yeux le grand homme qu'il a pris pour modèle et qu'il a surpassé... Le maire désire se rendre promptement dans ses foyers et... sera au comble de la joie s'il emporte avec lui l'empereur Charlemagne. »

De son côté, la classe des Beaux-Arts de l'Institut repoussait le 19 mai 1804 l'idée d'une colonne constituée par une « carcasse tout en fer » : méfiance des milieux traditionnels pour les nouveaux matériaux.

Le 26 suivant, elle s'attaquait au sujet même de la colonne. « Les cent huit départements (car leur nombre avait augmenté entre temps) de la France offrant une couronne à Charlemagne présentent une idée qui paraît manquer d'exactitude, au lieu qu'en substituant une statue de l'Empereur Napoléon à celle de Charlemagne, on constaterait l'événement que le vœu de tous les départements et de tous les corps constitués ont provoqué. Alors le monument deviendrait historique et l'interprète des sentiments des Français. »

Napoléon s'inclina devant cette logique qui s'accordait si bien avec sa propre conception de l'auto-propagande. La statue de Charlemagne repartit enfin pour sa ville d'origine, et le projet de colonne attendra, pour sa réalisation, l'auréole de la victoire.

Quelque temps après le sacre, Poyet crut le moment venu de ressortir son enfant, en l'adaptant aux circonstances. Le terre-plein du Pont-Neuf était abandonné au profit de l'Étoile. A la base de la colonne s'élèveraient les statues de tous les généraux « glorieusement sacrifiés pour la patrie » (l'idée sera reprise, sous simple forme épigraphique, à l'arc de triomphe), et l'intérieur de la colonne, tout entier, pourrait être aménagé :

« Dans les fêtes, on tirerait sans danger le feu d'artifice sur le chapiteau, et, à l'instar de Saint-Pierre de Rome, il serait possible d'illuminer dans un instant la totalité de la colonne au moyen de 440 croisées que couvriraient des boucliers dans chaque salle de l'intérieur du fût.

Parmi ces petites salles de l'intérieur, chaque département en aurait une qui lui serait consacrée, avec les noms des citoyens les plus distingués de leur état, avec la description géographique de ses produits particuliers, de manière que l'on y apprendrait à bien connaître la France... On pourrait aussi à toutes les fêtes publiques réunir un nombre par chaque département dans le chapiteau-observatoire, pour y faire un repas où serait portée la santé du héros qui nous a sauvés et qui vient de cimenter la réunion des départements. »

Enfin, couronnement supérieur, la colonne serait surmontée d'une statue de l'Empereur. Sans repousser le projet de ce monument qui tenait du trophée romain, de la salle des fêtes et de la notice de dictionnaire, l'administration chercha à le simplifier. Quelques artistes, consultés par Champagny, lui remirent un rapport sur les obélisques. Et d'énumérer ceux de Rome : à la porte du Peuple, au Latran, à Monte-Citorio. Ils proposèrent d'en dresser un de cent-quatre-vingt pieds, non à l'Étoile, mais au Pont-Neuf. On l'y retrouvera.

Si Poyet, une fois de plus, n'avait guère été pris au

sérieux, c'est qu'il était en retard. Les projets de colonnes départementales et nationales étaient passées de mode, et une autre idée était en l'air, en rapport direct avec les récentes victoires d'Autriche. Le baron Denon avait eu l'idée, après Austerlitz, de transformer en monument commémoratif de cette campagne la fameuse colonne départementale de la place Vendôme. Il s'agissait « d'ériger, avec les canons pris aux Autrichiens, une colonne qui serait dédiée à la Grande Armée, et dont les proportions et l'ornementation rappelleraient la colonne trajane, sauf toutefois le revêtement en bronze, qui contrasterait avec le marbre blanc des monuments antiques » (16).

L'idée chemina. Le Sénat, répondant aux bulletins de victoire de l'Empereur, en vota, dans l'enthousiasme, la réalisation, et quand Napoléon, peut-être hypocrite, écrivit le 17 février à Champagny : « Faites-moi connaître où en est la colonne que j'avais décrété d'élever à Charlemagne sur la place Vendôme », le ministre put répondre, sans crainte de beaucoup se tromper :

« Il reste, sire, une intention à donner à ce monument. Votre Majesté l'avait d'abord destiné à recevoir la statue de Charlemagne. Mais elle a depuis rendu cette statue à la ville d'Aix-la-Chapelle. Que Votre Majesté me permette de lui dire qu'Elle se rendrait aux sentiments unanimes de ses sujets si Elle consentait à ce que cette colonne, formée avec le bronze des canons enlevés à l'ennemi, servit à conserver le souvenir d'une campagne qui vient de marquer une époque si glorieuse pour l'histoire de France; à ce que cette colonne, exécutée sur les proportions de la colonne Trajane, fut surmontée de la statue du prince qu'Elle chérit. Quelle autre statue pourrait occuper la place de celle que Charlemagne laisse vacante? Quoi de plus naturel que de retracer les événements de cette guerre, les noms des compagnons de vos victoires dans le bronze même qui en compose les trophées ! »

Napoléon, sûr de son pouvoir et de sa force, se laissa faire, et le rapport de Champagny fut approuvé par décret impérial du 14 mars. « Le fût, dit M. A. Mousset, changeait à son tour de signification. Après Charlemagne, on lâchait les départements. La colonne prenait la forme sous laquelle elle est venue jusqu'à nous. L'idée de faire, des bas-reliefs en spirale, un « journal historique de la campagne de 1805 » trahit, dans l'esprit de l'empereur, la préoccupation de livrer à la postérité des détails iconographiques exacts sur cette page de notre histoire (17). »

Si la conception avait été laborieuse, l'exécution fut rapide. La direction générale des travaux de la colonne revint à Denon, qui la désirait. Chaptal, en ses mémoires, l'a vivement critiqué : « Tout ce qui est de lui est empreint d'une médiocrité de talent qui fait honte au XIXe siècle. Au lieu d'asseoir cette colonne sur une base importante d'un seul bloc de granit, il l'a élevée sur une base de métal, dont les bas-reliefs entassés confusément rappellent un pur étalage de chaudronnerie. »

Comme architecte, on avait choisi le vieux Gondouin, dont nous avons parlé, et qui se trouvait ainsi amené à célébrer Napoléon comme il avait glorifié Louis XV. Mais, un peu hésitant devant ces nouveaux matériaux, fer et bronze, qu'il connaissait mal, il s'adjoignit un ancien de l'expédition d'Égypte, J. B. Lepère, l'architecte de Malmaison, qui avait établi une fonderie de canons à Constantinople et était réputé pour ses connaissances métallurgiques. C'est lui qui dirigea la fonte des deux-cent cinquante pièces de canon ou couleuvrines prises aux Russes et aux Autrichiens, et qui totalisaient 251 367 kilos (18).

En même temps, on examinait les fondations de l'ancien monument de Louis XIV, qui furent trouvées fort solides : trente mètres de profondeur sur pilotis. On les utilisa donc telles quelles, après y avoir enfermé une nouvelle boîte de fondation garnie de dix-neuf médailles.

C'était le premier travail de ce genre, et il fallait tout inventer : trouver un système d'accrochage des reliefs de bronze sur l'âme de maçonnerie, prévoir les coefficients de dilatation, imaginer un moyen parfait d'ajustage. Tous ces problèmes furent résolus avec beaucoup d'intelligence et de rigueur (19).

La colonne fut construite en pierre de taille très dure, avec un escalier de cent-soixante-seize marches pris dans l'épaisseur. Elle s'éleva, statue comprise, à quarante-cinq mètres. Le fût se vit garnir de quatre-cent-vingt-cinq plaques de bronze, fixées par mille-cent-vingt agrafes, également en bronze.

Le dessin général des bas-reliefs de la spirale avait été, dans un souci d'unité, confié sous la surveillance de Denon à un seul artiste, le peintre Bergeret (20). Il eut bien des difficultés avec des maréchaux, hauts dignitaires ou autres, mécontent de la place qu'il leur avait assignée, et dut se prêter à de nombreuses modifications. Finalement, une fois le projet achevé, il le fit, pour couper court à toute nouvelle discussion, approuver par l'Empereur.

Il faut bien reconnaître que, sur cette grande composition, l'influence de David a été fâcheuse. Le goût des attitudes y a figé la vie, et les combattants ont bien plus souvent l'air de jouer une pantomine impassible que de se livrer au corps à corps. Et le côté documentaire est lui-même gâché par des anachronismes antiquomanes : les bateaux sont en forme de nefs antiques, et les arbres de la vallée du Danube froidement pourvus de feuillages d'olivier...

L'exécution fut confiée à toute une équipe de sculpteurs, parmi lesquels on peut citer Beauvallet, Bosio, Boizot, Dumont, Bridan, le vieux Clodion, qui essayait de se survivre en se renouvelant, Corbet, Deseine, Fortin, Petitot (21). Ils s'initièrent aux mystères des kolbacks et sabretaches, et composèrent des bas-reliefs aussi documentaires que ceux de la colonne Trajane, et aussi ignorés qu'eux. Pareillement invisible demeure l'inscription gravée sous le tailloir du chapiteau : « Monument élevé à la gloire de la Grande Armée par Napoléon le Grand, commencé le 25 août 1806, terminé le 15 août 1810. »

En revanche, on peut plus facilement détailler les « natures mortes », composées d'attributs militaires, qui décorent, harmonieusement d'ailleurs, les quatre faces du piédestal. On y remarque à plusieurs reprises l'initiale du vaincu : François II, empereur d'Autriche. On devrait y voir aussi celle du tsar Alexandre, mais Napoléon les fit effacer quand il fut question pour lui d'épouser une princesse russe. En réalité, ce fut une autrichienne qu'il épousa.

Quant à la statue terminale, l'exécution en avait été confiée à Antoine-Denis Chaudet, qui avait déjà, nous l'avons vu, sculpté les mascarons de la fontaine du lion de Saint-Marc. Cette statue, Napoléon la désirait en costume de campagne, et, une fois de plus, il avait raison, mais Chaudet tenait au costume romain, selon l'esthétique de l'époque, et en fit une condition *sine qua non* de sa participation. Napoléon, souvent pas assez sûr de lui en matière artistique, s'inclina devant l'avis du « technicien » (22) et laissa fondre sa statue en imperator, tenant dans la main une victoire (23).

Elle fut coulée en bronze le 14 août 1808, dans l'atelier de Launay, au faubourg Saint-Laurent, et, huit jours plus tard, les Parisiens purent la voir passer, dans un chariot traîné par douze solides chevaux, montés par leurs propriétaires : c'étaient des brasseurs du même faubourg qui avaient revendiqué cet honneur.

La statue avait coûté 13 000 francs pour le modèle en plâtre, 16 000 pour la fonte, 20 000 pour la ciselure et 5 000 pour la pose. Chaudet ne la vit pas en place : quand elle fut montée, le 5 août 1810, l'artiste était mort depuis le 19 avril. Un grand prix posthume à l'exposition décennale de la même année célébra sa mémoire.

Et le monument, ainsi construit avec diligence, put être inauguré le 15 août 1810 (24). Sans éclat, d'ailleurs, car il rappelait les victoires de Napoléon... sur son beau-père, l'Empereur ayant épousé Marie-Louise le 2 avril précédent. Mais Victor Hugo, pour notre plaisir, a corrigé la terne cérémonie :

> Oh ! quand par un beau jour, sur la place Vendôme,
> Homme dont tout un peuple adorait le fantôme,
> Tu vins, grave et serein,
> Et que tu découvris ton œuvre magnifique,
> Tranquille, et contenant d'un geste pacifique
> Tes quatre aigles d'airain.
>
> A cette heure où les tiens t'entouraient par cent mille
> Où, comme se pressaient autour de Paul-Émile
> Tous les petits romains,
> Nous, enfants de six ans, rangés sur ton passage,
> Cherchant dans ton cortège un père au fier visage,
> Nous te battions des mains !

Ainsi se constituait pour les siècles à venir cet ensemble formé d'une ordonnance urbaine louis-quatorzienne, faite de lignes horizontales, et d'une chandelle de bronze disproportionnée et d'un style différent. Le hasard et l'habitude, pour calmer cette disparité, ont fait que cette colonne napoléonienne, posée sur les fondations du Louis XIV de Girardon, est universellement désignée sous le nom d'un bâtard d'Henri IV.

Raconter par le menu les aventures postérieures du monument serait dépasser notre sujet. Bornons-nous à rappeler que la statue de Chaudet, descendue sous la Restauration et remplacée par une grosse fleur de lys, disparut (25), à l'exception de la victoire (26), dans le creuset où fut fondu le Henri IV du Pont-Neuf, et fut remplacée sous Louis-Philippe par un Napoléon en redingote et petit chapeau, œuvre de Seurre. Celui-ci, à son tour remplacé, sous le second Empire, par une reproduction, par Dumont, de la statue primitive, fut envoyé au rond-point de Courbevoie, que nous appelons maintenant de la Défense. Immergé dans la Seine en 1870, afin d'échapper aux Prussiens, il fut repêché quelques mois plus tard, et finalement placé dans la cour des Invalides, où il se trouve toujours (27). Quant à la colonne, on sait qu'elle fut abattue en 1871 par les Communards, puis relevée par le gouvernement versaillais. La victoire originale disparut dans cette dernière aventure : peut-être avait-elle été pieusement dérobée par un ancien « Marie-Louise », car il restait encore, de la Grande Armée, quelques nobles débris qui se réunissaient tous les ans au pied de la colonne. « Et si le nombre en diminuait chaque année, la mort seule, et non l'infidélité du souvenir, éclaircissait leurs rangs (28). »

BALTARD — *L'arc du Carrousel, projet de 1808 (gravure tirée de : Percier, Fontaine et Baltard,* L'arc du Carrousel, *Paris 1875.) On voit ici la statue de Lemot destinée à figurer dans le char. En revanche, les inscriptions ne sont pas encore composées. Les quatre statues de l'attique sont le cuirassier de Taunay, le dragon de Corbet, le chasseur de cavalerie de Foucou et le grenadier de cavalerie de Chinard* ▶

CAPITULATION DEVANT ULM.

BATAILLE D'AUSTERLITZ

VIII

L'ARC DU CARROUSEL

Les arcs de triomphe ont été longtemps des décors provisoires (1), comme ils le sont encore dans les villes de province qui reçoivent des chefs d'État ou des vainqueurs du Tour de France. Tous les écoliers ont entendu parler des honneurs du triomphe, accordés au général romain victorieux, et qui lui permettait d'entrer dans Rome à la tête de ses troupes. Sur le passage, les romains édifiaient des arcs de branchages, comme les dactylos de New-York vident aujourd'hui leurs corbeilles à papiers sur la cinquième avenue quand y passe un éphémère héros.

Ce n'est qu'assez tard dans l'histoire romaine que les arcs de triomphe furent édifiés « en dur » : le plus ancien serait celui de Rimini, qui date de 27 av. J.-C. De cette nouvelle formule, la Rome impériale fit l'usage abondant que l'on sait.

Le XVIIe siècle, à l'architecture romaine, avait pris davantage un répertoire ornemental : colonnes, frontons, que des formes d'édifices. Cependant, l'arc de triomphe était trop recommandé comme porte triomphale d'une cité pour ne pas être ainsi utilisé. Rien qu'à Paris, quatre avaient été élevés : la porte Saint-Bernard, non loin de la

Bastille, dont les deux arches n'ont pas résisté à la Révolution, l'arc de la place du Trône, inauguré en 1670, mais en plâtre sculpté, et qui fut démoli en 1716, et les portes Saint-Denis et Saint-Martin, enfin, qui témoignent de l'aménagement par le Grand Roi des quartiers nord de la cité.

Le style Louis XVI avait ramené l'antiquité. L'arc de triomphe devint entrée monumentale pour demeures particulières : Ledoux l'utilisa à l'hôtel Thelusson (2), et l'hôtel de Salm conserve toujours celui que Rousseau planta à l'orée de sa cour.

La Révolution et le Directoire virent éclore d'innombrables projets d'arc. C'est ainsi qu'en octobre 1797, Larevellière-Lepeaux fit décréter la construction d'un arc de triomphe à la barrière de Villejuif « pour perpétuer le ressouvenir des événements d'Italie » : c'aurait été le premier monument élevé à Paris à la gloire de Bonaparte. La porte Saint-Denis devait devenir en même temps l'arc de triomphe de Hollande, et la porte Saint-Martin l'arc d'Allemagne. Mais le Directoire avait d'autres soucis en tête. Plus tard, en l'an IX, Giraud en avait proposé un à la gloire des consuls et des armées françaises (3) et Quatremère de Quincy, le 8 brumaire an X, avait suggéré d'édifier un arc sur la place du Châtelet, débarrassée de l'édifice qui lui avait laissé son nom et que cet archéologue, nous l'avons vu, poursuivait de sa vindicte.

L'Empire, continuateur direct, et sans révolution, du style Louis XVI, trouvait donc dans son héritage ce thème qui convenait si bien au successeur des César, et nous avons vu, d'après le récit de Bausset, que l'Empereur lui-même énonça l'idée de pourvoir les Tuileries, du côté Carrousel, d'une entrée monumentale destinée à rajeunir le vieux palais, à créer un point de vue pour la rue projetée dans l'axe, et à fournir aux revues du quintidi une toile de fond romaine et martiale à la fois. Le décret du 26 février 1806 vint entériner le projet : l'arc, qui devait être achevé avant le 1er février 1809, commémorerait Marengo, alors que celui de la rue Saint-Antoine, qui passera finalement à l'Étoile, glorifierait Austerlitz (4).

Il y eut quelques critiques sur le choix de l'emplacement. « J'ai toujours vu faire une porte à une grille, et jamais une grille à une porte », prononça un railleur, et Napoléon lui-même, hésitant comme souvent, dit à Fontaine : « Beaucoup de gens craignent que l'arc ne tue le château, et que le château ne tue l'arc » (5). L'architecte plaida sa cause, et enleva la décision.

Il fallait faire diligence. Dès le 12 mars 1806, Fontaine remettait ses plans et sondait le sol (6). Le 19 avril, il présentait un devis soigneusement arrêté juste en dessous du million, et le 7 juillet on posait la première pierre, accompagnée d'un lot de monnaies et médailles (7). Le 22 août, le monument s'élevait déjà à la hauteur des petites voûtes, le gros œuvre était achevé en avril 1807 et, dans les derniers jours de 1807, il était suffisamment achevé pour que la garde impériale, victorieuse à Eylau et à Friedland, puisse, la première, passer sous ses voûtes.

C'est Denon qui, comme pour la colonne Vendôme, avait été chargé d'ordonner et de faire exécuter les sculptures, décision que Fontaine, à juste titre, critique en son for intérieur :

« Je n'ai pas osé réclamer contre cette mauvaise disposition, dans la crainte qu'on ne regardât comme effet de vanité ou d'orgueil tout ce que j'aurais pu dire de raisonnable sur la nécessité et la convenance de ne pas confier à deux personnes l'exécution d'un ouvrage qu'un seul a conçu, et d'en laisser à l'auteur tout l'honneur ou le blâme (8). »

Ainsi, sous les ordres de Denon, toute une armée de tâcherons et praticiens s'affairèrent-ils à sculpter chapiteaux, guirlandes et palmettes. Parmi eux, David d'Angers, frais débarqué, à vingt ans, de sa province, et embauché à raison de vingt sous par jour. Le directeur des musées n'eut de difficultés qu'avec Chinard, chargé de sculpter le carabinier, et qui paressait à Carrare. On proposa à Denon, qui dédaigna le procédé, de faire enlever l'artiste, nuitamment, « par trois ou quatre brigades de gendarmerie et de le faire reconduire à la frontière » (9). Une lettre énergique suffit finalement pour ramener le sculpteur à la raison.

Lorsque Napoléon vit l'arc à son retour d'Italie, ses premiers mots furent des critiques. Il trouva, dit Fontaine, « que la masse était trop large, qu'il avait plutôt l'air d'un pavillon que d'une porte, que les colonnes n'étaient pas d'un beau marbre, et que la porte Saint-Denis était préférable par sa forme et par sa grandeur. Cependant, les personnes qui étaient près de l'Empereur à ce moment, en observant sa physionomie, restèrent persuadées que ce monument, le premier qui sous son règne avait été construit à neuf, lui faisait le plus grand plaisir (10) ».

De même que Gondouin et Lepère ne craignaient pas, à la même époque de copier fidèlement la colonne Trajane, de même Percier et Fontaine, sans se soucier de faire œuvre originale, s'étaient contentés d'imiter l'arc de Septime-Sévère qu'ils avaient dessiné à l'entrée du forum et qu'ils tenaient pour un modèle : mêmes proportions générales, même nombre d'arches, mêmes colonnes, dimensions voisines (11). Une différence cependant, la polychromie, dont l'idée fut peut-être donnée aux architectes par une circonstance imprévue.

Le domaine royal de Meudon avait jusqu'à la Révolution compté deux édifices princiers : le château-vieux, construit au XVIe siècle, et le château-neuf, dernière œuvre de Mansard. Le premier était, sous la Révolution, devenu un arsenal où le général Choderlos de Laclos, plus connu aujourd'hui comme auteur des *Liaisons dangereuses*, mit au point son invention du boulet creux, ancêtre de l'obus. Quelques mois plus tard, une expérience de tir mettait le feu au château, dont la carcasse subsista quelques mois à l'extrémité de la terrasse. En 1802, Bonaparte visita le site, ordonna la restauration du château-neuf, et la démolition des ruines du château-vieux, dont furent récupérées quelques colonnes de marbre rose (12).

Percier et Fontaine décidèrent d'utiliser ces colonnes dans leur arc et donnèrent à ce monument cet aspect coloré peu fréquent sous le ciel parisien, et que l'atmosphère de la capitale a beaucoup terni. Construit en pierre recouverte de plaques de marbre, l'arc présenta trois arches en façade (13) et une dans l'épaisseur, avec un décor de statues et de reliefs destiné à glorifier l'épopée impériale en cours de rédaction. Des victoires dans les écoinçons, des trophées, guirlandes, médailles, donnent à l'arc ce rôle d'enseignement populaire autrefois dévolu aux sanctuaires de la chrétienté, et propageaient le culte impérial.

On regarde rarement les statues perchées sur les colonnes de marbre rose, et on a tort. En un temps où les vertus les plus viriles s'habillaient à la romaine, et où l'héroïcité allait de pair avec la nudité, on est heureusement surpris d'y trouver, fidèlement rendus, les uniformes des différents corps d'élite de l'armée, ceux-là justement qui, tous les 15 du mois, défilaient devant leurs homologues de pierre : grenadier, chasseur à cheval, dragon, cuirassier, représentés avec une vérité, une aisance et en même temps un sens de l'intégration au monument qui peut faire réviser certains jugements de froideur et d'impassibilité rapidement portés contre la sculpture impériale (14). Pour satisfaire à la petite histoire, nous rapporterons la tradition qui veut que le sapeur ait eu comme modèle un personnage bien réel, Mariole dit l'indomptable, qui s'était rendu célèbre à Tilsitt en présentant les armes aux deux empereurs, une « pièce de quatre » lui tenant lieu de fusil (15). De là l'expression : « Fais pas le mariole (16)... »

En revanche, les bas-reliefs, consacrés aux principaux épisodes des deux campagnes sont fort ordinaires (17). On regardera avec plus d'intérêt les figures de fleuves sculptées en pendentifs à l'intérieur sur les petits côtés, et dont les dessins ont été donnés par Percier.

Enfin, les architectes avaient prévu un couronnement, et ainsi trouvé l'occasion d'utiliser les incasables chevaux de Venise, qui, juchés sur les grilles des Tuileries, produisaient un effet fâcheux. Leurs proportions s'adaptèrent bien à celles de l'arc, et le sculpteur Lemot, qui avait commencé sa carrière par la statue de la République de la place de la Révolution et devait la terminer par *la religion soutenant Marie-Antoinette* de la chapelle expiatoire, accompagna les chevaux d'un char, et de deux figures à pied symbolisant la Victoire et la Paix. Dans le char, les architectes souhaitaient placer une statue de Mars. Plus flagorneur, Denon proposa, et fit exécuter, par le même Lemot, une statue de l'Empereur en manteau impérial, sceptre en main.

Mais Napoléon, revenant de la frontière espagnole (août 1808) exprima son mécontentement : « De quelle statue voulez-vous parler? Jamais je n'ai voulu ni ordonné que l'on fit de ma statue le sujet principal d'un monument élevé par mes soins et à mes dépens à la gloire de l'armée que j'ai eu l'honneur de commander... Je veux que ma statue, si elle est placée, soit enlevée, et que le char, si l'on n'a rien de mieux à y mettre, reste vide (18). »

On s'inclina, et le Napoléon (19) en plomb de Lemot

resta longtemps relégué dans la cour du Louvre. Louis-Philippe l'envoya à Versailles, où il resta jusqu'en 1931, date où on l'envoya orner les pelouses de Malmaison ou bien peu de visiteurs connaissent son histoire. Sa place serait plutôt à Carnavalet.

Le char resta donc vide, ce qui fournit aux membres de l'opposition un mauvais jeu de mots : *Le char l'attend.* Sous la Restauration, les Vénitiens revinrent chercher leurs chevaux, qui regagnèrent leur place à la façade de Saint-Marc (20). Les statues de Lemot furent descendues, le char détruit, les bas-reliefs de marbre enlevés. En 1824, le gouvernement de la Restauration décida de les remplacer par des reliefs commémorant l'expédition d'Espagne, qui ne furent jamais achevés (21). Après 1830, on remit les reliefs primitifs.

Pour remplacer le quadrige, on commanda un nouveau groupe au sculpteur Bosio. Celui-ci, qui gagna dans l'opération le titre de baron, fit fondre quatre nouveaux chevaux imités de ceux de Venise et plaça dans le char restauré une déesse censée représenter la Restauration ou la Paix, tenant à la main un objet indistinct (22). Après 1830, on replaça de part et d'autre les deux figures de Lemot, conservées depuis 1815, mais, sur l'avis de Fontaine, on laissa dans le char la statue de Bosio sans chercher à lui substituer celle de l'Empereur.

Un seul détail n'avait pas été terminé sous l'Empire : les inscriptions. Celles qui furent présentées à Napoléon, rédigées en latin, et qui le comparaient à César et à Auguste, n'eurent pas l'honneur de lui plaire. De Schoenbrunn, en 1809, il envoya de nouveaux projets de textes, sur lesquels les académiciens ergotèrent. L'Empire tomba sans qu'on eut rien fait, et c'est le gouvernement de Louis-Philippe qui fit graver celles qu'on peut lire aujourd'hui.

Le monument fut très admiré, et Percier et Fontaine y

gagneront le grand prix d'architecture au concours décennal de 1810. Rappelons que l'arc s'élevait au milieu d'un espace assez limité, puisque la place du Carrousel, d'une part, encore encombrée de maisons, était loin de présenter ses dimensions actuelles et que, à l'Ouest, la façade des Tuileries s'élevait à quelques dizaines de mètres en arrière. Prolongé de part et d'autre par des grilles, encadré de guérites de fonctionnaires, l'arc n'était, répétons-le, qu'une porte monumentale, comparable au portail actuel de l'Élysée, et suffisamment intégré à l'ensemble pour qu'on pût l'en croire indissociable.

Mais il s'est produit ici un de ces miracles que Paris suscite parfois en faveur de lui-même. Haussmann a triplé la place du Carrousel, les révolutionnaires ont abattu les grilles et comblé les fossés, les communards et les députés ont, qui incendié, qui abattu le palais des rois de France. L'arc est demeuré isolé, plus beau d'être inutile et extraordinairement resté à la proportion des bâtiments qui l'entourent. De son arche centrale se découvre désormais l'étonnante perspective qui le relie à l'Étoile en passant par la ligne de mire de l'Obélisque, perspective plus belle encore d'être la seule œuvre du hasard.

IX

L'ARC DE TRIOMPHE DE L'ÉTOILE

Monceau de pierre assis sur un monceau de gloire.
Victor HUGO

Au lendemain d'Austerlitz (2 décembre 1805), dans sa proclamation à ses soldats, Napoléon avait écrit : « Je vous ramènerai en France. Vous ne rentrerez dans vos foyers que sous des arcs de triomphe. »

Napoléon devait tenir magnifiquement sa promesse, mais la décision officielle de construire l'un des plus importants monuments de Paris ne fut prise, de façon imprévue, que par un décret (18 février 1806) réglant l'emploi des sommes perçues sur le commerce des blés. Ce décret prévoyait que sur ces sommes, on emploierait « 10 % pour élever un arc de triomphe à l'entrée des boulevards, du côté de la rue Saint-Antoine ».

Et le même jour, l'Empereur écrivait à Champagny :

« Vous emploierez 500 000 francs pour l'érection d'un arc de triomphe à l'entrée des boulevards, près du lieu où était la Bastille, de manière qu'en entrant dans le faubourg Saint-Antoine on passe sous cet arc de triomphe (1). »

L'est de Paris était en effet le point traditionnel de

départ et de retour triomphal des armées, et, à plusieurs reprises, les autorités municipales s'étaient rendues cours de Vincennes ou à la barrière de la Villette pour accueillir les soldats victorieux. La route de l'ouest, route de l'Angleterre, était moins pavée de victoires.

D'ailleurs l'aménagement et la décoration de la Bastille étaient une des constantes préoccupations urbanistiques de l'Empereur. La forteresse rasée avait laissé place à un espace informe, irrégulier, mal pavé, sans plan et sans décor. L'arc, placé en travers de l'axe de la rue Saint-Antoine, en face du faubourg dont on rectifierait le tracé pour la circonstance (il ne l'est toujours pas aujourd'hui) formerait un point de fixation autour duquel pourrait se développer une opération d'urbanisme. L'Empereur voulait, rappelons-le, tracer une rue en droite ligne depuis la colonnade du Louvre jusqu'à la Bastille, en culbutant Saint-Germain-l'Auxerrois.

Dans l'affaire de l'arc, on sent très bien que, dès le départ, Champagny, ministre de l'Intérieur, fut opposé à la Bastille. Peut-être lui parut-il difficile d'élever un ornement central avant que la place elle-même fut tracée? Peut-être sentit-il confusément que le Paris monumental et politique était tourné vers l'ouest? Toujours est-il que nous le voyons, quelques jours après le décret, nommer une commission où figuraient notamment Gondouin, Roland et Dejoux (mais ni Percier, ni Fontaine, ni Chalgrin) pour délibérer sur le projet et son emplacement.

Ladite commission enterra allègrement la Bastille, la Nation, l'Étoile et en général tous les points de la périphérie. Pour elle, un arc n'était pas une porte, mais un centre. Et elle proposa avec conviction de le placer au débouché du pont de la Concorde sur la place du même nom. Puis, effrayée de son audace, elle fit un second projet où elle revenait à la Bastille.

Champagny, de ces divers projets, devait faire pour l'Empereur la synthèse dans son rapport. Celui-ci est un petit chef-d'œuvre de littérature administrative, à proposer en exemple aux fonctionnaires soucieux de faire adopter leurs vues. Distribuant des fleurs à la commission, s'abritant derrière le Conseil des bâtiments civils, mettant en valeur certains arguments et en escamotant d'autres, jouant à bon escient de la corde financière, le ministre combattait à boulets rouges le projet de la Bastille, sous le prétexte, d'ailleurs valable, que les voies qui y menaient ne se croisaient pas en un même point, et que certaines d'entre elles, sinueuses, n'offraient pas de perspective. Et, *in fine*, tel un magicien, il présentait sa panacée, le carrefour de l'Étoile, accompagnée d'un torrent d'arguments :

« Un arc de triomphe y formerait de la manière la plus majestueuse et la plus pittoresque le superbe point de vue que l'on a du château impérial des Tuileries... Il frapperait d'admiration le voyageur entrant dans Paris... Il imprimerait à celui qui s'éloigne de la capitale un profond souvenir de son incomparable beauté... Quoique éloigné, il serait toujours en face du Triomphateur. Votre Majesté le traverserait en se rendant à la Malmaison, à Saint-Germain, à Saint-Cloud et même à Versailles (2). »

En réalité, l'idée n'était pas de Champagny, mais de Chalgrin. Celui-ci, dans une lettre du 22 avril 1806 au ministre, avait rappelé qu'au retour de Marengo il avait proposé d'édifier un arc, soit à la Concorde, soit à l'Étoile, que cet emplacement lui semblait préférable, mais que la dépense serait plus onéreuse, la position exigeant un monument plus colossal. Champagny, tout en adressant à Chalgrin des remerciements courtois, s'appropria sans hésiter l'idée.

Napoléon, comme tous les grands patrons, savait accepter

les suggestions qui allaient dans le sens de sa politique générale. Le 9 mai suivant, il répondait au ministre :

« Monsieur Champagny, après toutes les difficultés qu'il y a à placer l'arc de triomphe sur la place de la Bastille, je consens qu'il soit placé du côté de la grille Chaillot, à l'Étoile, sauf à remplacer l'arc de triomphe sur la place de la Bastille par une belle fontaine, pareille à celle qu'on va établir sur la place de la Concorde (3). »

Aucune fontaine ne devait finalement s'établir sous l'Empereur à la Concorde ni à la Bastille, mais nous reparlerons de ces projets hydrauliques. En revanche, le projet était cette fois bien arrêté de la construction simultanée de deux arcs, tous deux visibles du palais des Tuileries, et qui symboliseraient l'un la gloire consulaire, l'autre la gloire impériale. « Il faut, dit une note dictée le 14 mai, que l'un soit l'arc de Marengo, l'autre d'Austerlitz. J'en ferai un autre dans une situation quelconque à Paris, qui sera l'arc de triomphe de la Paix, et un quatrième qui sera l'arc de triomphe de la Religion. Avec ces quatre arcs, je prétends alimenter la sculpture de France pendant vingt ans. »

Projets en l'air, bien sûr, comme Napoléon, dans ses premières années de règne, aimait à en former, sans jamais être complètement dupe de lui-même. Mais la décision concernant l'arc de l'Étoile était prise, et bien prise. Voyons maintenant comment se présentait le nouvel emplacement.

Depuis 1670, la colline de l'Étoile était gravie par la promenade, tracée par Le Nostre, en droite ligne depuis la Concorde actuelle jusqu'à la barrière de Chaillot, à l'emplacement de notre rue de Berry. Paris s'arrêtait là, et il en sera ainsi jusqu'en 1860. Au delà, sur les territoires de Neuilly et Passy, se dressait le faîte de la colline de Chaillot, plus escarpée qu'aujourd'hui et pratiquement déserte.

Au début du XVIIIe siècle y fut aménagé un carrefour de chasse comme en comportaient les forêts royales et qui, comme eux, fut nommé « étoile ». En 1762, le marquis de Marigny, surintendant des Bâtiments, fit aplanir le sommet, qui livra passage au prolongement des Champs-Élysées, lesquels atteignirent en 1762 la porte Maillot. De 1772 à 1776, son successeur le comte d'Angiviller, voulant atténuer la pente, fit raboter la colline de seize pieds. L'avenue fut prolongée, par le nouveau pont de Neuilly, jusqu'au rond-point de Courbevoie, dit aujourd'hui de la Défense. Pendant les deux siècles qui suivront, on parlera vainement de continuer vers l'Ouest cette « voie triomphale ». Il semble que le projet soit aujourd'hui définitivement enterré, peut-être à tort.

Dès le XVIIIe siècle, des idées avaient été agitées pour donner un couronnement à la colline, clôturant la perspective par une construction devant jouer le même rôle que plus tard la Gloriette de Schœnbrunn, ou la cascade de Caserte. Dès 1758, quatre ans avant les travaux de Marigny, un certain Ribart de Chamoust, membre de l'académie de Béziers (4), après avoir vainement participé au concours de la place Louis XV, notre Concorde, avait proposé d'élever à l'Étoile un éléphant gigantesque, dont le ventre contiendrait des salles de spectacles auxquelles on accéderait par un escalier pratiqué dans une des pattes. Sa trompe devait servir de fontaine, et ses oreilles de haut-parleurs qui auraient transmis la musique d'un orchestre logé dans sa tête. Le projet n'eut pas de suite, mais il est curieux de constater que l'arc de la Bastille et l'éléphant de l'Étoile interchangeront leurs emplacements.

Dix ans plus tard, Ange Gabriel et Perronet, discutant de l'abaissement prévu du sommet, déclaraient : « Le centre de l'Étoile seroit susceptible d'y recevoir un grand obélisque de marbre du Bourbonnais blanc (5). »

L'obélisque resta dans les cartons : lui aussi changera d'emplacement. Mais les projets vont refleurir sous la Révolution, en particulier en 1798, quand le ministre de l'Intérieur François de Neufchâteau mit au concours un plan d'embellissement des Champs-Élysées et une utilisation « monumentale » de l'Étoile. Un des concurrents proposa d'élever au carrefour une colonne de cinquante mètres. Le concours ne fut jugé qu'en janvier 1800, et le premier prix décerné à une équipe de jeunes architectes parmi lesquels on rencontre Debret, qui sera trente ans plus tard le « massacreur » de Saint-Denis. Mais il n'était pas question d'exécuter le projet principal, et le jury se contenta de décerner aux vainqueurs... une lettre de félicitations du ministre (6).

Les temps ne s'y prêtaient pas, et il faut arriver au Consulat pour retrouver, découvert par M. Mousset, le projet d'un dénommé Peyre, « savant et très versé dans les arts ». Choqué par le projet de colonne à l'Étoile (nous avons vu que c'est là que, finalement, devait s'élever la « colonne nationale »), il écrivait à Chaptal en octobre 1801 :

« Le seul monument que je croirais convenable, seroit un arc de triomphe sur l'emplacement de la Grande Étoile. On surmonterait cet arc d'un char de la Victoire attelé de quatre chevaux; sur le devant de ce char serait figuré le Premier Consul tenant son épée d'une main et une branche d'olivier de l'autre, cependant que la Victoire ceindrait son front de laurier... A l'intérieur du monument, des tables d'airain rappelleraient les noms des batailles et leurs dates. Dans l'épaisseur des murs logeraient de vieux braves chargés d'expliquer aux visiteurs ces inscriptions et, éventuellement, de leur vendre une brochure résumant l'histoire du monument.

« Je suppose, conclut-il, un étranger qui vient à Paris. Apercevant un arc de triomphe magnifique, il presse ses pas, arrive, contemple dans tous ses détails ce monument pompeux, lit les inscriptions avec respect et avec une espèce de sentiment religieux, se les fait expliquer et croit entendre la voix de nos héros, achète le livre et serre précieusement son trésor dans son sein. Bientôt se développe à ses yeux la superbe avenue des Champs-Élysées, la place de la Concorde, le jardin des Tuileries terminé par le Palais du gouvernement... Il marche à pas lents et arrive plein d'enthousiasme dans le pays des merveilles et, j'ose le dire, dans la capitale du monde (7). » Mémoire qui demeura sans réponse, malgré son style.

L'idée de l'arc était trop banale et trop dans l'esprit de l'époque pour qu'il soit nécessaire d'accuser Napoléon d'avoir repris le projet de Peyre. Il est tout de même intéressant de voir un simple amateur exprimer une idée qui ne viendra que cinq ans plus tard à l'administration impériale.

Le lieu choisi était donc assez désert : un carrefour champêtre où se croisaient les chemins de Chaillot et des Ternes, avec quelques guinguettes où les promeneurs du dimanche venaient manger une galette arrosée de vin de Suresnes, mais près desquelles il valait mieux ne pas s'aventurer le soir.

C'est à Chalgrin que furent confiés les travaux, et c'était justice. Nous sommes mal renseignés sur l'évolution de sa pensée. On lui avait adjoint un architecte toulousain, Raymond avec lequel il semble avoir été dès le départ en désaccord. Ils n'en commencèrent pas moins, dès le 12 mai, par creuser une « fouille » de cinquante-quatre mètres sur vingt-sept, et huit de profondeur, opération qui devait précéder la pose de la première pierre. Celle-ci (8) fut mise en place le 15 août 1806, date obligatoire, mais sans faste exagéré : L'Empereur, qui était à Saint-Cloud, ne s'était pas dérangé, et la cérémonie eut lieu en présence de quelques officiels de second ordre, architectes, entrepreneurs, avec de rares badauds. La presse, qui relate longuement toutes les réjouissances offertes ce jour-là au peuple, joutes sur la Seine, jeux de quilles et mâts de cocagne aux Champs-Élysées, n'eut pas un mot pour cette piètre cérémonie qui marquait pourtant une naissance capitale pour Paris.

Tout de suite, la petite guerre fut déclarée entre les deux architectes. Chalgrin avait d'abord songé à un arc orné de colonnes détachées, alors que Raymond préférait des colonnes engagées. Napoléon donna raison à Chalgrin et marqua sur le géométral : « Approuvé, sauf les ornements qui sont mauvais (9). »

Qu'en coûterait-il? 6 754 000 francs prévoyait l'architecte (10), dont 1 470 000 pour la sculpture. Un premier crédit de 1 446 000 francs fut alloué en août 1806.

Un an après la pose de la première pierre, les fondations descendaient à plus de six mètres (11). De gigantesques puits furent creusés. bourrés de pierres pour constituer une assise inébranlable sur cette colline trouée comme une pierre ponce. En même temps, Chalgrin menait de front la construction d'un autre arc, provisoire celui-là : pour le retour de la garde impériale, le 25 novembre 1807, il édifia, en bois et en toile, un arc triomphal à la barrière de Pantin, qui eut un grand succès, et qui donne une idée de ce qu'aurait été l'arc de l'Étoile si Chalgrin l'avait achevé (12).

Mais l'entrepreneur, qui avait eu des difficultés pour se procurer de la pierre et pour trouver dans Paris des ouvriers acceptant de travailler si loin de la ville, en pleine campagne, refusa de continuer aux mêmes conditions, et on dut en chercher un autre. Ces retards, ces considérables et invisibles travaux inquiétaient le ministre, qui craignait les dépassements. Raymond, qui remplaçait Chalgrin, malade, dut le rassurer par lettre du 9 mars 1808 :

« Nous nous empressons d'informer Votre Excellence

que les résultats (devis) que nous avons eu l'honneur de lui remettre sont la suite d'un travail long et réfléchi. Si cette opération eût été l'effet d'un calcul précipité ou d'imagination, nous nous serions fait un devoir de le déclarer (13). » A le lire, on pourrait penser que jamais architecte de France n'a dépassé un devis.

C'était le chant du cygne de Raymond, qui, derrière le dos de son collègue, ou profitant de la maladie de ce dernier, faisait établir des fondations correspondant à ses projets à lui. Chalgrin, rétabli en octobre 1808, se plaignit, et Raymond dut se retirer le mois suivant. Chalgrin présenta alors un nouveau projet pour un arc sans colonnes, à une seule arche, dont les piédroits recevraient des figures et des trophées. Napoléon approuva : « Un monument dédié à la Grande Armée devant être grand, simple et majestueux, sans rien emprunter aux réminiscences antiques. »

Comme souvent, l'Empereur, en matière architecturale, voyait juste. « Il avait de la répugnance, dit Fontaine, à chercher le beau ailleurs que dans ce qui est grand, il ne concevait pas que l'on put entreprendre de séparer l'un de l'autre. » L'arc de l'Étoile sera sa meilleure réussite.

Certes, le projet de Chalgrin s'écartait des arcs romains sur le plan de l'ornementation, mais il s'en séparait bien plus encore sur le chapitre des proportions. Si Percier et Fontaine avaient conçu leur monument de mêmes dimensions que ses modèles antiques, Chalgrin avait carrément visé au colossal, fixant des proportions qui n'avaient rien de commun avec l'arc de Septime-Sévère, le plus grand des arcs romains : près de cinquante mètres de haut, contre vingt-cinq à ce dernier (14). Et il eut indiscutablement raison : le monument prévu était à l'échelle des Champs-Élysées, et l'architecte avait aussi fait œuvre d'urbaniste bien inspiré.

Le nouveau devis se montait à 9 132 367,77 francs (15), et, en cela, Chalgrin ne prévoyait-il pas si mal, puisque le coût total, après trente ans de travaux, d'incertitudes, de reprises, de contre-ordres, ne dépassera pas dix millions.

Chalgrin resta donc seul à diriger les travaux, de sa manière bourrue et susceptible. Le *Journal de Paris* ayant publié une description « infidèle » de son projet, il en saisit aussitôt le ministre, « afin qu'à l'avenir un journaliste ne puisse rendre compte d'un édifice public sans y être autorisé et avoir communiqué son article à l'artiste chargé de la direction du monument (16) ».

Et celui-ci, assise par assise, continua à s'élever avec une sage lenteur. Nous le retrouverons.

X

L'AGE D'OR DES FONTAINES PARISIENNES

On s'est occupé d'améliorer Paris,
depuis les eaux jusqu'aux palais.

NAPOLÉON
Lettre à Fouché, 1809

Le 2 mai 1806, de Saint-Cloud, l'Empereur prenait un décret décidant la construction de quinze nouvelles fontaines et en désignait les emplacements, sept sur la rive droite et huit sur la rive gauche. L'exécution de la plupart de ces petits monuments fut confiée à un des anciens auteurs du théâtre d'Amiens, devenu spécialiste en hydraulique, François-Joseph Bralle.

Un des premiers mis en chantier fut la fontaine du Regard, située à l'emplacement de notre carrefour Saint-Placide. Elle était destinée à remplacer un ancien « regard » construit par les Francini, fontainiers du Roi, pour la surveillance de la conduite qui menait au Luxembourg les eaux de Rungis. La nouvelle fontaine devait alimenter ce quartier, encore très excentrique, et dont les habitants devaient jusque-là s'approvisionner rue Garancière ou rue de Grenelle.

Bralle confia la décoration sculpturale de la fontaine à un

jeune artiste de vingt et un ans, Achille Valois, à qui il commanda en même temps une autre fontaine pour la rue Censier. Le prix convenu fut de 2 400 francs par fontaine, prix très modeste que pouvait seul justifier le jeune âge du sculpteur. Les travaux hydrauliques et architecturaux furent rapidement menés. En novembre 1806, le *Moniteur* commençait à parler du nouveau monument, qui était en service, mais dont le bas-relief n'était achevé ni mis en place, et la question allait traîner pendant deux ans. Constatant que la somme à percevoir ne couvrirait pas même ses frais, le sculpteur envoya, le 3 avril 1808, un nouveau mémoire dans lequel il demandait pour les deux fontaines 8 742 francs, ce qui était beaucoup. Le Conseil des bâtiments civils, saisi de la demande, n'accorda que 5 375 francs, et Valois refusa de continuer le travail : « Comme j'ai acquis la conviction que mon mémoire ne portait même pas ma fontaine au prix le plus bas possible, je suis très décidé à m'en tenir à l'alternative suivante : je renoncerai à terminer cette fontaine si le Conseil refuse, ou de recevoir, tel qu'il est, mon mémoire, ou de s'en rapporter au jugement d'expperts (*sic*) sculpteurs choisis par lui et par moi (1). »

Bralle répondit de façon très noble. Tout en reconnaissant le bien-fondé de ces réclamations, il déclarait :

« Je n'ai pas cessé de penser que, par respect pour la volonté du gouvernement..., par honneur pour vous-même, par amour pour un travail ébauché et payé en partie; je dirai même par égard et par amitié pour moi, double sentiment dont vous ne m'avez donné aucun témoignage, vous deviez mettre la dernière main à votre bas-relief... Je ne puis... me livrer à l'idée de croire que vous veuillez renoncer à une opération qui pourra vous faire honneur; j'ai mis trop d'empressement et de plaisir à vous la confier pour le penser (2). »

Valois continuant à faire la sourde oreille, Crétet, ministre de l'Intérieur, se fâcha, et décida, le 29 mars 1809, que le sculpteur ne toucherait pas un sou de plus, et que s'il ne s'était pas remis au travail dans la huitaine, il chargerait un autre artiste du travail. Alors Valois se soumit et termina le bas-relief, qui fut mis en place en 1809. Mais les discussions n'en étaient pas terminées pour autant, et le jeune sculpteur fit agir son maître Chaudet, qui intervint auprès de Bralle :

« Je n'hésitai pas à lui conseiller d'achever son ouvrage à ses risques et périls, de le finir enfin avec ce soin et cet amour qui donnent toujours du prix aux productions des arts », et il demande satisfaction « pour mon élève dont la tête peut être jeune, mais dont le cœur est excellent » (3).

Du coup, le Conseil des bâtiments civils, scrupuleux, commit deux architectes, Chalgrin et Peyre, pour examiner l'œuvre de Valois, et ses droits à une indemnité. Après encore bien des discussions, des rapports, une nouvelle visite, ils finirent par prononcer le chiffre de mille francs, que le ministre, selon les méthodes impériales, maintenant bien établies, rabattit à six cents.

La fontaine se présentait dans un site campagnard, adossée au mur d'un jardin, se détachant sur un fond d'arbres. Elle resta en place jusqu'en 1855, date du percement de la rue de Rennes, qui la culbuta. Mais, en 1864, l'architecte Gisors, chargé de restaurer la fontaine Médicis, déplacée, eut l'idée d'en orner le revers avec l'ancienne fontaine de Valois, que l'on peut ainsi retrouver au Luxembourg.

Le monument représente Léda et son cygne, dont le bec crachait autrefois un filet d'eau. La déesse, élégante, racée,

SWEBACH-DESFONTAINES — *La fontaine de Léda à son emplacement primitif, à l'angle des rues de Vaugirard et du Regard (actuellement carrefour Rennes-Vaugirard)*

SWEBACH-DESFONTAINES — *La fontaine de la place du Châtelet*
Remarquer, à gauche, le porteur d'eau

se détourne de l'animal en déployant un torse impeccable. Au loin, parmi les roseaux, un amour remet sa flèche au carquois. L'œuvre, manifestement inspirée de la Renaissance, n'en est pas moins charmante, et, pour ceux qui savent la découvrir, est une des heureuses surprises de ce jardin, qui en réserve parfois de bien mauvaises.

Pour la place du Châtelet, on se souvient que le préfet de la Seine, dès 1801, avait émis l'idée d'un monument dédié par la Ville de Paris à Bonaparte, et que la commission nommée à cet effet, avait préconisé la démolition du Grand-Châtelet et son remplacement par un « portique triomphal », c'est-à-dire un arc de triomphe, accompagné d'une fontaine. La forteresse avait été démolie (4), l'arc était parti à l'Étoile, et la fontaine va naître maintenant. Bralle conçut pour cela une colonne, décorée par Boizot, qui supporterait une victoire du même sculpteur et serait consacrée à la glorification des victoires impériales. Il s'agissait, pour l'architecte, de concevoir un monument qui formât le fond de la perspective du pont au change, et qui meublât la nouvelle place, encore assez étroite, d'un monument à son échelle. La colonne, inaugurée en 1808, répondait bien à cette double donnée. Mais Bralle sut en même temps l'habiller d'une décoration assez riche et la sommer d'un ornement terminal assez important pour éviter la sensation de gêne que donne généralement une colonne isolée, privée de son rôle de support.

Par ailleurs, l'architecte avait sacrifié au goût égyptien de son époque en édifiant une colonne palmiforme qui n'est pas sans rappeler celles de l'hôtel Beauharnais. Bralle, tenu de commémorer les victoires napoléoniennes, avait dû penser surtout à l'expédition d'Égypte. Ainsi, cet édifice consacré aux victoires à la Pyrrhus que le général avait remportées en Afrique et en Asie venait-il rappeler dans Paris à l'Empereur son grand rêve oriental, venu se briser sur les remparts de Saint-Jean-d'Acre. D'autre part, en érigeant à la gloire des victoires napoléoniennes un monument définitif, dont toutes les tablettes étaient gravées, Bralle semblait exprimer l'espoir de paix qui, après Friedland au nom symbolique, animait la France toute entière. Par cette consécration, la guerre victorieuse était invitée à rester dans le domaine du passé et Bralle avait su faire un monument d'une signification profonde.

Cependant cet édifice harmonieux était à peine une fontaine. Sa fonction hydraulique ne s'exprimait que par les huit filets d'eau que devaient théoriquement jeter les narines des dauphins : la plus belle des fontaines impériales était aussi celle qui évoquait le moins l'idée de l'eau. Mais il faut penser qu'à l'époque, le canal de l'Ourcq n'était pas terminé; Bralle savait donc qu'il ne pourrait s'alimenter qu'avec des moyens de fortune. Il préféra faire abstraction des motifs décoratifs hydrauliques et concevoir un monument ordinaire, qui fournirait de l'eau par surcroît.

Quand les travaux d'Haussmann bouleversèrent le quartier, il fallut déplacer la fontaine excentrée et lui donner une importance en rapport avec les nouvelles dimensions de la place. Le 21 août 1858, en vingt-sept minutes, aux applaudissements de la foule, on la déplaça de quinze mètres sans la démonter et on la jucha sur un piédestal accosté de quatre sphinx qui s'accordent si bien avec le monument primitif que peu de gens les en différencient. Opération somme toute heureuse, mais dont ont souffert les sculptures de Boizot, placées maintenant trop loin de l'œil.

Quant à la Victoire terminale, craignant qu'elle ne se dégradât en plein air, on la remplaça par une copie et on l'envoya prendre sa retraite à Carnavalet, où quelque temps après, on la plaça... dans le jardin.

Une des plus intéressantes fontaines de l'époque est celle que Bralle éleva rue de Sèvres, en style égyptien. Un édifice en forme de naos abrita une statue de Beauvallet, copiée sur un Antinoüs bas-égyptien, prise de guerre des armées françaises. L'adjonction de deux vases et d'un mascaron en bronze en forme de tête de lion assez bonasse, qui épandaient l'eau de la pompe à feu de Chaillot, transforma facilement le dieu romano-égyptien en fontaine. Bien que la statue de Beauvallet, dégradée, ait été remplacée en 1844 par une copie assez médiocre, cette fontaine est une des rares et attachantes manifestations parisiennes de ce style « retour d'Égypte » dont la colonne de la place du Châtelet était déjà un exemple.

C'est rue Popincourt que Bralle édifia la fontaine de la Charité, massif carré décoré d'un grand relief sculpté et surmonté d'un fronton orné d'un pélican. Devant, une vasque semi-circulaire recueillait l'eau d'un mascaron. Le bas-relief, œuvre de Fortin, nous est seul parvenu, encastré dans un mur de la rue de Sévigné, et bien peu de passants connaissent son histoire. Consacré, à cause de sa proximité d'origine avec un hôpital, à la charité, il représente une jeune femme debout, drapée à l'antique, la poitrine dévoilée, allaitant un bébé nu et entourée d'autres enfants. L'exécution présente des défauts : le nourrisson est mal proportionné, l'enfant de gauche à une tête laide et trop grosse, le bras droit de la femme paraît trop court et son poignet gauche cassé. Ce n'en est pas moins une œuvre assez charmante, taillée d'un ciseau ferme et exempte de cette sécheresse que l'on rencontre trop souvent à cette époque.

Le décret de création des nouvelles fontaines prévoyait également qu'un de ces petits monuments s'élèverait sur la place Saint-Sulpice, dont nous avons vu la création. On choisit pour cette dernière l'architecte Détournelle, auteur d'un projet qui se présentait ainsi : quatre petites cuvettes en demi-cercle cantonnant un massif carré devaient recevoir par des mascarons en mufles de lion les eaux d'une grande cuve carrée de forme « antique ». Au centre de cette cuve s'élèverait un monument carré, couronné de frontons, et encadrée de deux statues symbolisant la Paix et les Arts, la première étant représentée par une femme assise, pressant ses seins dont elle fait jaillir de l'eau : vieux motif, qu'avait déjà utilisé la Révolution pour une fontaine — provisoire — élevée sur l'emplacement de la Bastille.

Le devis se montait à dix-neuf mille quatre cent soixante francs. Le Conseil des bâtiments civils examina le projet, le trouva trop compliqué et trop coûteux, et demanda des modifications, que Détournelle exécuta de bonne grâce. L'inspecteur général des Bâtiments reconnut que le projet avait ainsi beaucoup gagné « du côté du style et de l'économie (5) ». Mais déjà apparaissait le défaut qui allait hypothéquer l'avenir de la fontaine : ses proportions trop modestes par rapport à la place. Pour pallier cet inconvénient, le Conseil décida que le monument serait placé aussi loin que possible de l'église, à trente-huit mètres de la colonnade.

La construction fut commencée en août 1806 et, en avril 1807, les frais s'élevaient déjà à plus de vingt-huit mille francs, alors que la dépense totale, fixée par décret impérial, devait être de douze mille. A l'administration, inquiète, on opposa la hausse du coût de la main-d'œuvre, les accidents de terrassement, etc., ce qui provoqua la vaine indignation de Petit-Radel :

« Je ne conçois pas comment des architectes *expérimentés* ne prévoient jamais ce qui arrive tous les jours, c'est-à-dire qu'il faudra creuser les fondations à vingt pieds, que les terres s'éboulent, et comment aussi le prix des journées augmente toujours entre le moment du devis et celui de son exécution, quelque rapprochés qu'ils soient (6) » : l'inflation est un mal chronique...

Entre temps, Détournelle, « atteint d'une maladie causée par l'excès de travail (7) », s'était fait remplacer par un collègue nommé Voinier. Les bâtiments civils agréèrent ce successeur, le 13 avril 1807, en constatant qu'il était « d'âge mûr, de talents et de moralité recommandables (8) ». Le ministre entérina, et la mort de Détournelle, survenue peu après, confirma Voinier dans la place. A ce moment, le massif carré était élevé, et, « cette fontaine, dit le Conseil, est si près d'être terminée qu'il n'aura presque rien à faire qu'à suivre ce qui est commencé (9) ».

Voire... Voinier voulait modifier les plans de son prédécesseur. Le 13 juillet 1807, il écrivait au ministre que les deux statues adossées au piédestal ne feraient qu'un « ensemble petit », qu'elles ne s'accordaient pas avec l'église, et il proposait de les remplacer par une seule statue de la Paix : « Cette statue seroit debout, tenant d'une main l'olivier réuni à la couronne d'abondance et s'appuyant de l'autre sur un bouclier autour duquel sont gravés les mots Justice, Force, Courage, noms des vertus nécessitées pour la conservation de la Paix, au centre du bouclier seroit sculptée la tête de l'Empereur (10). »

Mais Champagny s'opposa à ces innovations. « Examiner, disait-il, s'il ne serait pas mieux de ne pas mettre de statue, et de décorer les faces du socle de quelques bas-reliefs, qui se conserveraient mieux que les statues (11). »

Mais, un mois plus tard, Crétet succédait à Champagny, et Voinier profita du changement de ministre pour revenir à la charge avec un nouveau projet : il s'agissait d'élever, au-dessus de la fontaine, un obélisque de dix-huit mètres de haut : nouvelle apparition de cette idée d'obélisque, à l'égyptienne ou à la romaine, car les notions archéologiques de cette époque ne sont pas très précises. « Le bon effet de ces sortes de monuments, dit Voinier, n'est pas douteux. On en voit de beaux exemples à Rome et il n'en existe point à Paris. »

Le Conseil des bâtiments se laissa tenter, malgré le supplément de dépense de dix à douze mille francs qu'eut entraîné ce nouveau changement. « L'obélisque, déclara-t-il le 7 septembre 1807, aurait plus le caractère d'un monument, et serait mieux en accord avec les proportions de la place et le temple majestueux qui la décore (12) ».

Mais Crétet mit son veto, et la Conseil s'inclina : on reprendra le devis original en invitant l'architecte « à porter dans l'érection de ce petit monument toute l'harmonie et la régularité dont il est susceptible (13) ».

Le sculpteur choisi par Détournelle pour la décoration de la fontaine était Espercieux, qui s'était signalé, sous la Révolution, en proposant de renoncer au costume de l'époque pour le remplacer par le casque et la chlamyde des Grecs. Découragé par tous les contre-temps qui s'étaient abattus sur la fontaine, il demanda à être dédommagé de ses premières esquisses, et refusa de continuer le travail sans une avance. Puis il écrivit au ministre que la somme convenue de quatre mille francs ne valait que pour des reliefs en pierre de Tonnerre : s'il les exécutait en pierre du Val, comme on le lui demandait, pierre plus dure et plus difficile à travailler, il demandait six mille quatre cent francs. Petit-Radel se rendit chez lui en novembre 1808, et y vit les esquisses de quatre bas-reliefs, représentant le Commerce, Triptolème, la paix de Tilsitt et les Sciences et les Arts devant Minerve. Il approuva projets et prix demandés.

En mai 1809, la fontaine était achevée et prête à couler, mais le sculpteur n'avait pas encore commencé son travail. Cette fois, le Conseil se fâcha, et menaça Espercieux de lui substituer trois artistes. Enfin, l'artiste se mit à l'œuvre, non sans obtenir une dernière « rallonge ».

Entre temps, Crétet, mort et inhumé au Panthéon, avait été remplacé par Montalivet : il n'avait pas fallu moins de trois ministres pour venir à bout de cette petite fontaine, qui donnait à l'administration de gros soucis. Finalement, en août 1810, tout était terminé.

Restait à solder les comptes. La veuve Detournelle n'avait encore touché, pour le travail de son mari, que cinq cents francs, mais le monument avait finalement coûté, au lieu de douze mille francs prévus, 62 289 francs et deux centimes : « et cependant, dit Mousset, l'économie avait été le seul chapitre sur lequel l'administration eût, en cette affaire, montré de l'esprit de suite ! (14) ».

Dès que la fontaine, alimentée par les pompes de Chaillot, fut en marche, les critiques s'élevèrent : le cadre la « tuait », elle n'était pas à l'échelle de la place, elle ressemblait à une guérite de corps de garde ou à la cheminée d'une habitation souterraine. En avril 1813, un anonyme qui signait *l'amateur de bon goût* écrivit au ministère pour lui proposer de la remplacer par un rocher placé en bordure de la rue du Pot-de-Fer (Bonaparte) et « duquel l'eau sortirait par plusieurs ouvertures après que Moïse l'aurait frappé de sa verge ». L'idée n'eut pas de suite : on peut le regretter pour le pittoresque.

Malgré défauts et suggestions, la fontaine resta dix ans

en place, et des gravures nous la montrent, entourée de bornes, perdue au milieu du vaste quadrilatère. Finalement, la Restauration, vers 1820 (15), la transféra au milieu du marché Saint-Germain. Elle y resta plus d'un siècle, asservie à d'humbles besognes. C'est seulement en 1935 que l'on eut l'heureuse idée de la transporter en bordure de la rue Bonaparte, dans l'ancienne allée du Séminaire, où elle a trouvé un cadre à sa mesure, avec lequel elle se compose en parfaite harmonie : elle mérite une visite.

Pour faire face à l'hôpital militaire du Gros-Caillou, Bralle et Beauvallet imaginèrent un monument approprié. Une cippe rectangulaire, décorée de pilastres et de refonds, présente un grand bas-relief montrant Mars, dieu des combats, soigné par Hygie, déesse de la médecine.

« Nu sous son bouclier et son casque, dit Paul Léon, tel un héros de la Rome antique transposé par un élève de David, il porte aussi la moustache et les épais favoris d'un grognard du Premier Empire (16). » L'œuvre est élégante, bien qu'un peu sèche et terne. Les draperies de la déesse sont agréablement traitées, et cependant artificielles. Le sujet était d'ailleurs inspiré d'un groupe romain du musée du Louvre. Mais le guerrier, quoique imitation antique, est bien de son époque : cette anatomie impeccable et froide, cette attitude de simplicité étudiée relèvent directement des *Horaces* (1785) ou des *Sabines* (1799). Le Mars de Beauvallet montre bien l'influence dictatoriale exercée à cette époque par David sur les arts officiels.

A l'origine érigée au centre d'un hémicycle de peupliers, la fontaine fut bientôt rattrapée par la croissance urbaine. En 1859, on édifia autour d'elle une harmonieuse petite place à arcades qui se compose parfaitement avec elle, et semble avoir été conçue à la même époque.

La fontaine de Mars

Le décret de l'Empereur prévoyait également une fontaine sur le parvis Notre-Dame, qui en avait déjà possédé une au XVIIe siècle. Pour ne pas encombrer la circulation, Bralle creusa la façade de l'hospice des Enfants-Trouvés, de Boffrand, de deux niches qui reçurent des vases décorés par Fortin. Nous avons retrouvé l'un d'eux à l'hôpital Lariboisière.

On demanda d'autre part en 1806 à Brongniart de compléter par une fontaine publique le noviciat des Capucins, qu'il avait construit sous Louis XVI, et qui était devenu le lycée Bonaparte. Il encadra la porte centrale de deux vasques dans lesquelles se déversaient, de chaque côté, trois mufles de lion. Les travaux furent rapidement menés à bien, malgré le proviseur qui trouvait que les nouvelles fontaines provoquaient de l'encombrement. Brongniart profita de l'occasion pour essayer de faire remplacer, sur la façade, les deux bas-reliefs mutilés par la Révolution : aux sujets religieux seraient substitués « L'enseignement » et « Les récompenses ». Il n'arriva pas à ses fins. Quant aux fontaines, elles disparurent, l'une sous la Restauration, l'autre en 1878.

En dehors des fontaines que nous venons de citer, d'autres furent également construites à la même époque, qui ont malheureusement disparu depuis, et qui affectaient des formes diverses : un vase décoré surmontant un socle derrière Saint-Germain-l'Auxerrois, un faune versant l'eau d'une outre rue Mouffetard, une grande stèle décorée d'un aigle au marché aux chevaux, rue des Fossés-Saint-Marcel, une niche contenant un vase décoré au chevet de Saint-Eustache : la plupart ont été victimes d'Haussmann.

Enfin, il ne suffisait pas d'alimenter Paris en eau : fallait-il encore l'évacuer. L'Empire fit creuser une dizaine de kilomètres d'égouts, dont le plus important fut celui de la place de la Concorde, percé de 1805 à 1812.

XI

DES PONTS ET DES ÉGLISES

Interrogé par l'Empereur sur ce qu'il pensait de la ville de Paris, qu'il venait de parcourir avec beaucoup de soin, le roi de Wurtemberg répondit : « Mais je l'ai trouvée fort bien, pour une ville prise d'assaut par les architectes. »

PASQUIER, Mémoires.

Le Panthéon, construit par Soufflot sous le nom d'église Sainte-Geneviève pendant la seconde moitié du XVIIIe siècle, était universellement admiré par tous les néo-classiques convaincus qui dirigeaient les affaires artistiques, et l'Empereur en tête. Les transformations que l'édifice avait subies sous la Révolution, dans le sens d'une plus grande austérité, l'avaient encore rehaussé à leurs yeux, lui donnant cette allure de majesté glacée, « romaine » qui parlait aux esprits et aux cœurs de l'époque. Malheureusement, la solidité du dôme donnait des inquiétudes, l'édifice était encombré d'échafaudages, et c'est platoniquement que, depuis l'année précédente, on annonçait la restitution du bâtiment au clergé. Le 13 février 1806, Napoléon alla visiter l'édifice et posa à Rondelet, son architecte, des questions dont les réponses ne le satisfirent pas. Le soir, il convoquait Fontaine : « Que signifient les pressions, les compressions, les résistances et les calculs comparatifs de M. Rondelet? Je veux savoir, tout bonnement, pourquoi le Panthéon est étayé, et ce qu'il faudrait faire pour le rendre solide et durable? (1) » Fontaine répondit que les quatre piliers de la croisée n'étaient pas assez puissants, et qu'il faudrait les renforcer. Napoléon, novateur, proposa pour cela des cubes de fonte, théorie que Fontaine combattit. Finalement, l'Empereur alloua six cent mille francs aux travaux à exécuter, confiés à Rondelet : le loyal Fontaine avait, comme à son habitude, soutenu son confrère, et ce dernier s'en montrera digne, par un travail exemplaire.

Le décret impérial du 20 février 1806 édicta que « l'église Sainte-Geneviève », car son premier nom lui était rendu, « le plus beau de tous les temples de la capitale », serait rendue au culte et qu'elle servirait en outre à la sépulture de certains dignitaires de l'Empire et de citoyens éminents. Disons d'ailleurs que les caveaux de l'église avaient de tous temps été destinés à cet usage.

Le gouvernement impérial pensa même un moment installer dans le Panthéon, rangés par ordre chronologique, tous les tombeaux royaux de Saint-Denis et d'ailleurs, recueillis par Lenoir aux Petits-Augustins : « Ils sortent des temples; il serait convenable de les y faire rentrer. » On renonça sagement à cette étrange idée.

La partie du décret concernant les sépultures fut immédiatement appliquée : Tronchet, mort vingt jours après la publication du décret, y fut inhumé, suivi par quarante et un dignitaires dont les noms sont souvent bien oubliés. Grâce au régime impérial, les listes de l'immortalité du Panthéon, avec Petiet, Beguinot, Marère, Denère, ne sont pas plus convaincantes que celles de l'Académie française, et font penser aux vers de *Cyrano :*

Porchères, Colomby, Bourzeys, Bourdon, Arbaud...
Tous ces noms, dont pas un ne mourra, que c'est beau !

Les militaires y furent mélangés aux civils, et le maréchal Lannes vint y reposer après Wagram. On fit un caveau spécial pour quatre protestants.

Napoléon désirait également faire remplacer le sarcophage de Voltaire par un « monument très beau... en évitant le plus possible dans la composition toute espèce d'allégorie ». Enfin, il pensait renvoyer Rousseau à Ermenonville, dans ce cadre de l'île des Peupliers qu'il n'aurait jamais dû quitter : « Le ministre se fera demander par M. Girardin, qui y est disposé, le corps de J.-J. Rousseau. Il se fera représenter le testament dans lequel Jean-Jacques a consigné le vœu d'être enterré à Ermenonville. Le ministre fera ces démarches de la manière la plus honorable pour la mémoire de J.-J. Rousseau (2). »

On ignore pourquoi le projet ne fut pas exécuté. L'idée a souvent été reprise, mais sans résultat pratique : on peut le regretter. On doit en revanche à l'époque impériale le célèbre tombeau de Rousseau, où une petite porte en trompe-l'œil laisse passer une main tenant un flambeau et la statue de Voltaire en bois, également dans les caveaux, qui est une des dernières œuvres du vieil Houdon.

Pour remplacer le fronton de Guillaume Coustou, qui représentait une croix rayonnante adorée par des anges et des chérubins, Moitte exécuta une composition classique, trop classique, mais ne manquant pas d'élégance : *La Patrie récompensant les vertus civiques et guerrières*. Il sera détruit au retour des Bourbon (3). Deux reliefs de Chaudet et Lesueur (*Dévouement à la patrie* et *L'amour de l'instruction publique*), enlevés par la Restauration, qui cherchait vraiment là des verges pour se faire battre, seront remis en place après 1830 (au-dessus des portes de gauche et de droite). Les autres bas-reliefs exécutés à la même époque, sur des sujets aussi plaisants, ont disparu (4).

Par ailleurs, l'Empereur tenait à rendre l'édifice au culte, trouvant sans doute dans ce mariage église-Panthéon un nouvel exemple de « fusion ». Il assigna en 1808 un délai de deux ans à ce rétablissement. Entre temps, le quartier alentour était remanié, et les rues Clovis (hommage à sainte Geneviève), Soufflot (hommage à l'architecte) et d'Ulm (hommage à l'Empereur) furent percées de 1807 à 1809.

A Notre-Dame, on installa à la même époque une chaire, qui sera plus tard celle de Lacordaire et se trouve aujourd'hui, on ne sait trop pourquoi, dans l'église de Luxeuil. En revanche, on démolissait l'église Saint-Marcel, dernier souvenir de la première communauté chrétienne de Paris.

Il fallait également utiliser les anciens bâtiments abbatiaux parisiens qui, pour une raison ou une autre, n'avaient pas été réoccupés par des religieux. L'abbaye Saint-Germain-des-Prés, qui sera plus tard culbutée par le boulevard Saint-Germain (5), devint succursale de la mairie du Xe arrondissement, notre VIe ; le Val de Grâce se transforma en hôpital militaire ; la maison professe des Jésuites reçut un lycée dédié à Charlemagne, patronyme qui a sans encombre traversé les changements de régime, tandis que l'établissement installé dans l'abbaye Sainte-Geneviève s'appellera successivement lycée Napoléon, Corneille et Henri IV.

Un autre établissement monastique, l'abbaye Saint-Antoine, reçut un hôpital, ce qui porta le nombre de ces établissements à quatre grands : Hôtel-Dieu (6), Saint-Louis, Charité, Saint-Antoine et quatre petits : Beaujon, Cochin, Necker et Saint-Laurent, sans compter les établissements spéciaux : Enfants-Malades, Vénériens (au faubourg Saint-Jacques), Incurables hommes (aux Récollets du faubourg Saint-Laurent) et femmes (rue de Sèvres, actuel Laennec), hospice de Montrouge (aujourd'hui maison de retraite La Rochefoucauld), Val-de-Grâce, Quinze-Vingt pour les aveugles. Par rapport à l'état hospitalier de la ville sous l'Ancien Régime, le progrès était énorme. On installa encore un bureau central des hôpitaux près de la cathédrale, la pharmacie aux Enfants-Trouvés, rue Neuve-Notre-Dame, la boucherie aux Bernardins (maintenant caserne de pompiers, ce qui n'est pas mieux) et la boulangerie dans l'hôtel Renaissance de Scipion Sardini, où elle se trouve toujours.

Pendant ce temps, Fontaine, aidé par Percier en coulisse, travaillait aux Tuileries, qui s'étaient vite révélées étroites, mal commodes, mal distribuées, trop exposées aux yeux des promeneurs du jardin. Défauts irrémédiables, d'ailleurs, auxquels les architectes ne purent apporter que des palliatifs. Une chapelle, quelque peu inspirée de celle de Versailles, fut aménagée en 1806, et à côté, la salle du Conseil d'État, où Gérard avait figuré au plafond la bataille d'Austerlitz. La Convention avait établi sa salle de séances à l'emplacement de l'ancien théâtre des Vigarini, qui avait légué au monde entier les appellations de « cour » et « jardin » : Fontaine rendit l'emplacement à sa destination première, en y installant une nouvelle salle de spectacle, richement ornée de colonnes, de guirlandes et de médaillons à l'antique. L'ancienne salle des Cent-Suisses, où se donnaient jadis les concerts spirituels de la Semaine sainte, fut transformée par eux en *salle des maréchaux*, qui reçut pour décor des cariatides imitées de celles de Jean Goujon, des trophées de François Gérard, et surtout quatorze portraits de maréchaux, ceux de la première promotion, du 19 mai 1804. Six d'entre eux nous ont été conservés (7).

Enfin, le pavillon de Marsan fut entièrement refait. Des hôtes royaux s'y succédaient en visite, tels le prince royal de Bavière, dont la sœur venait d'épouser Eugène de Beauharnais. Il était déjà venu à Paris dans son enfance, étant né à Versailles sous Louis XVI, et devait revenir aux Tuileries sous Napoléon III, ayant perdu sa couronne par la faute de Lola Montès...

Les travaux de l'hôtel de son beau-frère, rue de Lille, étaient d'ailleurs achevés. La facture fut soumise à l'Empereur qui s'emporta, et tança épistolairement Eugène : « Mon fils, vous avez très mal arrangé vos affaires. On me présente un compte de 1 500 000 francs pour votre maison. Cette somme est énorme... Je vois cela avec peine; je vous croyais plus d'ordre. On ne doit rien faire sans devis, avec engagement de ne pas le dépasser. Vous avez fait tout le contraire. L'architecte s'en est donné tant qu'il a voulu, et voilà des sommes immenses jetées dans la rivière. Portez plus d'attention et de savoir que cela aux affaires de ma liste civile d'Italie. Les architectes sont partout les mêmes. » Pour une fois, Eugène répliqua et, défendant ses collaborateurs, rejeta la responsabilité sur sa mère. Du coup, Napoléon confisqua l'hôtel de Beauharnais, où il logera quelque temps son frère Jérôme.

Il faut dire que le résultat, s'il était cher payé, était bien joli. Certes, la façade, sobre et harmonieuse, de Boffrand, aurait pu se passer du portique égyptien que Renard lui accola, mais les manifestations de ce style « retour d'Égypte » sont, en architecture, suffisamment rares pour ne pas être signalées, et goûtées. Quant à l'intérieur, il constitue l'ensemble le plus complet et le plus somptueux que nous possédions du style décoratif de l'époque. Salon vert et paysages d'Hubert Robert, salon des Saisons de style pompéien, boudoir turc de la reine Hortense, salle de bains décorée de glaces font comprendre pourquoi l'ambassade d'Allemagne, deux fois chassée de ces lieux, en 1918 et en 1944, a, deux fois, tenu à y revenir (8).

Réforme bancaire également : la Banque de France, fondée au début du siècle, était jusque-là un établissement privé appuyé par le gouvernement et qui pouvait émettre des billets. A la suite d'une opération douteuse sur la piastre espagnole, Napoléon, le 22 avril 1806, fit passer la banque sous le contrôle de l'État.

Les difficultés sociales étaient toujours plus ou moins latentes. « Les conflits avec les patrons, dit M. Hautecœur, avaient pour cause la durée du travail et le taux des salaires. Le préfet, par ordonnance du 25 septembre 1806, imposa aux ouvriers du bâtiment la présence sur le chantier en été de six heures du matin à sept heures du soir (9), en hiver de sept heures (10) du matin à la tombée du jour, aux serruriers et menuisiers travaillant en boutique, la présence régulière de six heures du matin à huit heures du soir. Les ouvriers se mirent en grève et déclarèrent que, si l'Empereur avait été à Paris, il n'aurait pas accepté une telle ordonnance. Aussi cet horaire ne fut-il jamais strictement appliqué. »

Un quatrième pont, après ceux des Arts, d'Austerlitz et Saint-Louis, était commencé en juin 1806 : celui du

Champ-de-Mars, dont les travaux avaient été ordonnés par une loi du 17 mars, et qu'un décret napoléonien du 13 janvier 1807, daté de Varsovie, ordonnera de nommer pont d'Iéna. Sa construction était confiée à l'ingénieur des ponts et chaussées Lamandé, qui devait l'édifier en fer, comme le pont des Arts, puis, en 1808, opta pour la pierre, ce dont on ne peut que se féliciter. Il devait être orné aux angles de quatre cavaliers en costumes impériaux : un chasseur à cheval, un dragon, un carabinier et un hussard, auxquels un nouveau projet substitua,

Projet pour le pont d'Iéna

On voit, aux angles du pont, les quatre statues équestres de généraux, qui ne seront jamais mises en place. A gauche, la Manutention militaire, à droite, les Invalides. A l'arrière-plan, un télégraphe Chappe.

sur la rive gauche, des statues équestres des généraux d'Hautpoul et Saint-Hilaire, tués à l'ennemi. Ces statues, confiées à Lemot et Bosio, ne furent jamais fondues : le modèle de la première est au Musée des Arts décoratifs (11). Finalement, les piédestaux d'angle restèrent vides jusqu'au Second Empire, qui y jucha les mornes cavaliers que l'on y voit encore aujourd'hui. En revanche, les piles du pont furent ornées, sous le Premier Empire, d'aigles que l'on a parfois attribués à Barye, lequel avait dix ans en 1806...

La construction fut lente. En 1812 seulement, on supprimait l'île aux Cygnes, située à l'emplacement de la Tour Eiffel actuelle, et où Bonaparte, cadet à l'École militaire, allait se promener vingt-cinq ans plus tôt. En 1813 enfin, l'ouvrage était ouvert à la circulation.

La Restauration trouva donc un pont neuf en cet endroit. Les thuriféraires de Louis XVIII ont répété que ce roi en avait empêché la destruction, ce qui n'est d'ailleurs que très partiellement vrai (12), mais sans préciser que le monarque fit enlever les aigles et débaptiser l'ouvrage : il se nommera, sans allusion au roi impotent, pont des Invalides, jusqu'à la monarchie de Juillet, qui remettra es choses en l'état (13).

La construction du pont d'Iéna rendit nécessaire la prolongation des quais, dont Napoléon s'occupait depuis plusieurs années :

« C'est moi, raconte Bourrienne, qui fis remarquer au Premier Consul le hideux aspect que présentait le quai de la Grenouillère, devenu quai Bonaparte. Je me souviens qu'un jour, j'étais debout devant la fenêtre du cabinet de Bonaparte donnant sur le jardin des Tuileries. Je ne l'attendais pas si tôt. « Que faites-vous là, Bourrienne? me dit-il. Je parie que vous regardez passer les jolies femmes sur la terrasse. — Cela m'arrive quelquefois; mais dans ce moment, je n'y pensais pas. Je regardais cette vilaine rive gauche de la Seine, qui m'offusque toujours par la malpropreté qui y règne, les débordements qui, presque tous les hivers, empêchent les communications et je me proposais de vous en parler. » Alors, il s'approche de la fenêtre et regarde : « Vous avez raison, c'est bien laid; c'est dégoûtant de voir laver le linge sale devant nos fenêtres. Allons, écrivez : Le quai de l'École de natation sera achevé dans la campagne prochaine. Envoyez cela au ministre de l'Intérieur. » Il sort, et le quai est achevé l'année prochaine. »

Sur la rive droite, on édifia encore le quai du Louvre, qui modifia l'élévation du palais en cet endroit, et celui des Tuileries. Enfin, au delà de la pompe à feu de Chaillot (Alma), le quai Debilly, qui reçut le nom d'un général tué à Auerstaedt. Le quai a été depuis consacré successivement à Tokyo et à New-York, et le nom du général a passé à une passerelle métallique construite « provisoirement » pour l'exposition de 1900, et qui s'est conservée.

Vers l'aval, le quai construit en prolongement de celui des Célestins reçut le nom de Morland, colonel des chasseurs de la garde tué à Austerlitz. Il est devenu boulevard par le rattachement au rivage, en 1844, de l'île Louviers.

On prit soin encore de terminer vers l'est le corset de quais de l'île de la Cité. L'un d'entre eux fut baptisé Catinat, hommage du régime impérial au seul maréchal de l'Ancien Régime d'extraction roturière. La Restauration, moins libérale, le débaptisera pour le nommer quai de l'Archevêché, appellation qu'il garde toujours cent trente ans après la démolition du palais archiépiscopal.

En tout, le régime impérial avait doté Paris de trois kilomètres de quais. A la fin de l'Empire, la Seine, à l'exception du petit bras, se trouvait endiguée sur la plus grande partie de sa traversée de la ville d'alors. Cependant, des passages pratiqués sous les quais permettaient aux chevaux de venir s'abreuver, aux porteurs d'eau de remplir leurs tonneaux, et ouvraient aux crues du fleuve une remarquable voie d'inondation.

XII

LA MADELEINE

Je les sers à moi-même avec assez de verve,
Mais je ne permets pas qu'un autre me les serve.

La position de Napoléon vis-à-vis de son propre « culte de la personnalité », illustre assez bien ce distique célèbre. Il n'était certes pas ennemi de l'encens et pensait d'ailleurs qu'une certaine « mystique du chef » ne pouvait qu'affermir son pouvoir et, par là, le rendre plus efficace. Mais, en revanche, connaissant l'esprit des Français, il redoutait les éloges trop appuyés et tapageurs souvent proposés par des thuriféraires maladroits, et préférerait orchestrer lui-même son propre panégyrique, en s'abritant derrière les soldats qui avaient été les instruments de ses conquêtes.

Deux décisions polonaises illustrent, dans le même temps, ce principe. A Champagny, qui lui avait proposé de débaptiser la Concorde pour la nommer place Napoléon, ce dernier répondit, de Varsovie, après Iéna : « Monsieur Champagny, il faut laisser à la Concorde le nom qu'elle a. La Concorde, voilà ce qui rend la France invincible (1). »

Mais, quelques jours plus tard, du camp de Posen (Posnanie), l'Empereur, le 2 décembre, date consacrée, décrétait que l'église de la Madeleine, commencée sous Louis XV, serait achevée sous la forme d' « un monument dédié à la

Grande Armée, portant sur le frontispice : « L'Empereur Napoléon aux soldats de la Grande Armée ». Les noms de *tous* les soldats des campagnes d'Autriche et d'Allemagne seraient gravés sur des plaques de marbre, les morts ayant droit à des tables d'or massif. Des bas-reliefs représenteraient « les colonels autour des généraux ». La dépense ne devrait pas excéder trois millions.

De quoi s'agissait-il? D'un monument dont on parlait depuis 1757, c'est-à-dire depuis presque un demi-siècle, et qui ne sera achevé qu'en 1843, après avoir plusieurs fois changé de destination. A l'origine il s'agissait simplement de remplacer l'ancienne église de la Ville-l'Évêque, devenue trop exiguë, et d'édifier le nouvel édifice dans l'axe de la rue Royale. Contant d'Ivry commença le nouveau bâtiment en 1764, et la construction marcha d'abord de pair avec celle du Panthéon, auquel la nouvelle église devait ressembler. A Contant, mort en 1777, succéda Couture, qui modifia les plans. La Révolution arrêta les travaux. Les architectes de l'époque, plus féconds, par force, en idées qu'en réalisations, proposèrent successivement d'en faire une salle de fêtes, une bibliothèque, une salle d'assemblée. Le régime impérial, à son tour, avait avancé maintes solutions. On avait proposé d'y installer le Tribunat, le Panthéon des Arts, l'Opéra, ou encore d'y grouper la Bourse, la Banque de France, la Caisse d'amortissement et le Tribunal de Commerce. Fontaine avait alors objecté que le bâtiment se prêtait mal aux « petites distributions » en bureaux. Le 31 mai 1806, une commission étudiait le projet d'en faire un musée, pouvant se transformer « sans aucun dérangement » en salle de fêtes. Mais Gisors avait fait observer qu'il lui paraissait peu indiqué d'accrocher des tableaux à des colonnes, et proposait lui aussi d'en faire un opéra.

Finalement, l'Empereur avait pris la décision que l'on

sait. Dans son esprit, le monument devait être une sorte de musée militaire, destiné à célébrer la gloire de ses armées, et de lieu de cérémonies. Certes, une telle conception paraît aujourd'hui vaine et étrangère à nos préoccupations. Il faut pourtant bien constater qu'un tel édifice manque à Paris, comme le prouve la dispersion du culte du souvenir militaire entre les Invalides, l'Arc de Triomphe, le Panthéon et le Mont-Valérien. Pour un régime à support militaire comme celui de Napoléon, le Temple de la Gloire aurait pu jouer le même rôle que le mémorial Lincoln pour les Américains. Le concours fut ouvert le 20 décembre, et annoncé en termes grandiloquents :

« Le monument dont l'Empereur vous appelle aujourd'hui à tracer le projet sera le plus auguste, le plus imposant de tous ceux que sa vaste imagination a conçu, et que son activité prodigieuse sait faire exécuter. C'est la récompense que le fondateur des Empires décerne à son armée victorieuse sur ses ordres et par son génie. »

Une centaine de candidats (2) se présentèrent, dont l'anonymat était respecté sous le couvert de devises d'une réjouissante platitude, telles que :

Quod non fecit Alexander Magnus
Erexit Napoleo Maximus

ou en langue vulgaire, mais non moins flagorneuse :

La Gloire accompagne la Vertu comme son ombre.

Le jury, où figuraient Gondouin, Chalgrin, Raymond, Chaudet, se réunit en mars 1807 et donna le prix à Cl. Et. de Beaumont, architecte du Tribunat. Vaudoyer avait obtenu le second prix. En troisième ligne, et nanti d'un premier accessit, venait Vignon, auquel on reconnaissait même

« l'idée la plus grandiose ». Ce dernier, qui avait concouru sous la devise :

> Tout couvert de lauriers cueillis par la Victoire
> Lui seul pouvait fonder le Temple de la Gloire

était encore peu connu, bien moins que son homonyme Barthélemy Vignon, architecte de Malmaison. L'Empereur n'avait certainement jamais entendu parler du premier et commença, du fond de la Pologne, par demander des explications supplémentaires : Où descendrait l'Empereur avec sa cour? Par où entrerait le public? Par où l'Empereur gagnerait-il sa place? Combien de personnes pourrait tenir la salle? et il terminait par ces prescriptions toutes « romaines » : « Que, pour les solennités qui seront ordonnées, on n'ait pas à mettre une planche, un morceau de drap; qu'il y ait pour le trône de l'Empereur une chaise curule en marbre, pour placer les personnes invitées, des bancs de marbre, pour le concert, un amphithéâtre de marbre... que l'intérieur n'exige aucun meuble, et tout au plus des tapis et quelques coussins... Il ne faut pas qu'on ait besoin de mettre des rideaux, des draperies... Tout doit être d'un style sévère » : cela promettait de réchauffantes cérémonies. Les lauréats étaient invités à envoyer des plans et élévations détaillés.

Finalement, sur le vu des explications fournies et sans attendre l'avis de Fontaine, qui avait été confié à un courrier plus lent, il prit, le 29 mai 1807, par décret daté de Finkenstein, la décision de confier les travaux à Vignon :

«Après avoir examiné attentivement les différents plans, mande-t-il le lendemain à Champagny, je n'ai pas été un moment en doute. Celui de M. Vignon est le seul qui remplit mon intention. C'est un temple que j'avais demandé et non une église. Que pouvait-on faire dans le genre des églises qui fût dans le cas de lutter avec Sainte-Geneviève, même avec Notre-Dame (ce « même » est toute une époque) et surtout avec Saint-Pierre de Rome? Le projet de M. Vignon réunit à beaucoup d'avantages celui de s'accorder beaucoup mieux avec le palais du Corps législatif (Poyet avait commencé sa façade du Palais-Bourbon) et de ne pas écraser les Tuileries... Je suppose que toutes les sculptures intérieures seront en marbre et qu'on ne me propose pas de sculptures propres aux salons et aux salles à manger des femmes de banquiers de Paris. Tout ce qui est futile n'est pas simple et noble; tout ce qui n'est pas de longue durée ne doit pas être employé dans ce moment... Par temple, j'ai entendu un monument tel qu'il y en avait à Athènes et qu'il n'y en a pas à Paris (3). »

« Par cette phrase, dit M. R.-A. Weigert, Napoléon, consciemment ou non, mettait le point final à un chapitre de l'histoire de l'architecture. Il consacrait ce retour à l'antique... et le plaçait au service du régime impérial, ainsi que de sa propagande (4). » Remarquons aussi que Napoléon, dépassant Rome et la Grande Grèce, s'intéressait directement à la Grèce elle-même, ce qui est assez nouveau pour son époque.

Et, le lendemain, l'Empereur précisait sa pensée à Champagny, en ajoutant cette phrase d'un réalisme désabusé et presque cynique : « Un monument tenant en quelque sorte à la politique est du nombre de ceux qui doivent se faire vite. »

On prévoyait encore de placer à l'intérieur ou aux abords du monument toute une série de trophées de guerre, de ces souvenirs que Napoléon continuait à collectionner dans l'Europe entière : l'armure de François Ier rapportée de Vienne, les statues du Nil et du Tibre, venues de Rome, les drapeaux d'Eylau et une toute récente prise, le quadrige de la porte de Brandebourg qui, comme les chevaux de

Venise, sera successivement proposé pour la plupart des monuments impériaux.

Disons tout de suite qu'aucun de ces monuments ne figura jamais dans l'édifice. L'armure et le quadrige furent récupérés en 1815 par leurs propriétaires, et la Victoire qui conduit le second reçut à cette occasion la croix de fer qu'elle porte toujours. Quant au Tibre et au Nil, les alliés reprirent le second, et nous laissèrent le premier.

Pendant ce temps l'administration, toujours soucieuse de récupérer en détail ce qu'elle avait perdu en bloc, avait fait modifier ses plans à Vignon, et Champagny, arguant du fait que celui-ci n'avait encore rien construit, avait proposé de lui adjoindre Rondelet, le vieil élève de Soufflot. Vignon protesta, soutenu par Fontaine, et, fort du décret de l'Empereur, ouvrit seul son chantier au début de 1807. Il dut commencer par faire exhumer les corps déjà déposés dans le sous-sol de l'église, et qui furent transportés au cimetière Montmartre. Il en profita, contrairement aux dispositions du décret, pour jeter bas la plus grande partie de l'ouvrage de ses prédécesseurs. Puis, il se mit à l'ouvrage, mais Napoléon commençait à hésiter sur la conception même de l'édifice. Dès l'année suivante, il songeait à placer le temple de la Gloire sur la colline de Montmartre, au milieu des moulins, dans la perspective de la rue Royale prolongée. A l'automne suivant, il revenait à son projet primitif : le temple de la Gloire retournait à la Madeleine, relié par un nouveau boulevard au quartier de Monceau (c'est le boulevard Malesherbes, qu'Haussmann achèvera) et le temple de la Légion d'Honneur le remplaçait à Montmartre. Deux mois plus tard, nouvelle idée, encore plus baroque : élever, toujours à Montmartre, à l'extrémité de la voie projetée, « une espèce de temple de Janus », à deux faces bien entendu, l'une regardant Paris et l'autre la province, et à la destination imprécise. C'est devant ces idées frisant l'extravagance que l'on peut rappeler le mot de Talleyrand : « Napoléon avait le sentiment du grand, mais non pas celui du beau. » Ce qui est loin d'être toujours vrai.

« Il ne peut en coûter, écrivait Napoléon à Cambacérès au sujet de ce dernier projet, moins de trente à quarante millions (5). » Aussi, réaliste, y renonça-t-il. Et il faut reconnaître que la perspective plongeante de Montmartre vers la Concorde aurait eu grande allure.

Cependant, Vignon commençait à dresser son édifice, non sans anicroches avec le Conseil des bâtiments civils, prodigue d' « avertissements fraternels ». On lui fit recommencer sa colonnade, adopter le principe d'une voûte en berceau, établir un stylobate. Querelles d'esthètes, auxquelles le gouvernement s'intéressait de moins en moins. Napoléon ne croyait plus au temple de la Gloire, et en 1811, il regrettait, dit Fontaine, « de dépenser seize ou dix-huit millions pour un monument dont le but était idéal ». Il songeait alors, dit M. Hautecœur, à y mettre la Cour de Cassation, l'hôtel d'un ministre, le palais des Beaux-Arts. Il aurait même pensé — était-ce l'idée de Marie-Louise, nièce de Marie-Antoinette? — à transformer l'édifice en un monument expiatoire à Louis XVI et à la Reine. Cette hésitation architecturale dont nous rencontrons tant d'exemples le reprenait : « Son caractère, dira plus tard Benjamin Constant, tranchant dans la forme, était flexible au fond et, souvent même irrésolu. »

Les crédits se raréfiaient, et tombèrent en 1812 au tiers des prévisions. Vignon affolé, se précipita à Saint-Cloud chez l'Empereur et plaida sa cause avec chaleur, mais sans succès. « Sa Majesté me dit, pour me consoler, que Dieu ayant été six jours à faire le monde, il n'y aurait rien d'étonnant que je fusse plus longtemps à construire le temple de la Gloire. » Le seul résultat de cette démarche fut un rappel à l'ordre, assez mortifiant, de l'administration, reprochant à Vignon de s'être présenté à l'audience impériale sans en avoir le droit et d'avoir indûment pris la qualité d'architecte de l'Empereur (6). »

En fait, l'idée d'un temple de la Gloire était déjà tacitement abandonnée en ces années où la gloire se faisait de plus en plus rare. Après Leipzig, Napoléon, désenchanté, résolut de rendre l'endroit à sa destination première : « Que ferons-nous du temple de la Gloire? disait-il à Fontaine. Nos grandes idées sur tout cela sont bien changées... C'est aux prêtres qu'il faut donner un temple à garder. Que le temple de la Gloire soit donc désormais une église. C'est le moyen d'achever et de conserver ce monument. » Et la direction des travaux de Paris demanda à Vignon un projet d'appropriation de l'édifice au culte catholique (7). Ce qui permit à l'architecte, l'année suivante, de présenter ce plan... à Louis XVIII, avec l'épigraphe opportuniste *Quae sunt Dei Deo*. L'architecte se souvenait-il qu'il avait été choisi par passe-droit, pour avoir présenté « un temple et non une église? »

La palinodie réussit, puisque Vignon fut maintenu dans ses fonctions, et chargé de terminer l'édifice en l'appropriant à sa nouvelle destination. De plus, la nouvelle église devait recevoir les monuments expiatoires de Louis XVI, de Marie-Antoinette, de Louis XVII et de Mme Élisabeth. Les travaux reprirent avec lenteur, et l'architecte n'en verra pas la fin.

Le 7 mai 1828, de son lit de mort, Vignon écrivait au ministre de l'Intérieur pour demander une dernière faveur : être enterré dans les fondations de l'église. Il mourut le 21 sans connaître la réponse à sa demande, qui fut acceptée par le Roi le 1er juin. Le directeur des travaux, ennemi de l'architecte, écrivit en marge du devis d'inhumation : « Je trouve que c'est encore bien cher : près de trois mille francs ! le Roi ayant autorisé, il n'y a pas à reculer (8). »

L'édifice était très avancé, mais non encore achevé, et ne l'était pas encore au moment de la Révolution de 1830. La monarchie de Juillet, tout en supprimant les monuments expiatoires, acheva la construction et la décoration. Le maître-autel fut installé à la place réservée pour le trône de l'Empereur, le culte fut instauré en 1842, mais par son aspect extérieur, la Madeleine est restée le temple voulu par Napoléon. Et l'Empereur y a pris sa revanche, puisque la coupole du chœur, de Ziegler, montre, dans le bas, en un groupe d'un beau dessin, Napoléon recevant sa couronne des mains de Pie VII.

XIII

DE L'UTILITAIRE AU PRESTIGIEUX

« *J'ai fait consister la gloire de mon règne à changer la face du territoire de mon Empire. L'exécution de grands travaux est aussi nécessaire à l'intérêt de mes peuples qu'à ma propre satisfaction.* »

NAPOLÉON à CRÉTET, 1807

Il y avait dans Paris en 1807 90 400 ouvriers, qui exerçaient cent vingt-six métiers. Ils étaient soumis à une étroite surveillance : les associations étaient interdites, les bureaux de placement contrôlés, les heures de travail fixées. Les salaires allaient de 2,50 francs à 4,20 francs, soit une moyenne de 3,35 francs. L'ouvrier déjeunait solidement le matin, dînait légèrement à midi et soupait le soir.

Parmi ces ouvriers, ceux du bâtiment nous sont bien connus, grâce à un rapport du Préfet de Police de 1807. Il y avait dans Paris 5 315 maçons, 4 583 menuisiers, 4 231 serruriers, 1 885 charpentiers, 1 784 tailleurs de pierre, 1 710 peintres, en tout environ 25 000 ouvriers du bâtiment, sur 90 000 travailleurs manuels. Le préfet déclarait : « C'est parmi les ouvriers de cet ordre (bâtiment) que les coalitions, les rassemblements sont les plus prompts à se former, les plus difficiles à dissiper. La raison s'en trouve dans la réunion presque constante de plusieurs, même d'un grand nombre de ces ouvriers sur un même point de travail. Un turbulent fait une proposition perturbatrice et à l'instant tous se font un point d'honneur d'y adhérer. »

Il affirmait encore que les tailleurs de pierre, pour la plupart originaires du Calvados et de la Manche, que les maçons, provenant de la Creuse et de la Haute-Marne, les charpentiers, les marbriers, étaient en général « honnêtes, sages, point ivrognes, point débauchés », qu'ils retournaient l'hiver dans leur famille, tandis que les mauvais garçons restaient à Paris. En revanche, le préfet était fort sévère pour les couvreurs, les serruriers et les peintres.

Parmi tous ces ouvriers, s'était maintenue la vieille institution des Compagnons du Devoir, dont la suppression des jurandes avait favorisé le développement. « Elle a souvent été prohibée et n'a jamais pu être détruite. Cette institution consiste en une sorte de syndicat secret donnant des lois aux ouvriers qui veulent s'y soumettre et, pour prix de cette dépendance, leur donne des secours, quand ils en ont besoin. Elle favoriserait de nombreuses coalitions, si elle n'était contenue par une grande surveillance, mais aussi elle est d'une grande utilité pour les ouvriers malheureux. Elle a encore cela d'avantageux, ajoute le réaliste préfet, qu'elle repousse les hommes immoraux. Il est rare de voir un voleur ou un ouvrier sans conduite sous les lois des Compagnons du Devoir. » D'autres sociétés s'appelaient *les Bons Enfants, les Enfants de Salomon.* « Des rixes éclataient parfois entre les membres de ces obédiences. Aussi un accord était-il intervenu. Les tailleurs de pierre appartenant aux Enfants de Salomon travaillaient sur la rive droite, les Compagnons du Devoir sur la rive gauche. »

Dans ce Paris où était, le 14 juin 1807, chanté le *Te Deum* pour Dantzig, et où l'on recevait en grande pompe aux Invalides l'épée de Frédéric II, nouvelle dépouille expédiée par l'Empereur (1), des chantiers se poursuivaient un peu partout.

L'architecte Cellerier travaillait sur les boulevards. Chargé de la restauration de la porte Saint-Denis (2), il y avait fait rétablir l'inscription LUDOVICO MAGNO, au grand scandale des thuriféraires. L'affaire fut soumise à l'Empereur, qui approuva l'architecte.

Presque en face, boulevard Montmartre, le même Cellerier, sur l'emplacement des jardins de l'hôtel Montmorency-Luxembourg, édifiait un théâtre, à la suite d'une guerre de comédiens. En effet, la troupe dirigée par la toujours jeune Mlle Montansier avait fait jusque-là, sous le titre de Variétés-Montansier, les beaux jours du théâtre du Palais-Royal, portant une concurrence très sérieuse aux théâtres nationaux. Finalement, la Comédie-Française et l'Opéra-Comique avaient obtenu de l'Empereur un décret obligeant les directeurs des Variétés à quitter le Palais-Royal le 1er janvier 1807, en leur accordant la permission de construire une nouvelle salle sur les boulevards. On espérait ainsi les exiler : leur public les y suivit.

Le théâtre des Variétés, relié par une galerie au passage des Panoramas (3), est parvenu jusqu'à nous, avec son portique dorique, malheureusement enserré maintenant entre deux immeubles. A l'intérieur, les balcons ont conservé leurs motifs pompéiens, mais le plafond a été repeint sous le Second Empire. C'est le seul exemple, charmant d'ailleurs, des nombreuses salles édifiées à cette époque, heureuse si l'on admet avec M. Hautecœur que « la prospérité de Paris se mesure à celle de ses théâtres ». Vogue qui finit par porter ombrage à l'Empereur, naturellement opposé aux divertissements intellectuels. Un décret de la même année 1807 supprima les trois quarts des salles, et maintint seulement quatre théâtres officiels : Opéra, Opéra-Comique, Théâtre-Français, Odéon, qui sera reconstruit cette même année 1807 par Chalgrin, et quatre privés : Gaieté, Variétés, Ambigu et Vaudeville.

L'Empereur rentra fin juillet 1807 de Tilsitt, au milieu des acclamations, et sûr cette fois du triomphe total. L'Hôtel de Ville donna des fêtes en l'honneur de la victoire, avec une décoration pour laquelle Prudhon fournit des projets (4). Les 25 et 28 novembre suivants, la ville et le Sénat reçurent en grande pompe la Garde couverte de gloire.

Napoléon s'était instantanément remis aux affaires courantes et utilitaires, avec Frochot et son supérieur Crétet, qui avait succédé au ministère de l'Intérieur à Champagny, passé aux Affaires étrangères. L'Empereur se plaignit en particulier du faible débit des fontaines parisiennes.

— Nous donnons dix-huit mille muids d'eau, répondit Frochot.

— Est-ce le maximum ?

— On peut porter la distribution à vingt-quatre mille muids.

— Qu'en coûterait-il par jour?

— Deux cents francs.

— Je veux vingt-quatre mille muids.

— Votre Majesté fixe, pour les donner, une date?

— Ce soir.

A côté du Louvre, le Palais-Royal était vacant, depuis qu'un décret régalien de Napoléon avait supprimé le Tribunat (1807). On projeta successivement d'y installer

Le théâtre des Variétés sous la Restauration

l'état-major de la place, le palais des Beaux-Arts, l'Opéra : idées en l'air, qui retombèrent rapidement.

L'année 1808 commença bien pour Paris. Le 1er janvier, le système de l'éclairage au gaz était repris. Trois cents becs de gaz furent installés à l'hôpital Saint-Louis, avec un tel succès que l'on créa trois usines. A la fin de l'Empire, il y aura dans Paris quatre mille cinq cents réverbères et dix mille becs, que rallumaient chaque soir cent quarante allumeurs.

Au début de l'année, « l'Empereur, écrit Bausset, après avoir visité les différents quartiers de Paris, sur lesquels on élevait des monuments, rentrait dans son palais, l'imagination remplie de nouveaux projets pour les embellissements de cette grande cité. » Sur cette lancée, l'administration impériale effectua toute une série de travaux ou d'aménagements. On transféra aux Invalides le cœur de Vauban, pour lequel fut érigé un monument (5). Un décret de mars 1808 décida l'installation des Archives, qui depuis huit ans attendaient un local, à l'hôtel Soubise, enfin débarrassé des hussards qui y avaient longtemps caserné. Cellerier fut chargé d'approprier l'édifice à sa nouvelle destination, et se contenta, pour y entreposer les pièces d'archives, d'édifier dans la cour des hangars qui ne seront démolis que sous Louis-Philippe. Et l'on entassa encore des liasses sous la double colonnade, grossièrement fermée avec des planches. Le même décret installait l'Imprimerie nationale à côté, dans l'hôtel de Rohan, tandis que l'École normale était transférée du Muséum à la rue Lhomond, dans l'ancien collège du Plessis (6). A la même époque, le futur Napoléon III naissait rue Laffitte.

On démolissait aussi : l'hôpital Saint-Jacques de la rue Saint-Denis et sa chapelle, et aussi les dernières maisons des ponts de Paris, celles du pont Saint-Michel. Bien qu'encore habitées, elles étaient parvenues au dernier degré de vétusté, et menaçaient de s'écrouler sur les passants du quartier, qui avaient rédigé pétition sur pétition pour les faire démolir. N'obtenant pas de réponse, ils avaient choisi les grands moyens, et n'avaient pas hésité à envoyer à l'Empereur un émissaire, qui l'avait rejoint en Pologne. Napoléon avait très bien reçu l'envoyé, et expédié aussitôt à Frochot une sévère mercuriale. Un décret du 7 juillet 1807, daté de Tilsitt, avait ordonné la démolition, qui était chose faite au printemps suivant.

En même temps, la nouvelle législation entraînait de nouveaux établissements : le nouveau code considérant la mendicité comme un délit, un décret créa des dépôts spéciaux et des ateliers de charité.

Mais l'Empereur se souciait aussi des travaux en cours, tout en laissant, comme de temps en temps, vagabonder son imagination. S'avisant qu'aucun pont ne franchissait la Seine entre le pont d'Iéna, en construction, et celui de la Concorde, il écrivait à Montalivet, alors directeur des Ponts et Chaussées : « Je désirerais savoir si l'on ne pourrait faire un pont vis-à-vis des Invalides, comme le pont des Arts, et si l'on ne pourrait pas trouver une compagnie qui s'en chargeât. »

Et, en 1811, il reviendra sur la question, en préconisant un pont en fer, *d'une seule arche*, idée en avance d'un demi-siècle sur son époque. Montalivet ne put sans doute intéresser l'entreprise privée au projet, car l'esplanade ne sera prolongée par un pont que pour l'Exposition de 1900. Et ce pont, métallique et d'une seule arche, réalisera, quatre-vingt-dix ans après, les désirs de l'Empereur.

Le 20 juillet, l'Empereur accordait un supplément de crédits pour l'achèvement des fontaines, puis songeait, comme nous l'avons vu, à mettre le temple de la Gloire à

Montmartre. Mais l'implantation de ce dernier dans l'axe de la rue Royale rendait plus désirable encore la construction d'un bâtiment à l'autre extrémité de la perspective. En effet, depuis la construction du pont de la Concorde et du quai, le Palais-Bourbon se présentait de guingois par rapport au fleuve, et en contre-bas. De plus, on apercevait la toiture démesurée et disgracieuse dont Gisors avait surmonté la salle des séances construites sous le Directoire.

L'architecte Poyet, que nous avons vu déjà passer dans bien des concours sans obtenir de chantiers, s'était tout particulièrement intéressé à ce problème. Dès l'an VIII, il proposait (7) un péristyle à colonnes, adroitement placé en haut d'un escalier, afin qu'il fut bien visible de la Concorde, par-dessus la courbure du pont. Dès cette époque aussi, il prévoyait, devant la façade, des statues de grands législateurs. Le projet, après avoir dormi des années durant dans les cartons, avait été approuvé le 11 juin 1806, et son exécution ordonnée le 25 suivant par un décret qui en chargeait, non les questeurs de l'assemblée, dont l'Empereur suspectait la compétence comme la soumission, mais le ministre de l'Intérieur. Le 22 novembre 1806 — pour une fois, ce n'était pas un anniversaire impérial —, le président de Fontanes posait la première pierre : aux huit colonnes du temple de la Gloire correspondraient, cinq cents mètres plus au sud, les douze colonnes du temple des Lois.

La construction était déjà commencée que des objections s'élevèrent : Brongniart, qui adorait mettre son nez dans les affaires de ses confrères, remarqua que le comble n'était pas suffisamment caché et Napoléon, en cette année 1808, demanda un nouveau projet. Celui-ci fut approuvé le 16 septembre, avant le départ pour Erfurt : il prévoyait en même temps la construction d'une galerie réunissant le palais et l'hôtel de la Présidence.

La construction de la nouvelle façade, placée de biais par rapport au palais et habilement articulée sur lui, fut rapidement menée à bien. Les plans furent suivis, mais Poyet dépassa d'un million les crédits accordés et s'attira les sévères réprimandes de Montalivet. Chaudet exécuta le fronton, qui représentait l'Empereur à cheval, dans le costume — sommaire — des héros d'Homère, remettant aux députés les drapeaux d'Austerlitz. Les bas-reliefs représentaient Napoléon législateur, l'Empereur alliant la Religion à la Victoire, l'Empereur distribuant des récompenses aux Sciences et aux Arts, la bataille d'Austerlitz, l'Empereur au tombeau du grand Frédéric. Enfin, on flanqua le péristyle d'un certain nombre de statues : Minerve par Roland, Thémis par le vieil Houdon, et quatre hommes d'État soigneusement sélectionnés : Michel de l'Hôpital par Deseine, Sully par Beauvallet, Colbert par Dumont et d'Aguesseau par Foucou. Ils avaient été si bien choisis que tous les régimes successeurs les ont laissés en place.

En même temps, Poyet aménageait derrière la façade une salle des gardes et un salon de repos pour l'Empereur, belles salles décorées par Alexandre-Évariste Fragonard, fils du peintre, et défigurées depuis. Un trône fut installé pour l'Empereur, qui, modifié par Louis XVIII et Louis-Philippe, est maintenant au Musée des Arts Décoratifs. Le tout fut achevé à la fin de 1810, et ne satisfit guère l'Empereur. Il regrettait même, dit le baron Fain, de ne plus être lieutenant d'artillerie pour pouvoir pointer ses canons sur ce « ridicule paravent ».

L'Empereur était sévère : Poyet s'était tiré à son honneur d'un problème difficile, et ce décor, puisque décor il y avait, ne manquait pas de majesté. En revanche, la cour d'entrée des Députés, sur la droite, mesquine et froide, a souvent essuyé des critiques de la part de ses utilisateurs, jamais ennemis d'un certain faste.

Sous la Restauration, si les déesses et les hommes d'État furent admis à rester, les reliefs, bien entendu, furent jugés séditieux. Alexandre-Évariste Fragonard, revenu sur le chantier, comme sculpteur cette fois, modela « en plâtre consolidé à l'huile bouillante », un autre fronton (8) représentant la Loi assise entre les deux tables de la Constitution et appuyée sur la Force et la Justice. Il avait bien fait de choisir un matériau éphémère : la composition fut à son tour proscrite en 1830 et remplacée par un nouveau fronton, œuvre de Cortot : la France, appuyée sur la Charte, appelant toutes les classes de citoyens à la confection des lois; sujet irréprochable, convenant à tous les régimes, et d'ailleurs d'un ennui tel que personne depuis n'a songé à le critiquer ou à le proscrire.

La décoration du péristyle appelait celle du pont de la Concorde, que Perronet avait laissé inachevé, avec des massifs carrés qui, dans l'idée de l'architecte, devaient porter des réverbères de fer forgé (9). Napoléon décida, par décret du 1er janvier 1810, d'y placer les statues de huit généraux morts pour la patrie : Saint-Hilaire, Espagne, Lapisse, Cervoni, Lacour, Hervo et Lassalle, qui, à l'exception du dernier, n'en sont pas pour autant passés à la postérité. Quatre autres, aussi obscurs, leur furent ajoutés par la suite. Les effigies furent commandées (10) à divers sculpteurs médiocres, Houdon ayant été, hélas, éliminé; certaines, terminées à temps, se verront sous la Restauration muées, par un simple changement de tête, en un autre personnage. Seul nous reste, exilé dans sa ville natale d'Avranches, le Valhubert de Cartellier. Charles X reprendra l'idée, sans que le résultat soit concluant : il faut être Bernin pour savoir placer des statues sur les ponts (11).

Enfin, pour achever l'ordonnance de la place, maintenant complétée par une voie triomphale fermée par deux péristyles à l'antique, Madeleine et Chambre des Députés, il fallait trouver un ornement central pour remplacer le monument de Louis XV. Dès mars 1806, l'Empereur s'était intéressé à la question, et Fontaine avait écrit dans son journal :

« J'ai présenté à l'Empereur plusieurs projets de fontaines qu'il avait demandés pour la place de la Concorde; l'un de ces projets était un monument à sa gloire, sa statue en faisait le sujet principal, elle s'élevait au milieu de trophées d'armes, les images des quatre grands fleuves témoins de ses victoires étaient à ses pieds entre des nappes d'eau qui auraient été alimentées par le canal de l'Ourcq (auquel on travaille avec la plus grande activité). Le dessin et l'ensemble de cette composition avaient appelé son attention, mais le sujet lui a ensuite déplu, il a préféré un second projet beaucoup plus simple et, sans rien décider sur cet objet, il m'a demandé si l'on m'avait communiqué les projets qui lui ont été projetés sur l'église de la Madeleine. »

Vexé, Fontaine, quatre mois plus tard, se vengeait sur ses confrères :

« Plusieurs personnes ont fait des projets... et les ont présentés à l'Empereur. M. Dillon, l'un des ingénieurs des Ponts et Chaussées, vient de lui faire hommage de trois dessins de fontaine pour la place de la Concorde. L'Empereur me les a envoyés, ils sont au-dessous du médiocre. »

Napoléon reprit la question en 1808, en écrivant de Madrid :

« Envoyez-moi le plan de cette fontaine qui représentera une belle galère de trirème (celle de Démétrius par exemple) qui aura les mêmes dimensions que les trirèmes des anciens. L'eau jaillirait tout autour. Vous sentez qu'il faut non seulement que les architectes fassent des recherches pour la construction de ces deux fontaines (Concorde et Bastille), mais qu'ils se mettent d'accord avec les antiquaires et les savants, afin que l'éléphant et la galère donnent une représentation exacte de l'usage qu'en faisaient les anciens (12). »

En matière de fontaines, l'Empereur avait décidément l'imagination exotique et antiquisante à la fois. Celle de la rue de Sèvres évoquait l'Égypte, l'éléphant de la Bastille, sur lequel nous reviendrons, l'Afrique d'Hannibal ou l'Asie d'Alexandre, celle de la Concorde pourrait symboliser la Grèce, avec cette embarcation destinée à rappeler aux Parisiens le souvenir un peu oublié de Demetrios Poliorcète.

Ce thème baroque ne tenta-t-il aucun architecte? Toujours est-il qu'on n'en parla plus, mais, l'année suivante, le *Journal de Paris* présentait un projet croustillant :

« M. Defortair, architecte du département de la Charente-Inférieure... imagina de couvrir les quatre grands fossés de la place par de vastes bassins, au milieu desquels devaient s'élever de magnifiques socles cubiques en granit, ornés d'hiéroglyphes égyptiens. L'artiste couronnoit ces hautes masses par divers groupes de ronde-bosse, dont la plupart des figures, toutes beaucoup plus grandes que nature, projetoient au loin de larges nappes d'eau.

« Une de ces compositions offre la scène militaire, où, à l'aurore de la monarchie, Pharamond fut élevé sur le pavois par ses lieutenants. Ceux-ci, debout, foulent à leurs pieds des soldats romains, des Celtes et des chevaux blessés.

« La seconde fontaine a pour sujet Charlemagne, monté sur l'éléphant qui, le premier, sous son règne, parut en Europe. Cet Empereur ombrage de son épée le globe de la terre, de l'autre main il rend la couronne au pape qui est à pied. Des guerriers de plusieurs nations, écrasés sous le poids de l'éléphant, couvrent de leurs corps le sol de cette scène. L'animal, dans l'attitude de la colère, lance avec sa trompe une énorme masse d'eau qui se rallie à celles que jettent également les vaincus gisant à ses pieds.

« La troisième représente Pépin le Bref, perçant de son glaive un lion qui se dresse pour le dévorer; cet animal retient et déchire sous lui un taureau expirant.

« Enfin, la quatrième fontaine se compose ainsi : Sa Majesté Impériale et Royale, qui était alors, sur le premier siège consulaire, le modèle des magistrats comme elle est aujourd'hui sur le trône le modèle des Rois, franchit à cheval, et l'épée à la main un énorme glaçon des Alpes. Des herbes indigènes à ce site indiquent la localité de la scène. Des ours et des chamois fuient, d'autres sont écrasés sous les éclats du glaçon qui se brise, un aigle surpris dans son repaire, au sommet de ces montagnes et tenant dans son bec un nid d'aiglons, cherche à s'échapper d'entre les jambes du cheval. »

Percier et Fontaine firent encore d'autres projets, que l'on trouve dans le *Journal des Monuments de Paris*, et qui offrent tous l'inconvénient d'être trop en hauteur pour s'accorder aux lignes de la place. Il eut fallu concevoir une fontaine tout en largeur. Il faut reconnaître que Napoléon, avec sa galère, l'avait compris : il eut seulement le tort d'imaginer un thème vraiment trop abracadabrant. Finalement, la place de la Concorde resta vide, seule place royale à ne pas recevoir sous l'Empire un nouveau décor.

En même temps on s'apprêtait à construire un autre édifice à colonnes, pour y loger la Bourse et le Tribunal de Commerce, qui n'avaient pas encore trouvé leur toit.

Nous avons vu qu'après un long séjour au Palais-Royal, la Bourse avait été installée à Notre-Dame des Victoires, mais les coulissiers se plaignaient de l'incommodité du local, et les fidèles réclamaient leur église. L'Empereur pensa un moment transférer la Bourse à la Madeleine, mais les agents de change, peu soucieux d'échanger leur église contre un temple, refusèrent, et l'on fit remarquer à l'Empereur que le secteur situé au nord de la Concorde semblait tourner au quartier chic plus qu'au quartier d'affaires. Sur ce, Napoléon écrivit au ministre :

« Mon intention est de faire construire une Bourse qui réponde à la grandeur de la capitale et au nombre d'affaires qui doivent s'y faire un jour. Proposez-moi un local convenable. Il faut qu'il soit vaste, afin d'avoir des promenades autour. Je voudrais un emplacement isolé. » Paris n'obtenait sa Bourse qu'après Lyon, Toulouse et Rouen.

On revint alors au projet de 1800, en décidant d'utiliser le terrain de l'ancien couvent des Filles-Saint-Thomas, dont l'église avait été démolie en 1802 : l'ancien siège de la section Le Pelletier devait rappeler de vieux souvenirs à Napoléon.

Parallèlement à cette construction, « Napoléon, dit M. Hautecœur, songeait à réaliser une de ces combinaisons financières qui lui étaient chères et qui se terminaient généralement par un appel au trésor; l'État vendrait l'hôtel de Toulouse à la Banque de France au prix de deux millions. Un de ces millions servirait à payer l'installation des Archives et de l'Imprimerie nationale dans les hôtels de Soubise et de Rohan, l'autre fournirait un premier fonds pour les dépenses de la Bourse, dont le superflu devrait être couvert par le commerce parisien. » La plupart de ces combinaisons financières, basées sur des aliénations de bâtiments dont l'exploitation par l'industrie privée serait plus rentable, ne se réaliseront pas, faute de temps. Mais, par ses conceptions sur la plus-value du domaine immobilier, Napoléon se montrait de cinquante ans en avance sur une époque et, une fois de plus, prédécesseur d'Haussmann.

Pendant ce temps, les architectes, alertés par Champagny au printemps, établissaient des plans pour installer la Bourse à la Madeleine. Brongniart, qui avait concouru (13), apprit le changement d'idées; il se hâta d'établir des plans nouveaux et se fit recommander au ministre par son cousin Fourcroy, devenu conseiller d'État. Il proposait alors un édifice rectangulaire entouré d'un péristyle ionique, d'inspiration résolument antique : après la Madeleine, temple de la Gloire et le Palais-Bourbon, temple des Lois, la Bourse, temple de l'Argent; mais le 11 novembre 1807, Fourcroy faisait savoir à Brongniart que le ministre avait résolu de mettre dans le nouveau bâtiment « à la fois la Banque de France, la Bourse et le Tribunal de Commerce ».

Une fois de plus, ces belles prévisions ne tinrent pas. On revint au projet de l'Empereur, et la Banque de France s'installa à l'hôtel de Toulouse, où elle est demeurée. Restaient à loger, aux Filles-Saint-Thomas, les deux autres établissements : l'architecte recommença ses plans, présenta un édifice inspiré du temple de Vespasien à Rome, et enleva la commande. Napoléon lui jeta : « Voilà de belles lignes, M. Brongniart! A l'exécution! Mettez les ouvriers. »

Puisqu'il fallait se hâter, la première pierre fut posée le 24 mars 1808, mais c'était symbolique : le couvent était toujours là, et il fallait en expulser les locataires avant de le démolir.

Le départ de Napoléon pour l'aventure espagnole n'interrompit pas le cours de ses préoccupations et à la fin de 1808, il écrivait de Bayonne au nouveau ministre de l'Intérieur :

« M. Crétet, faites-moi un petit rapport sur les travaux que j'ai ordonnés. Où en est la Bourse? Le couvent des Filles-Saint-Thomas est-il démoli? Le bâtiment s'élève-t-il? Qu'a-t-on fait pour l'arc de triomphe? Où en est-on de la gare aux vins? Où en sont les magasins d'abondance? La Madeleine? Tout cela marche-t-il? Passerai-je sur le pont d'Iéna à mon retour?

Les réalisations allaient moins vite que les désirs de l'Empereur. David lui-même avait mis quatre ans à peindre *le Sacre*, qui fut exposé pour la première jois le 7 novembre 1808, au Salon carré, et suscita une seule réclamation, celle du cardinal Caprara, représenté sans sa perruque. L'artiste refusa obstinément de camoufler le crâne chauve, déclarant que l'Éminence « devait s'estimer heureuse de ce qu'il ne lui avait ôté que sa perruque (14). »

C'est aussi à cette époque, en l'absence de l'Empereur, qu'une des grandes pensées du règne reçut un commencement de réalisation : le 2 décembre 1808, pour obéir à la sacro-sainte règle des anniversaires, l'eau du canal de l'Ourcq arrivait au bassin de la Villette, véritable port parisien ceinturé de quais et de docks, et qui offre aujourd'hui encore un paysage curieusement dépaysant, en particulier du haut du pont de la Moselle, célèbre depuis le *Donogoo* de Jules Romains. La rotonde de la Villette, restaurée à l'époque comme tous les autres pavillons de Ledoux, se trouva bien placée pour constituer un agréable fond de tableau.

A la vérité, ce n'étaient pas encore les eaux de l'Ourcq

lui-même, mais seulement celles de son affluent, la Beuvronne. Cela permit néanmoins de mettre à la disposition des constructeurs de fontaines un volume accru de liquide.

Le chassé-croisé espagnol avait eu une conséquence parisienne : Murat devenu roi de Naples, l'Empereur, méticuleux et économe, lui reprit l'Élysée, d'où Caroline, à sa grande fureur, ne put rien emporter. Lorsqu'elle voulut en faire enlever des caisses, le conservateur du Mobilier national apparut pour s'y opposer. L'Empereur, toujours mécontent des Tuileries, s'y installa après Erfurt et partit pour l'Espagne (novembre 1808) en y laissant Joséphine.

Rappelé par une lettre mystérieuse reçue au bivouac d'Astorga (15), Napoléon rentra à Paris le 23 janvier 1809, furieux après Talleyrand qui le trahissait, se plongea à l'Élysée dans un bain brûlant, d'où il dicta la révocation du ministre. Il séjourna souvent faubourg Saint-Honoré dans les mois suivants, et y nomma sa sœur Elisa, grande-duchesse de Toscane.

Il s'y plaisait, mais blâmait la plantation du jardin dans lequel on trouvait, disait-il, « tout, rivière, lac, île, pont, rocher, montagne, vallée, excepté... une promenade facile (16). Il habitait, dans le palais, l'appartement de l'est, dans une partie complètement remaniée par la IIIe République après le percement de la rue de l'Élysée (17). Il en partit pour Schœnbrunn et Wagram.

Pour libérer Notre-Dame des Victoires, on réinstalla la Bourse au Palais-Royal, où elle avait déjà siégé de 1796 à 1800 et, après quelques nouveaux changements de plans, causés par la nécessité de loger dans son bâtiment le Tribunal de Commerce (18), Brongniart en 1809, pour ses soixante-dix ans, commença ses travaux, essayant de faire tenir à l'intérieur d'un édifice à l'antique deux organismes financiers modernes, et résolvant le problème avec assez d'élégance. Il conduisit les travaux jusqu'à sa mort, en juin 1813, et lors de son enterrement, le convoi funèbre fut détourné pour passer devant le monument. Les travaux, par la suite, ne continuèrent que fort lentement. Le bâtiment ne fut inauguré que le 3 novembre 1826, et les statues ne furent placées qu'après la révolution de Juillet. Des transformations et agrandissements, l'ont depuis, pas mal défiguré.

La même année 1809, l'ancienne église des Billettes, jusque-là dépôt de sel, était affectée au culte protestant, tandis que le salon de l'Empereur, à l'Hôtel de Ville, s'ornait d'un portrait de Napoléon pour Robert Lefèvre (Carnavalet).

Napoléon n'avait renoncé ni à son goût des dates marquantes, ni aux décrets datés de capitales étrangères. Le 15 août 1809, jour de saint Napoléon, il ordonnait, de Schœnbrunn, d'élever sur le terre-plein du Pont-Neuf un obélisque à la gloire de la Grande Armée, spécialement en l'honneur des campagnes d'Iéna et de la Vistule : c'était le vieux projet de Poyet, adapté aux circonstances et l'utilisation enfin trouvée de cet emplacement qui continuait à faire rêver les architectes (19). La colonne Vendôme ayant été consacrée à la campagne d'Austerlitz, il s'agissait maintenant de commémorer Iéna et Friedland : Napoléon se donnait la coquetterie de ne pas encore parler de Wagram, qui datait du mois précédent. L'obélisque serait en granit de Cherbourg, il aurait 180 pieds (60 mètres) de haut et porterait comme inscription : « L'Empereur Napoléon au peuple français ». Sur les différents côtés, on graverait les faits qui ont honoré la France pendant ces deux campagnes. Le projet devait être présenté le 1er janvier 1810, et les travaux achevés en 1814, dernier délai (20). Cette année devait être, sans qu'il s'en doutât alors, celle de sa chute, et le monument aurait donc pû être réalisé : nous verrons ce qu'il en advint.

Mais les ponts devaient également dans la pensée de l'Empereur, devenir des monuments commémoratifs. Sur les ponts d'Austerlitz et d'Iéna, devaient, à l'imitation de celui de la Concorde, être placées les statues des guerriers morts dans les campagnes de 1805, 1806 et 1807, et Napoléon s'écriait : « Savez-vous ce que je veux faire des quais de Paris? Des voies romaines avec des statues de grands hommes de l'Europe de distance en distance. »

La nouvelle campagne s'acheva par une nouvelle vaine victoire. Pour célébrer la paix de Presbourg, la Ville de Paris donna une grande fête, où Joséphine parut en public pour la dernière fois.

XIV

NOUVEAU MARIAGE PARISIEN

En ce début de 1810, tout Paris parlait du mariage autrichien. Joséphine était partie discrètement, se voyant attribuer l'Élysée comme demeure parisienne, et, en février, l'arrivée de la nouvelle impératrice était annoncée pour le mois suivant.

Ce mariage allait permettre de donner une forme, même provisoire, à une des grandes pensées architecturales du règne : l'arc de triomphe, qui s'élevait, assise par assise, année par année (on ne travaillait que l'été), mais dont les piliers ne dépassaient guère encore trois mètres. Au fond, personne n'imaginait ce que pourrait donner ce monument aux dimensions inusitées, et l'occasion parut bonne pour en dresser un simulacre. Le 2 mars, Chalgrin était invité à fournir, le jour même, le plan d'une maquette grandeur d'exécution, qui devait être achevée pour l'entrée de Marie-Louise, le 2 avril suivant. Le court délai provoqua des conflits sociaux : les ouvriers ayant profité de l'urgence pour exiger des salaires princiers, le préfet de police dut les réquisitionner, et fit afficher cette proclamation, évocatrice d'une époque lointaine :

« Charpentiers ! le conseiller d'État, préfet de Police,

est indigné de votre conduite. Vous avez abusé des bontés du gouvernement. Vous avez exigé 18 francs par jour et déjà plusieurs d'entre vous ont osé dire qu'ils demanderaient 24 francs. Il est temps qu'un tel abus cesse. Vous n'aurez plus que 4 francs par jour. Le conseiller d'État, préfet de Police, vous met tous en réquisition. Il vous est défendu, sous peine de désobéissance, de quitter les travaux. Ceux qui quitteront les travaux seront arrêtés, et jamais il ne leur sera permis de travailler à Paris (1). »

Grâce à ces mesures énergiques, sinon philanthropiques, le « simulacre » fût prêt au jour dit, orné de bas-reliefs peints en trompe l'œil représentant les embellissements de Paris, la législation, l'industrie nationale, la clémence de l'Empereur, l'arrivée de l'Impératrice. Des sentences bien frappées illustraient les allégories : « Le bonheur du monde est dans ses mains », « Il a fait notre gloire », « L'ennemi riait de nos discordes, il pleure de notre union ». Ou, à l'adresse de la nouvelle impératrice : « Elle charmera les loisirs du héros ».

On ignore ce que pensa Marie-Louise de cette gigantesque et sentencieuse pièce montée, mais l'Empereur fut satisfait. Au ministre de l'Intérieur, il écrivait peu après : « Faites pousser vivement les travaux de l'arc de triomphe : je veux le terminer. Si cela est nécessaire, je vous donnerai un supplément de crédit de cinq à six cents mille francs. »

En revanche, la liquidation des dépenses occasionnées par le faux arc de bois et de toile provoqua bien des discussions. Le peintre Laffitte, chargé des trompe l'œil, avait, « pour un travail d'une si prodigieuse étendue », présenté un mémoire de 33 157 francs, qu'on réduisit à 24 000. Offensé de se voir assimilé à un vulgaire fournisseur, il protesta, rappelant que ses travaux avaient été achevés « comme par enchantement ». « Cet enchantement, répliqua le ministre Montalivet, qui avait succédé à

Crétet mort à la tâche, nous coûte cinq cents mille francs. C'est bien assez; on peut dire que c'est incroyable! (2) »

La même année 1810, Chalgrin publiait *Description de l'arc de triomphe de l'Étoile* (3). Prévoyait-il qu'il ne l'achèverait pas? Effectivement, il mourut (4) le 21 janvier 1811, âgé de soixante-douze ans, alors que son monument n'atteignait encore que cinq mètres quarante de haut. Son ancien rival Raymond mourut également à quelques jours de là, et unis dans la mort autant qu'ils avaient été séparés dans la vie, les deux architectes eurent pour successeurs à l'Institut les duettistes de la profession : Percier et Fontaine eux-mêmes.

Goust, élève de Chalgrin, lui succéda, et mena les chantiers activement pendant la campagne de 1811, mais, ensuite, les travaux et l'intérêt porté à l'édifice vont se ralentir. A la chute de l'Empire, la construction arrivait à hauteur des voûtes : l'invasion arrêta tout, et les groupes alliées bivouaquées autour de l'arc détruisirent galandages et hangars pour se chauffer.

Le chantier restera fermé dix ans durant, sans qu'une décision soit prise au sujet du monument, malgré bien des projets contradictoires (5). Le vieux Poyet, en particulier, entêté et rancunier, n'hésitera pas à proposer de le raser pour le remplacer par la colonne qu'il cherchait vainement à caser depuis vingt ans et qui, cette fois, serait couronnée de la statue de saint Louis. C'est seulement en 1824 que les travaux seront repris, avec Goust et Huyot, afin de consacrer l'arc à la commémoration de l'expédition d'Espagne. La monarchie de Juillet rendra le monument à sa destination première, avec une légère différence : au lieu d'être dédié aux armées impériales, il le fut « aux armées françaises depuis 1792 », ce qui permit à Louis-Philippe de s'y faire représenter discrètement aux côtés de Dumouriez. Un honnête praticien nommé Blouet (6) acheva l'arc, on le

FONTAINE — *L'entrée de Marie-Louise dans Paris et l'arc de triomphe provisoire. On remarquera les hauts-reliefs figurés de Laffitte, très différents de ceux exécutés sous Louis-Philippe et peut-être plus monumentaux. A droite et à gauche, pavillons de la barrière de l'Étoile, construits sous Louis XVI par Ledoux*

fit décorer par Rude, accompagné, hélas, de beaucoup d'autres (7), et on l'inaugura en 1836 (8), sans que fut résolu le problème du couronnement. Qu'allait-on placer sur la plate-forme supérieure : un quadrige, un aigle, une statue de l'Empereur, une couronne décorée de coqs, d'aigles et de fleurs de lys, l'éléphant de la Bastille? On hésita tellement que l'on n'y mit rien du tout, et sans doute cela vaut-il mieux (9).

L'arc sera inauguré le 29 juillet 1836, aussi discrètement qu'en avait été posée la première pierre : chaque régime,

Empire, Restauration, monarchie de Juillet, en avait payé à peu près exactement le tiers.

Ainsi, la pensée de Chalgrin avait-elle été fidèlement suivie, et l'arc de l'Étoile est-il à porter au crédit de l'Empereur, dont le corps intact reposa sous la grande arche lors du retour des cendres. Mais revenons de trente ans en arrière.

C'est dans le Salon carré du Louvre que devait, le 2 avril 1810, être célébré le mariage religieux de Napoléon et de Marie-Louise. L'Empereur avait-il, pour son troisième mariage parisien, après ceux de 1797 et de 1804, choisi ce local « laïque » pour couper court aux réticences du clergé devant une union discutable du point de vue religieux? Était-il sensible au côté dérisoire d'une cérémonie venant après le premier mariage, par procuration, à Vienne, le mariage civil, à Saint-Cloud et... après consommation? Toujours est-il qu'il s'occupa avec sa méticulosité habituelle des préparatifs et, après une visite sur place le 3 mars, décida avec Fontaine des grandes lignes de la décoration à installer dans la salle préalablement vidée. Ceci au grand dam de Denon, qui ne savait comment déplacer certains grands tableaux, en particulier les *Noces de Cana*.

— Si vous ne pouvez pas les bouger, fit l'Empereur, brûlez-les!

Cet argument de corps de garde fit son effet, et toutes les difficultés furent résolues. La salle fut entièrement tendue de blanc, rouge et or, et pourvue de tribunes où pouvaient tenir six cents personnes.

La cérémonie avait été fixée à trois heures. Le cortège arriva par la grande galerie, où toute une assistance faisait la haie. L'Empereur, tout de soie habillé, portait le Régent à sa toque. En entrant dans la salle, il eut un geste de colère : vingt et un sièges de cardinaux sur trente et un étaient restés vides. Cependant, la cérémonie eut beaucoup de faste, célébrée devant Madame Mère, qui rachetait son absence au jour du Sacre, Eugène et Hortense, le cœur serré, mais présents par ordre, Jérôme, Murat, Talleyrand, et les sœurs et belles-sœurs, condamnées par le despote à porter la traîne de Marie-Louise, comme elles avaient, six ans plus tôt, « soutenu » celle de Joséphine (10).

« Reines et princesses, raconte dans ses mémoires le prince de Clary et Aldringen, avaient fait le diable pour ne pas porter le manteau. Larmes, prières, tout fut inutile, mais rien n'était plus comique que de voir la façon dont elles s'acquittèrent de cette corvée, l'une faisant la moue, l'autre, son flacon sous le nez, menaçait de se trouver mal, la troisième laissait tomber le manteau... La seule qui fit bonne mine à ce mauvais jeu et y mit de la dignitié était la reine de Hollande, parce qu'elle a de l'esprit et du tact (11). »

Et, le vieux cardinal du Belloy étant — enfin — mort, après avoir, dernier paradoxe, baptisé le futur Napoléon III, c'est l'oncle Fesch, toujours adapté aux circonstances, qui maria Napoléon et Marie-Louise, comme il avait uni six ans avant Napoléon et Joséphine (12).

En fixant le budget du mariage, Napoléon avait précisé : « J'ai décidé que le trousseau ne passera pas 120 000 francs; la corbeille, 100 000; les châles et dentelles 80 000; ce qui fait 300 000 francs. Je n'entends point revenir là-dessus, j'entends que tout revienne pour être estimé à l'intendance et ne point passer par les volontés de Leroy (13). »

Leroy était le couturier à la mode, et Napoléon était instruit par l'expérience acquise auprès de sa première épouse...

La cérémonie fut naturellement prétexte à bien des fêtes

et des projets. Vaudoyer profita de l'occasion pour décorer la façade de l'Institut d'un modèle de nouveau portique à colonnes corinthiennes qu'il proposait de substituer à l'ancien et qui, le soir, était illuminé et éclairé en transparence. Le projet fut abandonné, et ce fut justice.

Talleyrand lui-même, malgré son attitude de mi-opposition, ne manquait pas de donner des fêtes magnifiques en son hôtel de La Vrillière, à l'orée de la rue de Rivoli, encore non construite. La demeure était somptueusement meublée, ce qui permit au prince de refuser dédaigneusement d'acheter un lustre proposé par un pauvre bougre, un besogneux qui se nommait Rouget de l'Isle...

Le 10 juin, la ville reçut le couple impérial à l'hôtel de Ville, et le 24, eut lieu une grande fête au Champ-de-Mars, offerte par la Garde. Le 1er juillet 1810, le prince de Schwartzenberg, ambassadeur d'Autriche (14), donnait un bal en l'honneur de l'Empereur et de l'Impératrice, qui étaient présents, quand, une bougie ayant atteint un rideau, le feu se déclara brutalement. L'Empereur, après avoir mis Marie-Louise en voiture, revint diriger les secours. Mais le sinistre fit de nombreuses victimes, dont l'ambassadrice elle-même.

Comme toujours jusque-là, les pompiers, incapables ou ivres, avaient assisté impuissants au désastre. Napoléon, outré, révoqua le commandant en chef et, l'année suivante, décida de militariser leurs corps, première ébauche du système actuel. C'est de cette époque que datent les casernes (15), le casque brillant, afin que son porteur puisse toujours être visible dans la fumée, et la pèlerine, afin que, même hors de service, le pompier puisse éteindre un début d'incendie.

L'année 1810 vit enfin aboutir — pas pour longtemps — le projet, vieux de dix ans, d'un monument à Desaix (16). L'exécution, on s'en souvient, en avait été confiée au

FONTAINE — *Le mariage de Napoléon et de Marie-Louise* ◀ *dans le Salon carré* sculpteur Dejoux, et celui-ci, malgré ses soixante-dix-huit ans, avait réussi à faire fondre une statue de cinq mètres cinquante de haut, qui fut placée sur un piédestal que Denon, malgré les protestations du sculpteur, fit orner d' « attributs pharaoniques » : pilastres égyptiens et obélisque enlevé à la ville Albani. Le tout fut entouré d'une grille à fleurs de lotus. La statue fut découverte à la date, rituelle, du 15 août 1810 (17), et on vit apparaître « le général Desaix habillé à la romaine et presque nu, le bras tendu vers l'ouest, la main gauche appuyée sur son sabre, à ses pieds une tête très grosse, symbole de débris égyptiens » (18).

Cette énorme nudité parut indécente autant qu'insipide, et fut tout de suite chansonnée par les Parisiens, qui la surnommèrent « Court-vêtu ». L'Empereur, bien que peu satisfait, adressa au sculpteur cette consolation mitigée : « Savez-vous qu'il n'y a que vous et moi qui trouvions votre statue belle? » Au bout de deux mois on dut entourer le tout d'une palissade.

Invité par le ministre à donner son opinion, Denon, qui avait quelque responsabilité dans l'opération, essaya de tirer son épingle du jeu sans trop accabler l'artiste et mit la faute au compte... du XVIIIe siècle : « Cette statue, qui n'est pas dénuée de caractère, mais dont l'exécution tient malheureusement trop au style de la sculpture d'un siècle auquel appartient l'estimable homme qui l'a faite... » Du coup, fut décidée l'exécution d'une nouvelle statue, sans que l'on connaisse le nom du sculpteur désigné. D'ailleurs, au bout de quelques mois, Denon, voulant éviter à Dejoux l'humiliation de voir sa statue remplacée par une autre, et craignant que tout l'Institut ne prit le parti du sculpteur évincé, se ravisa et proposa de monter place des Victoires l'obélisque de la place du Peuple à Rome, et de faire exécuter un nouveau Desaix, équestre. pour le pont d'Iéna : solution élégante, mais qui ne semble pas avoir reçu de commencement d'exécution. Sur ces entrefaites, Le Desaix de Dejoux fut descendu et remisé, sans doute au début de 1812 : pour ménager l'amour-propre du sculpteur, on annonça qu'il y avait eu des défauts dans la fonte.

En 1814, le gouvernement royal envoya le Desaix au creuset (19), et s'en servit pour couler le Henri IV du Pont-Neuf. Dejoux vécut assez pour assister à cette transformation, peut-être parallèle à celle de ses propres sentiments. Finalement, Desaix, après avoir eu dans Paris deux monuments et un quai, ne baptise plus aujourd'hui qu'une rue modeste à Grenelle, et une station de métro.

Entre temps, en 1809-1810, l'ingénieur Girard avait construit boulevard de Bondy, à l'emplacement de l'actuelle place de la République, la fontaine du Château-d'Eau (20). Grâce au débit du canal de l'Ourcq, l'eau put rebondir de vasque en vasque jusqu'aux lions situés au pourtour du monument, et qui la recrachaient une dernière fois. Montalivet inaugura la fontaine le 15 août 1811. « Un puissant génie, déclara un journal de l'époque, a ordonné aux eaux de l'Ourcq d'apporter leurs eaux, et il fut aussitôt obéi. »

Les contemporains blâmèrent la situation du monument, gauchement planté en bordure du boulevard, et Napoléon fut de cet avis, qui, en 1812, attaqua vivement Fontaine sur ce chapitre :

« Chiasso (cul-de-sac, impasse), s'écria-t-il, on sera forcé maintenant d'acheter des maisons, et de les démolir pour former une place ! »

Et, en effet, dans les années qui suivirent, fut formée peu à peu autour du monument la place dite du Château-d'Eau. Mais en 1869, la place ayant été démesurément agrandie, la fontaine se trouva cette fois perdue dans cet immense espace, et fut remplacée par un autre château d'eau, plus monumental, qui, lui aussi déménagé plus tard, pour faire place à la statue de la République, orne maintenant la place Félix-Éboué. Quant à la fontaine napoléonienne, elle fut remontée dans la cour de l'abattoir de la Villette, où elle se trouve encore, ignorée et oubliée.

Pendant ce temps, avait lieu le concours pour l'obélisque du Pont-Neuf. Dix projets — l'idée n'avait guère soulevé d'enthousiasme — furent soumis au jury. « Peyre neveu

GOBAUT — *Le château d'eau*
Remarquer le diorama à l'arrière-plan

plaçait autour du socle des figures assises, à la base de l'obélisque des aigles et aux angles du terre-plein des trophées (21), Bélanger appliquait contre le quai un chaos de rochers et faisait jaillir d'un arc surbaissé une cascade, comme celle d'un jardin anglais. Une colonnade égyptienne entourait l'obélisque où s'adossaient des statues également égyptiennes. Deux éléphants semblaient de chaque côté rendre hommage au nouvel Alexandre (22). » Baltard présentait une composition plus sobre, encadrée de quatre figures assises (23). Rochers et cascades également chez Poyet, qui eut le second prix, mais, au grand dam de ce dernier, qui rêvait depuis quinze ans de cet emplacement, le projet couronné fut celui, plus sobre, de Chalgrin, qui reçut la commande (24). Les bas-reliefs furent commandés, comme ceux de la colonne Vendôme, à Bergeret, qui fit de nombreux dessins à ce sujet.

Dès le 20 mars 1810, le ministre de l'Intérieur donnait ses instructions à Molé, directeur des Ponts et Chaussées, pour effectuer des sondages dans le bastion. Il fut reconnu que la construction de ce dernier, menée deux siècles plus tôt à une époque troublée, était médiocre, et qu'il était impossible d'utiliser les fondations de l'ancienne statue. On entreprit donc de très importants travaux qui aboutirent à la reconstruction presque totale du terre-plein, qui fut fourré de blocs de granit. Une célèbre aquarelle de Nicolle (Musée Carnavalet) montre ces travaux vus d'un œil de bœuf du Louvre.

Sur ces entrefaites, Chalgrin mourut. Sa succession fut donnée, non à Poyet, qui aurait sans doute refusé d'exécuter le projet de son confrère, mais à un des architectes de la colonne Vendôme, Lepère, qui présenta, le 1er mars 1811, un devis de 2 013 284 francs. Pendant quelque temps, les travaux furent poussés activement. En octobre 1811, les fondations étaient terminées, et on put commencer la

Projet pour l'obélisque du Pont-Neuf. Ce projet, voisin de ceux de Battard et de Chalgrin est peut-être une variante de ce dernier

construction d'une triple assise de granit. En octobre 1812, quatre cents ouvriers étaient employés aux travaux. Bien que célébrer de vieilles victoires commençât à être déplacé, on travailla encore courageusement pendant toute l'année suivante et, le 11 octobre 1813, le Conseil des Bâtiments arrêtait encore, à la somme de 437 000 francs, un mémoire de maçonnerie présenté par l'entrepreneur Plateau. Mais il ne s'agissait encore que de fondations et de soubassements, et l'on s'en tint là. Là encore, les événements marchaient trop vite pour les architectes, et les choses restèrent en l'état.

En 1814, pour le retour de Louis XVIII, Bélanger, retournant sa veste avec une stupéfiante rapidité, voulut rétablir une statue provisoire de Henri IV, et pour cela, dérision, se servit du moulage d'un des chevaux du quadrige de la porte de Brandebourg à Berlin dont on n'avait jamais fixé l'emploi. Puis, un Henri IV définitif fut établi, mais il est curieux de noter, après M. François Boucher, que l'idée d'un obélisque à cet endroit resta longtemps dans les esprits et que, sous Louis-Philippe, on proposa de transférer la statue d'Henri IV place Dauphine, pour la remplacer par l'obélisque de Louxor : la loterie des monuments et des emplacements continuait. Finalement, on n'en fit rien, et Henri IV est resté campé sur les fondations de l'obélisque de Napoléon, comme la colonne Vendôme sur celles de la statue de Louis XIV.

Tout près de là, on travaillait en 1810 au raccordement des rues de Tournon et de Seine, afin de relier le Luxembourg à l'Institut. Il s'agissait, dans l'esprit de l'Empereur, de répéter au nord du palais la perspective réalisée au sud. Le projet fut complètement réalisé en 1812, mais avec modestie, et gagna en charme ce qu'il perdait en majesté.

En octobre 1810, le préfet de Police, Dubois, usé, abandonna ses fonctions qu'il avait exercées pendant dix ans et demi, record qui ne sera battu que par Delessert et Lépine. Pasquier le remplaça, et figura en cette qualité, le 2 décembre, à la cérémonie anniversaire du couronnement, suivie de la plus belle fête donnée à Paris depuis le Sacre. Le régime semblait fondé à nouveau, affermi par son alliance avec les Habsbourg, et, dans Paris, l'on attendait la naissance de l'héritier de l'Empire d'Occident.

XV

LE GRAND PROBLÈME DU LOUVRE

L'architecture a souvent été le fléau des États!
Les architectes ont ruiné Louis XIV!

NAPOLÉON

Le Louvre dont Napoléon avait hérité était, pratiquement, celui de Louis XIV, et même, pourrait-on dire, celui de Colbert. Depuis la mort de ce dernier, les travaux d'achèvement de la cour carrée étaient pratiquement restés en suspens, et le second étage, côté est, se présentait toujours comme une boîte vide, ouverte à la pluie. Marigny, puis d'Angiviller, avaient essayé de reprendre les chantiers : les résultats avaient été insignifiants.

A l'ouest, le pavillon de l'Horloge était séparé des Tuileries par un véritable quartier, lacis de ruelles desservant des maisons pittoresques, souvent croulantes, au milieu desquelles subsistaient des hôtels anciens de grande allure.

Le problème de l'achèvement du Louvre, de ce « grand dessein » des rois de France auquel tous les règnes avaient peu ou prou travaillé, présentait donc trois aspects essentiels : achèvement de la cour carrée (dont Chaptal, dans ses mémoires revendique l'initiative), construction au nord, entre le Louvre et les Tuileries, d'une aile symétrique de la Grande Galerie, et par voie de conséquence, dégagement de tout l'espace intermédiaire.

Dès pluviôse an VIII, le Conseil des Bâtiments civils, nouvellement créé, étudiait le dégagement des ruelles : il prévoyait entre le Louvre et les Tuileries, trois voies parallèles à la Seine, tracées à travers le fouillis des maisons.

Le 19 brumaire an IX (9 novembre 1800) pour l'anniversaire du coup d'État, on inaugura le nouveau musée du Louvre, où l'architecte Raymond avait transformé habilement, pour y placer la statuaire antique, l'appartement d'été de la reine-mère, sans toucher aux décors de Romanelli et Anguier. Les salles regorgeaient de sculptures et objets d'art enlevés aux musées d'Italie, qui feront du Louvre, quinze ans durant, le plus riche musée du monde (1).

Nettoyage aussi, et expulsion des indésirables : Le Louvre, par une tradition qui remontait à Henri IV, était envahi de logements d'artistes aux cloisonnements de fortune, qui laissaient passer des tuyaux de poêles par les fenêtres, d'échoppes qui encombraient les passages, de baraques qui s'adossaient sans vergogne aux parois de la cour carrée ou à la colonnade. Un décret du 20 août 1801 ordonna leur expulsion : il resta à peu près lettre morte.

Les démolitions, on l'a vu, avaient commencé après l'attentat de la rue Saint-Nicaise. Bonaparte avait d'abord songé à simplement élargir la place du Carrousel vers l'est, et à la pourvoir, de ce côté, d'une façade monumentale. Percier et Fontaine profitèrent d'une discussion avec le propriétaire d'une maison pour représenter au Premier Consul que l'on avait tort de vouloir faire une nouvelle façade, en y incorporant des hôtels anciens, et que mieux valait dégager tout l'espace et démolir tout l'amas de maisons qui séparait le Carrousel du Louvre, et que le Premier Consul voyait de ses fenêtres depuis deux ans. Les expropriations furent estimées à dix-sept millions, évaluation qui, dit Bausset, « ne parut point trop effrayer Napoléon ». Mais celui-ci voulut procéder par étapes, et décida d'abord, en 1803, d'ouvrir une voie (2) dans l'axe du pavillon de l'Horloge. Les travaux commencèrent rapidement, entraînant en particulier la disparition de la plus ancienne église du quartier, Saint-Nicolas-du-Louvre. En même temps, les architectes commençaient à rêver sur l'utilisation de l'espace futur. Bélanger, au Salon de 1802, présenta un projet d'Opéra entre les rues Saint-Nicaise et Fromenteau (3) avec un « forum Bonaparte » : l'ensemble fut jugé trop compliqué.

Pour travailler efficacement, il fallait d'abord, entre les deux palais, réaliser l'unité administrative : en 1803, en remplacement de Raymond, Bonaparte nommait Fontaine, architecte du Louvre, et le chargeait d'étudier le problème. Mais ce dernier, d'accord avec Percier, voulait d'abord terminer les aménagements intérieurs, et la réunion des deux palais fut ajournée. En revanche, ils commencèrent, l'année suivante, à travailler dans la cour carrée, et se trouvèrent aux prises avec le problème ardu de la différence de hauteur des bâtiments. Les grandes proportions de la colonnade, à l'est, avaient obligé, dès la fin du XVIIe siècle, les architectes à ajouter, à l'intérieur, sur deux côtés, est et, en grande partie, nord, un second étage, resté inachevé, alors que les ailes sud et ouest demeuraient pourvues de l'attique dessiné par Lescot, et continué par Lemercier (4). Pour chercher une certaine unité, Fontaine songea à surélever l'aile sud, de Lescot et Le Vau, pour la mettre à niveau, ce qui entraîna les protestations de l'Empereur, économe et éclectique : « Les architectes voudraient adopter un seul ordre et, dit-on, tout changer. L'économie, le bon sens, et le bon goût sont d'un avis différent; il faut laisser à chacune des parties qui existent le caractère de son siècle. » Mais les ordres du souverain ne furent pas suivis, et Percier et Fontaine vont profiter de sa campagne hors de France pour en faire à leur tête, en généralisant le second étage, dans les ailes nord et sud, partout où cela n'avait pas déjà été fait (5).

« Je sentis, écrit Fontaine dans son journal à la date du 29 janvier 1806, qu'il fallait, au lieu d'obéir à un ordre si bizarre et au risque de déplaire, savoir choisir le parti qui se trouvait d'accord avec la raison et le bon goût, celui de tout achever avec les trois ordres, à l'exception de la façade au couchant qui, avec le dôme du milieu, est la portion la plus ancienne de l'édifice et semble, par sa disposition, en être le corps principal. Le projet était en pleine exécution lorsque l'Empereur est venu visiter les travaux. Quelques parties commencées sont démolies et les bases du troisième ordre sont plantées sur les trois faces (6). Sa Majesté, soit qu'elle ait approuvé cette infraction à ses ordres, soit qu'elle ne l'ait pas remarquée, a paru ne pas s'en apercevoir, et j'ai cherché à lui laisser croire que l'on ne s'était écarté en rien de ce qu'elle avait ordonné. » (7)

Certains historiens (8) ont sévèrement critiqué Fontaine pour cette opération irrespectueuse. L'architecte ne faisait cependant en cela que suivre les projets des architectes de l'Ancien Régime. Le sacrifice de l'attique était prononcé au nom de l'unité architecturale : éternelle dispute. On ne peut, en tout cas, refuser à Percier et Fontaine le mérite d'avoir su remarquablement marier aux précédentes les parties de leur invention.

D'ailleurs, les architectes prirent soin de ne pas détruire les sculptures de Jean Goujon et de son atelier qui ornaient la partie ouest de l'attique sud : certaines d'entre elles, les frontons de la *Justice* et de la *Religion*, furent, pense-t-on, utilisées dans la décoration du guichet de la colonnade, où elles se trouvent toujours, tandis que d'autres étaient transportées au musée des Monuments Français (9) : quelques privilégiés peuvent en faire l'heureuse découverte dans le jardin de l'École des Beaux-Arts (10).

Il fallait également compléter la décoration sculpturale de l'ensemble, puisque même Lemercier, à l'attique ouest, avait laissé les pierres en attente. Chaudet et Roland, près de deux siècles plus tard, ajoutèrent donc à ce pastiche XVIIe de Lescot un pastiche XIXe de Goujon : leur œuvre ne se remarque pas, et c'est un grand éloge. Un examen attentif permet cependant d'y rencontrer des déesses égyptiennes qui ressortissent plus à l'art impérial qu'à celui de la Renaissance (11). Les nouveaux frontons des ailes nord et sud furent consacrés, par Lesueur et Ramey, à Apollon et Minerve, entourés des allégories des arts et des sciences, bien difficiles à distinguer les unes des autres. Enfin, le guichet Saint-Germain-l'Auxerrois fut décoré de colonnes toscanes, d'arcs doubleaux à caissons et d'une grande porte en bois et bronze (12), qui mériterait bien une remise à neuf.

Au cours de cette restauration, Napoléon fit supprimer, en mai 1806, le télégraphe Chappe (13) qui surmontait depuis la Révolution le pavillon de l'Horloge, mais refusa, comme Denon le lui suggérait, de faire enlever des façades les chiffres des autres souverains. « Toutes les inscriptions, diront Percier et Fontaine, tous les chiffres, tous les monogrammes anciens ont été conservés, tant au Louvre qu'aux Tuileries... et dans les autres résidences royales...; ils y brillent encore, ceux de Napoléon seuls se trouvent nulle part. »

En même temps, Percier et Fontaine s'attaquaient à la salle des cariatides, qu'ils restaurèrent un peu lourdement :

PERCIER — *Porte de la colonnade du Louvre*

suppression des emmarchements, modification de la balustrade, restauration des cariatides elles mêmes, « tripotage » de la cheminée, dans laquelle furent remployées deux figures de Goujon, nous paraissent aujourd'hui des travaux contestables. Les chapiteaux et les doubleaux laissés en attente depuis 1530 furent sculptés de motifs décoratifs inspirés de Goujon, et d'autres empruntés à la décoration de l'hôtel d'O, rue du Temple, récemment démoli. Enfin, au-dessus de la tribune, ils placèrent la Diane de Cellini, provenant d'Anet.

Les deux architectes firent œuvre plus originale en construisant, dans les angles de la colonnade, deux escaliers de grande allure. Mais le Second Empire détruira en grande partie le très bel escalier construit par eux dans l'angle sud-est de la cour carrée (14), et dont il ne subsiste, sous le nom de salles Duchâtel, que le palier supérieur.

Mais en même temps, le palais restait toujours souillé et livré aux indésirables. En mai 1806, passant avec Duroc dans la rue des Orties, l'Empereur s'aperçut qu'au mépris des ordres donnés depuis cinq ans, la Grande Galerie était toujours occupée : « Qu'est-ce que cela? s'écria-t-il. Qu'on fasse partir tous ces bougres-là! Ils finiraient par brûler mes conquêtes, mon musée. » Cette fois, ce fut l'expulsion, sans phrases et sans délais (15). Les locaux libérés se révélèrent d'ailleurs dans un état incroyable de dégradation et de malpropreté.

La Cour carrée pouvait être considérée comme achevée. En effet, les derniers travaux de décoration se terminaient et Cartellier sculptait au-dessus du guichet, côté Saint-Germain-l'Auxerrois, un quadrige à l'antique accompagné de trophées militaires, un peu froid, mais qui occupait intelligemment la surface à décorer : c'est un des exemples les plus intéressants de la sculpture monumentale de l'époque.

Quant au fronton de la colonne, il avait été confié à Lemot, qui y aligna des personnages bien insipides de chaque côté du buste de l'Empereur, couronné par Minerve. La Restauration se contentera de substituer au buste de Napoléon celui de Louis XIV, ce qui fait que nous avons là maintenant, dans une architecture louis-quatorzienne, une œuvre impériale consacrée au Grand Roi.

Entre temps, on avait continué à démolir dans la cour du Carrousel, et ce fut à cette époque que l'hôtel de Brionne, où était installée la Secrétairerie d'État, étant promis à la démolition, on installa ce service dans l'hôtel d'Elbeuf, d'où Cambacérès dut déloger. Et l'Empereur, économe et méticuleux précisa que ce dernier ne pourrait emporter les glaces et les tentures, qui ne lui appartenaient pas.

Du coup, les travaux de la cour carrée terminés et les démolitions en bonne voie, Percier et Fontaine purent s'attaquer sérieusement à la question de la réunion Louvre-Tuileries, et butèrent aussitôt sur l'éternel problème, qui empêchait toute solution harmonieuse : la différence d'axe entre la cour carrée et le palais de Catherine de Médicis. La question préoccupait également l'Empereur, d'autant plus qu'il ne voyait pas clairement comment la résoudre. Cet homme, qui qualifiait la guerre d'art « facile, et tout d'exécution », et, dirons-nous, de facile *parce que* tout d'exécution, se trouvait toujours désemparé devant un problème dont il ne concevait pas nettement la solution : il en était réduit alors à se rapporter aux avis des techniciens, dont il se méfiait, et dont il avait tendance à contrecarrer les projets sans trouver de solution de remplacement.

Au début de 1808, écrit Bausset, « il paraissait plus incertain que jamais sur l'emploi qui serait fait des terrains intermédiaires du Louvre et des Tuileries. Il voulait une galerie couverte qui devait conduire de la rue de Richelieu aux guichets du Louvre; il voulait aussi une salle d'Opéra

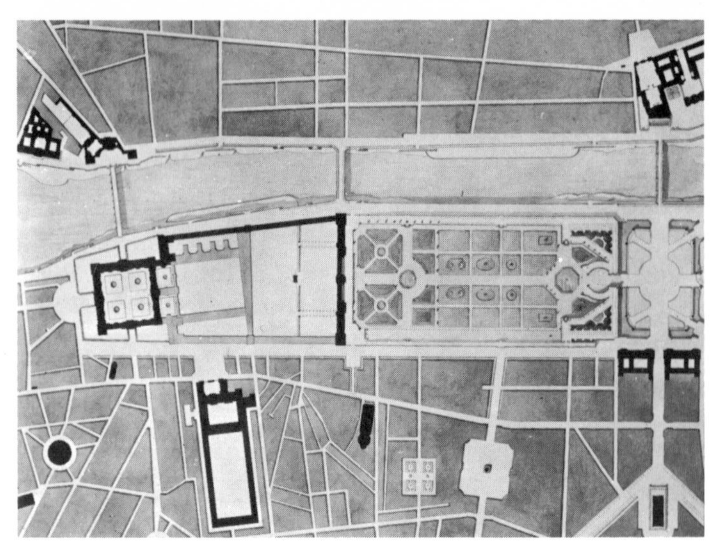

Projet de Percier et Fontaine pour l'achèvement du Louvre. On voit, au centre de la cour, la fameuse galerie à façades divergentes, imaginée par Fontaine pour remédier au défaut de parallélisme des bâtiments et que l'Empereur refusera en définitive. En revanche, l'idée de doublement des ailes nord et sud sera reprise par Visconti. On voit également ici la rue de Rivoli prolongée jusqu'à la rue du Louvre actuelle et, à l'emplacement de St-Germain l'Auxerrois, une place demi-circulaire et une percée ouest-est. La Madeleine, la façade de la Chambre des Députés et la colonne Vendôme sont figurés, mais non la chapelle St-Napoléon, dont l'idée n'avait pas encore été émise.

sur la place du Carrousel; mais il la voulait disposée de manière à ne pas nuire à l'effet général ».

En 1807-1808, Percier et Fontaine ne présentèrent pas moins de sept projets, utilisant tous les artifices pour masquer la différence : murs divergents, salle d'opéra au centre, servant de nombril, etc. Un recueil manuscrit du Cabinet des Estampes (16) conserve certaines de ces suggestions. Celle qui leur tint le plus à cœur fut présentée en 1808 : construire, au travers du Carrousel, une galerie à jour à façades divergentes, à laquelle aboutiraient deux ailes partant du Louvre. Dans la galerie devait prendre place la Bibliothèque impériale, que l'on songeait toujours à recaser, les ailes devaient contenir des appartements supplémentaires, et les cours formées par celles-ci, des écuries et dépendances. Enfin, à l'intersection des deux axes, serait édifiée une fontaine que, dans leur premier projet, les architectes figurèrent sous la forme d'un groupe de naïades jetant l'eau par leurs seins, ce qui choqua le bon sens et le goût anti-baroque de l'Empereur : — « Otez-moi ces nour rices ! Les naïades étaient vierges ! »

Par ces dispositions générales, Percier et Fontaine pensaient masquer la différence d'axe sans que le passage fut obstrué. Ils s'attachèrent à faire adopter ce plan, mais ce dernier les séduisait plus que l'Empereur. Il ordonna simplement de travailler à la galerie nord, du pavillon de Marsan à la rue Saint-Nicaise. Le 10 mars 1808, il dicta « L'Empereur a des doutes sur le projet définitif des Tuileries. Il est choqué de cette hypothèse qui isolerait les Tuileries du Louvre. Il voudrait, de son balcon, voir le Louvre réuni... M. Fontaine fera faire le plus tôt possible, en plâtre, son projet du Louvre et des Tuileries ; cela sera exposé au prochain Salon et on recueillera les critiques que fera le public... ».

Fontaine, dans son journal intime, déplora cette décision : « Avant de prendre un parti sur le projet du Louvre et des Tuileries, Sa Majesté veut connaître l'opinion publique et nous sommes condamnés à faire des modèles pour être exposés à la critique, au Salon du Musée. Je n'ose réclamer contre cette décision, car on pourrait nous taxer d'amour-propre et regarder notre résistance comme mépris pour les avis que l'on veut nous faire donner ; l'expérience cependant m'a trop souvent démontré combien ces sortes d'appel au peuple sont peu utiles quand ils ne sont pas nuisibles. Quelle opinion peut avoir la multitude sur une chose aussi éloignée de sa portée, et que pourra-t-on apprendre des confrères qui vont proposer leurs idées, si ce n'est qu'ils voudraient être à notre place? (17) »

Mais Napoléon tenait à son idée. Neuf mois plus tard, de Madrid, il réitérait l'ordre de faire faire ces maquettes, de les exposer en public, de nommer une commission pour examen et de tenir compte de ces observations.

Trois jours après son retour (26 janvier 1809), l'Empereur allait voir les maquettes, exposées dans la galerie de Diane. Fontaine, qui avait fait préparer plusieurs pièces de rechange, présenta d'abord la place totalement dégagée entre les deux palais, puis un amphithéâtre circulaire qui ne plut pas. « Je n'ai pas regretté, écrivait-il le soir, que ce projet fut rejeté, et je me suis hâté de faire voir la disposition de galerie transversale. » Mais l'Empereur voulait au moins qu'elle ne s'élevât qu'à la hauteur du premier étage et formât terrasse au niveau des appartements, comme au Palais-Royal. « Tout ce que j'ai pu dire, rage l'architecte, contre cette proposition, n'a pu la détruire,et l'ordre nous a été donné d'en essayer le modèle.»

Le 8 février, retour de l'Empereur, qui ordonne de nouveaux changements et témoigne de nouvelles hésitations. « Tous nos efforts, écrit Fontaine navré, pour arriver à bien sur ce sujet, tous nos essais et nos recherches, loin de conduire à des résultats définitifs, ne servent qu'à prolonger les doutes et à donner de nouveaux sujets d'indécision. Il semble que plus nous travaillons, plus la matière s'embrouille, et c'est avec découragement qu'après avoir présenté pour la troisième fois notre modèle, je me suis vu condamné, pour toute solution, à le remettre de nouveau sous les yeux du public, afin qu'il soit critiqué par tout le monde. »

Et le 9 mars :

« Ce que nous redoutions est arrivé : l'exposition publique

à deux reprises différentes du Louvre et des Tuileries a éveillé des compétiteurs. Déjà plusieurs architectes ont présenté des projets, et les ont fait appuyer par des articles de journaux. Celui de M. Bélanger... me paraît le plus redoutable de tous. Voilà la guerre commencée, voilà ce que voulait l'Empereur, il faut nous défendre... »

Le 12 mars suivant, Fontaine était toujours inquiet : « Le modèle de M. Bélanger, celui de M. Ducamp-Bussi et le nôtre sont exposés dans les salles du musée. Si la multitude est reconnue compétente pour juger et choisir entre ces trois ouvrages, le projet de M. Bélanger nous sera certainement préféré, car c'est celui qui fixe le plus les regards. Si la raison au contraire entrait pour quelque chose dans tout ceci, non seulement nous n'aurions rien à redouter, mais jamais la restauration et l'achèvement du Louvre et des Tuileries n'auraient été proposées au concours public. »

Et, le 18 mai 1809 : « Je crois que nous devons aux grands événements de la guerre présente, et peut-être aussi au peu de mérite des compétiteurs, l'indifférence qu'à produite l'exposition publique des modèles. A MM. Belanger et Bussi-Ducamp se sont joints MM. Rondelet neveu et Lebrun qui, pour avoir conçu leurs projets en regardant les autres, ne les ont pas fait meilleurs » : gentillesses confraternelles...

Napoléon était à Schœnbrunn. C'est de là que, le 18 mai, il envoya un ordre qui était la condamnation implicite de tous ces projets. On y lisait en particulier : « Faire la réunion par une galerie semblable à celle du bord de l'eau en adoptant l'idée d'avoir tout l'espace entre les deux palais vides, comme il a été proposé par le Bernin; ce projet sera le plus simple et le moins dispendieux... Je reproche au nouveau projet de M. Fontaine de ne pas cacher entièrement les défauts de la réunion, d'être inexécutable et excessivement cher comme galerie avec terrasse, enfin de ne pas donner de grands jardins d'hiver suffisants pour la population de Paris, comme l'Empereur le demande...

« Il est préférable que les grands fonctionnaires habitent des hôtels à eux appartenant, ou écartés du palais... Je pense qu'il vaudrait mieux placer la Bibliothèque dans les étages supérieurs de la nouvelle galerie. Le rez-de-chaussée servirait pour les écuries du palais et les remises. Des constructions se trouveraient en face pour les Archives. On pourrait aussi avoir une orangerie au rez-de-chaussée, en place des galeries ouvertes actuellement, que l'on fermerait en hiver pour les transformer en orangerie. (18) »

Il semble bien là que l'on perçoive la démarche d'esprit de l'Empereur, dont la brusquerie devait parfois cacher une certaine timidité. Plus emprunté vis-à-vis des artistes qu'envers les militaires, n'osant pas toujours heurter de front Fontaine dont la compétence technique et l'assurance lui en imposaient, il ne se résignait pas pour autant à adopter une solution que son bon sens, son goût du grand et des perspectives (il y a du Haussmann en Napoléon urbaniste) condamnaient. En face de l'architecte, il louvoyait, biaisait, et préférait refuser de loin.

Entre temps, en cette année 1809, Fontaine et Percier avaient achevé le décor intérieur de la grande galerie du Louvre, où plus rien ne subsistait du décor ébauché par Poussin. « L'Empereur, dit Fontaine dans son journal, est venu ce matin voir le Louvre presque sans suite... les peintures en grisaille des voûtes du musée ne lui ont pas paru assez riches; il y désire de la dorure. »

Pour rompre la monotonie de ce long espace, deux fois plus long qu'aujourd'hui, les architectes l'avaient divisé en travées, par des arcs portés par des colonnes, et avaient pratiqué des jours dans les voussures pour assurer un éclairage zénithal venant se combiner avec l'éclairage latéral. Ils créèrent ainsi un ensemble majestueux, un peu froid, que, selon le mot de M. Hautecœur, « nos contemporains ont osé détruire ». En même temps, Napoléon se déclarait las des Tuileries, étroites et mal commodes, et mal défendues contre la curiosité populaire. Il avait d'abord songé s'installer au pavillon de Flore, mais y avait renoncé devant les objections des architectes. Aussi, sans renoncer à installer la Bibliothèque impériale dans la cour carrée, il ordonna de préparer, soit pour lui, soit pour des souverains de passage, des appartements à la colonnade. Devant les objections de Fontaine, qui voyait mal comment faire voisiner appartements et magasins à livres, Napoléon déclara que la « Bibliothèque pouvait rester encore quelque temps où elle était ». Le projet resta lettre morte.

Pour ce qui est de la réunion des deux palais, les travaux commencèrent par la partie la moins contestable du programme, l'aile longeant la rue de Rivoli : ce sera aussi la seule réalisée. Les travaux commencèrent en 1810. Avec une modestie et un sens de la symétrie louables, Percier et Fontaine, du côté Carrousel, se contentèrent de répéter l'ordonnance d'Androuet du Cerceau que l'on voyait en face (19), à la façade de la galerie du bord de l'eau : des pilastres colossaux (20) supportant des frontons alternativement triangulaires et curvilignes, et ornés de sculptures sans génie. Un demi-siècle plus tard, Lefuel, en transformant la galerie sud, supprimera le modèle pour n'en laisser que la copie, puis, en reconstruisant un peu plus tard le musée des Arts décoratifs, supprimera une partie de l'œuvre de Percier et Fontaine.

Quant à la façade sur la rue de Rivoli, les architectes impériaux la conçurent comme une paroi très simple, percée de niches destinées à recevoir des statues des généraux. Le Second Empire et la IIIe République suivront leurs indications, en y plaçant les effigies des guerriers de l'époque, instantanément recouvertes de fiente de pigeon. Le XXe siècle a préféré laisser les vingt dernières niches vides plutôt que d'y placer des statues contestables, décision contestable elle aussi.

Mais toujours point de réalisations en ce qui concerne le bâtiment central. L'Empereur était retombé dans ses incertitudes.

Au retour de Wagram, Fontaine revint à la charge pour sa galerie transversale, et, cette fois, emporta le morceau : Napoléon accepta et, pour la construction, accorda un crédit de trente-six millions, allant jusqu'à renchérir sur les propositions de l'architecte, qui proposait des salles de quarante-cinq pieds de large. « Ce sera trop étroit, fit-il. Il faut faire des proportions imposantes : je veux que ce monument soit remarquable par sa grandeur et par ses formes, comme le temple de Minerve à Athènes, ou comme la bibliothèque impériale de Vienne (21). » La partie semblait gagnée : il n'en était rien. Le 1er janvier 1810, Fontaine, amer, notait dans son journal : « L'éternelle discussion sur la réunion des deux palais recommence ; je crois avoir démontré que bâtir un édifice entre les deux est le seul moyen de cacher l'irrégularité, lorsque Fesch, Murat, et quelques autres, consultés, disent qu'il faut laisser l'espace vide... je me suis retiré plus découragé que jamais. » Et, quelques jours plus tard, sceptique : « Je suis appelé chez l'Empereur : la construction d'une aile est considérée comme la seule chose à faire et l'exécution en est arrêtée. Dois-je regarder cette décision comme définitive ? »

Non, puisque le 5 février, Napoléon déclarait :

« Ce qui est grand est toujours beau, et je ne saurais me décider à partager en deux un espace dont le principal avantage doit être la grandeur. Tout ce qu'on pourra mettre entre le Louvre et les Tuileries ne vaudra jamais une belle cour... Les architectes seuls sont de votre avis; la subdivision que vous voulez faire détruit la grandeur... » Et il terminait sa diatribe sur cette vue étonnamment juste et, pourrait-on dire, moderne : « Les petits édifices, ceux qui peuvent avoir été bâtis en dix ou vingt ans au plus, doivent avoir une symétrie parfaite; mais les monuments des siècles ont la couleur et la forme du temps. »

Désormais, la cause est entendue, et l'Empereur, même s'il lui arrive de paraître céder sur le moment à l'insistance de son premier architecte, ne reviendra pas sur sa décision. Décision négative, d'ailleurs : Napoléon n'ayant pu trouver de projet architectural qui lui convînt, se contentera de la construction de l'aile nord.

En même temps, l'on faisait le projet de réunir également à l'ensemble Louvre-Tuileries, le Palais-Royal, toujours vacant : idée heureuse, qui aurait doté Paris d'un ensemble encore plus complet et varié que la Hofburg. Mais en cette fin d'Empire, l'élan du début était passé, et la foi manquait pour les grandes entreprises.

En janvier 1811, Fontaine revint à la charge. Son nouveau plan comportait une innovation : construire au nord, en pendant de la galerie d'Apollon, à l'emplacement actuel du ministère des Finances, une chapelle pour en faire la paroisse du Louvre. L'Empereur approuva d'enthousiasme et décida qu'elle serait dédiée à saint Napoléon, dont l'hagiographie restait à écrire (22).

Ce plan, fignolé avec amour dix ans durant, par les architectes a été publié par eux sous Louis-Philippe. Il prévoyait donc, outre l'aile sur la rue de Rivoli déjà construite, un bâtiment central aux façades divergentes, l'une parallèle aux Tuileries, l'autre au Louvre, et qui se serait étendu entre les actuels pavillons de Rohan et de Lesdiguières : c'est l'aile obstinément refusée par Napoléon. Percier et Fontaine, de plus, prolongeaient vers l'ouest les façades sud et nord de la cour carrée, ce qui entraînait, au sud, le doublement de la grande galerie, idée qui sera reprise par Visconti. Enfin, au nord, la chapelle Saint-Napoléon aurait occupé l'emplacement du pavillon est du ministère des Finances, et un opéra celui du pavillon central du même ministère, face au Palais-Royal.

De ce programme, Napoléon ne permit donc l'exécution que de la galerie « Napoléon » en bordure de la rue de Rivoli, et de la chapelle, qui ne sera élevée qu'au quart de sa hauteur et que les travaux de Visconti et Lefuel feront disparaître (23). En revanche, nous avons conservé, à côté de celle-ci, au fond de la cour Napoléon, l'amorce d'une nouvelle aile, qui ne sera continuée que par Lefuel. En même temps, on continuait à démolir dans la cour du Carrousel, faisant disparaître en particulier l'église Saint-Louis-du-Louvre (24).

Le 19 février 1812, aux Tuileries, Fontaine profita d'une doléance de l'Empereur sur le petit nombre d'appartements disponibles, pour remettre sur le tapis sa fameuse galerie intermédiaire. Napoléon répondit avec la bonne humeur de quelqu'un enfin sur de lui : « Je vois, voilà votre projet, vous revenez à vos moutons. »

Le 24 novembre 1813, l'Empereur venait pour la dernière fois visiter les travaux du Louvre et l'église Saint-Napoléon en construction. Une fois encore, Fontaine essaya de le convertir à ses projets de réunion : « J'ai répété, mais bien inutilement, ce que j'ai dit tant de fois. » L'Empereur, sans pouvoir faire aboutir une solution satisfaisante qu'il ne concevait pas, avait du moins eu le mérite d'écarter une erreur.

XVI

L'ÉLÉPHANT DE LA BASTILLE

« *L'Empereur avait eu un rêve de génie ; dans cet éléphant titanesque, armé, prodigieux, dressant sa trompe, portant sa tour, et faisant jaillir de toutes parts autour de lui des eaux joyeuses et vivifiantes, il voulait incarner le peuple.* »

VICTOR HUGO

Depuis que, de 1789 à 1790, la Bastille avait été démolie sous la direction de l'ineffable Palloy, la grande place venteuse était restée vide, chaotique, nue. Ce ne sont pourtant pas les projets de décoration qui avaient manqué. Citons celui de Palloy lui-même, qui voulait édifier une colonne — une de plus — élevée sur un socle représentant la forteresse en ruines, et flanqué de deux fontaines. Finalement, on s'était contenté d'édifier la fontaine dite de la Régénération, sorte de divinité égyptienne se pressant ses seins, d'où sortait de l'eau. Elle n'avait eu qu'une existence éphémère.

On ne reparla plus de l'emplacement avant 1806, date où nous l'avons vu, il fut question d'y placer un arc de triomphe. L'Empereur, y ayant renoncé, décida de placer à la Bastille « une belle fontaine » et pensa d'abord, une fois de plus, en faire l'instrument de sa glorification personnelle : « Ces sujets peuvent être pris dans l'histoire de l'Empereur, ensuite dans l'histoire de la Révolution et dans l'histoire de France. Il faut, en vue générale, ne pas perdre une occasion d'humilier les Russes (c'était avant Tilsitt) et les Anglais. Guillaume le Conquérant, Duguesclin pourront être honorés dans ces monuments » (1). On ne tarda pas à se rendre compte qu'il s'agissait là de curieux motifs pour une fontaine, et l'idée fut abandonnée.

Deux ans se passèrent, puis Napoléon, en octobre 1808, dans une note à Crétet, décida que la fontaine représenterait « un éléphant portant une tour à la manière des anciens ». D'où venait cette idée? Ni du projet de Ribart pour l'Étoile, que Napoléon ne connaissait probablement pas, ni de l'inspiration de Denon, mais sans doute de l'imagination même de l'Empereur, féru d'histoire, et qui connaissait le rôle joué par ce pachyderme dans l'histoire de ses « prédécesseurs » : Alexandre, Pyrrhos, Hannibal, César, Charlemagne. Et éléphant se dit Coesar en punique... (2) A Berlin, Napoléon avait beaucoup remarqué, dans le bureau du roi de Prusse, une pendule à l'éléphant « Cet admirateur d'Ossian avait une âme déjà romantique (3) ».

Célerier, choisi pour l'exécution, se mit à sa planche à dessin pendant que, le 2 décembre 1808, Crétet, en l'absence de l'Empereur, alors en Espagne, posait une première pierre symbolique. On demanda à trois sculpteurs : Bridan, Moutoni (4) et Dillon, des maquettes (5) d'éléphant, et on choisit le premier.

L'architecte ne présenta son devis qu'en février 1812, accompagné de deux aquarelles de son adjoint Alavoine, qui sont au musée Carnavalet et au musée des Arts décoratifs (6). On y voit l'animal, richement harnaché d'or, portant une tour verte sur le dos et placidement juché sur un rocher d'où des eaux jaillissantes alimentent un bassin rond. On avait finalement renoncé à faire sortir

La maquette de l'éléphant ▶

1 2 3 4 5 6 7 8 9 10 11 12 13 14 15

de l'eau par la trompe. La tête de l'animal devait être tournée vers la rue Saint-Antoine. Par l'escalier logé dans une jambe, on devait arriver à la tour, dans laquelle se cacherait la machine hydraulique qui alimenterait les chutes d'eau. Une grande draperie tombante devait dissimuler les conduites.

Pendant les campagnes de Russie et d'Allemagne, Bridan édifia, vers la gare de Vincennes actuelle, un modèle grandeur d'exécution, que Napoléon vint voir en janvier 1813. Il avait 14,60 m de haut sur 16,20 m de long et fut achevé dans l'été de 1813. On avait, alors, déjà dépensé près de cent cinquante mille francs.

Célerier mourut en mars 1814 et fut remplacé par son adjoint Alavoine : mais l'heure n'était plus aux travaux, ni aux dépenses.

On passa, après la chute de l'Empereur, bien des années en discussions : fondrait-on, ne fondrait-on pas cette énorme masse? On termina le bassin et le soubassement central, tandis que l'éléphant, qui regardait tout cela de son œil de plâtre, s'effritait lentement sous le vent et la pluie qui balayaient cet espace dénudé. Il semblait, dit Barron, « étrange vigie du canal de l'Ourcq, interdire au promeneur d'aller plus loin ». On lui avait donné un cornac nommé Levasseur, qui était chargé de sa surveillance pour huit cents francs par an. Ce brave homme, logé dans une jambe de l'animal, avait été dénoncé en 1816 au préfet de Police pour bonapartisme. Malgré cela, en 1831, il y était encore, mais on ne visitait plus l'éléphant. Entouré de planches disjointes, les gamins du quartier s'y livraient des batailles, mais les vrais habitants de l'animal étaient des bandes de rats, qui rendaient intenables les maisons du voisinage.

En 1828, il fut question de le faire revivre. Le préfet Chabrol, ému de quelque tendresse pour cet animal contemporain de son entrée en fonctions, circonvenu, d'ailleurs, par un fondeur, proposa de le faire exécuter. Mais, au conseil municipal, le projet se heurta, une nouvelle fois, au veto de Quatremère de Quincy, qui, à soixante-quatorze ans, était toujours aussi virulent.

La Révolution de 1830, ramenant, avec le drapeau tricolore, la « mode » (7) des souvenirs napoléoniens, l'éléphant faillit profiter de ce mouvement et revivre. Il était demandé à la fois par le peuple, les artistes romantiques, les journaux républicains et la direction des Travaux publics. Une curieuse et naïve gravure de 1830 nous montre le pachyderme accommodé au goût du jour : l'animal est juché sur un socle élevé, au-dessus d'une succession de vasques dans lesquelles il crache un torrent d'eau par sa trompe. Sur le dos de l'animal, une Liberté trône dans un bouquet de drapeaux.

En 1831, une souscription fut ouverte pour installer un éléphant en bronze au rond-point des Champs-Élysées, destiné à remplacer le colosse de plâtre. Le projet, une fois de plus, n'aboutit pas. C'est à ce moment que J. A. Guillaume chantait, sur l'air de « Gai, gai, marions-nous ! » :

Gai, gai, courons encor
    En famille
    A la Bastille
Gai, gai, courons encor
Cet' bêt' vaut son pesant d'or !

J'crois bien que l'Gouvernement
Va l'forcer si je n'me trompe
A faire usage de sa trompe
Su l'premier rassemblement

On assure que des malins
De la vill' et d'la banlieue
Ont découvert sous sa queue
Un club de républicains...

C'est à ce moment-là aussi que Chateaubriand écrivait : « Sur l'emplacement de la Bastille, qu'a-t-on élevé? D'abord un arbre de la Liberté, que le sabre de Bonaparte a coupé, pour faire place à un éléphant d'argile (8). »

Mais les plus belles pages sur l'éléphant ont été écrites en 1862 par Victor Hugo dans *les Misérables,* dans un épisode que le romancier situe en 1832. Nous ne pouvons pas moins faire que le citer en entier :

« Il y a vingt ans, on voyait encore dans l'angle sud-est de la place de la Bastille, près de la gare, un monument bizarre qui s'est effacé déjà de la mémoire des Parisiens, et qui méritait d'y laisser quelque trace, car c'était une pensée du « membre de l'Institut, général en chef de l'armée d'Égypte ».

« Nous disons monument, quoique ce ne fut qu'une maquette. Mais cette maquette elle-même, ébauche prodigieuse, cadavre grandiose d'une idée de Napoléon que deux ou trois coups de vent successifs avaient emportée et jetée à chaque fois plus loin de nous, était devenue historique, et avait pris je ne sais quoi de définitif qui contrastait avec son aspect provisoire. C'était un éléphant de quarante pieds de haut, construit en charpente et en maçonnerie, portant sur son dos sa tour qui rassemblait à une maison, jadis peint en vert par un badigeonneur quelconque, maintenant peint en noir par le ciel, la pluie et le temps. Dans cet angle désert et découvert de la place, le large front du colosse, sa trompe, ses défenses, sa tour, sa croupe énorme, ses quatre pieds pareils à des colonnes faisaient, la nuit, sur le ciel étoilé, une silhouette surprenante et terrible. On ne savait ce que cela voulait dire. C'était une sorte de symbole de la force populaire. C'était sombre, énigmatique et immense. C'était on ne sait quel fantôme puissant, visible et debout à côté du spectre invisible de la Bastille.

« Peu d'étrangers visitaient cet édifice, aucun passant ne le regardait. Il tombait en ruines; à chaque saison, des platras qui se détachaient de ses flancs lui faisaient des plaies hideuses. Les « édiles », comme on dit en patois élégant, l'avaient oublié depuis 1814. Il était là dans son coin, morne, malade, croulant, entouré d'une palissade pourrie, souillée à chaque instant par des cochers ivres; des crevasses lui lézardaient le ventre, une latte lui sortait de la queue, les hautes herbes lui poussaient entre les jambes; et comme le niveau de la place s'élevait depuis trente ans tout autour par ce mouvement lent et continu qui exhausse insensiblement le sol des grandes villes, il était dans un creux et il semblait que la terre s'enfonçât sous lui. Il était immonde, méprisé, repoussant et superbe, laid aux yeux du bourgeois, mélancolique aux yeux du penseur. Il avait quelque chose d'une ordure qu'on va balayer et quelque chose d'une majesté qu'on va décapiter.

« Comme nous l'avons dit, la nuit, l'aspect changeait. La nuit est le véritable milieu de tout ce qui est ombre. Dès que tombait le crépuscule, le vieil éléphant se transfigurait; il prenait une figure tranquille et redoutable dans la formidable sérénité des ténèbres. Étant du passé, il était de la nuit; et cette obscurité allait à sa grandeur. »

En 1833, un sculpteur nommé Hervier, qui s'intitulait lui-même « champion de l'éléphant », exposa au Salon un projet d'achèvement de la fontaine, par souscription nationale, et le commenta dans une brochure parue la même année, que nous regrettons de ne pouvoir citer in-extenso, les opinions comme le style de l'auteur étant assez divertissants. Il propose de jucher sur l'éléphant, dans un « palanquin triomphal », une Minerve : « elle presse sur son sein les trois couleurs nationales et en fait flotter l'étendard dans les airs ». Le monument doit en outre comprendre un soleil en bronze doré, un phare, une horloge, une étoile éclairée au gaz. « Indépendamment des grands sentiments qu'exprime ce monument, la classe indigente y verrait découler une source perpétuelle de bienfaits, puisqu'elle serait appelée à recevoir le tribut apporté par la curiosité et la philanthropie qui engageraient à visiter cette hardie conception. » Enfin, des bas-reliefs glorifiant Hercule, la Charte, la Victoire et la Renommée compléteraient le tableau, accompagnés par des inscriptions dont voici un échantillon :

A l'abri de la Charte, tous les Français,
comme les enfants d'une même mère,
participent aux mêmes avantages :
les talents et les vertus n'auront plus besoin d'aïeux

Finalement, prévalut l'idée d'une colonne dédiée aux victimes des Trois Glorieuses, et ceci, grâce au vieux Fontaine qui, vers 1835, écrit dans son journal :

« J'ai proposé de terminer le bassin du Château d'eau de la place de la Bastille et, à la place du monstrueux éléphant dont le modèle n'est admiré de personne, d'élever le monument que l'on a projet de consacrer à la mémoire des victimes de juillet (9). »

L'on se décida donc, pour édifier ce monument, à utiliser le piédestal, haut de six mètres cinquante, et décoré de mascarons à têtes de lion, prévu pour la fontaine. Ainsi la colonne de juillet, bien que révolutionnaire, est-elle juchée sur un socle napoléonien, socle qui avait été lui-même terminé, de 1825 à 1830, avec les chutes du bloc de marbre dans lequel avait été taillé le nouveau Louis XIII de la place des Vosges. A régimes différents, matériaux identiques. La grille qui entoure le monument est elle-même posée sur la margelle du bassin.

En 1840, la colonne était donc bien achevée et inaugurée, mais l'éléphant était toujours là. Pensait-on en faire l'ornement d'une autre place? C'est possible, car en 1836, on avait éprouvé le besoin de le repeindre en vert bronzé. On songeait encore en 1845 à le monter sur la place du Trône, aux Invalides ou aux Champs-Élysées.

Enfin, en 1846, on renonça définitivement. La démolition de la carcasse de l'éléphant fut décidée, et confiée à Visconti, qui réalisa l'opération en juillet. Des ruines du pachyderme s'échappèrent des légions de rats qui, des semaines durant, terrorisèrent le quartier. Il fallut organiser de véritables battues avec hommes et chiens.

La démolition avait coûté 1 560,40 francs. Les matériaux de démolition furent vendus, en octobre, pour 3 883,50 francs, ce qui soldait l'opération par un bénéfice net de 2 309,10 francs. Il en aurait coûté, pour fondre l'animal, de quatre à six cent mille francs.

C'est juste à cette époque que fut percée la rue de Lyon. Un des immeubles qui se construisit en bordure de la nouvelle voie représenta sur son enseigne, qui existe toujours, l'éléphant, qui ainsi n'a pas tout à fait déserté le quartier.

Après le détail d'une histoire aussi aventureuse, on peut se demander que penser, au point de vue esthétique, d'une pareille conception. Au fond, bien des monuments de France ou d'Europe, fruits de conceptions aussi étranges, ont été réalisés de façon heureuse. Il faut essayer surtout de voir le problème sous l'angle urbanistique, et se demander ce qu'il convenait d'édifier au centre de la place de la Bastille. Celle-ci, plus grande que la Concorde et, *à fortiori*, que la place Vendôme, posait le même problème : un ensemble de lignes horizontales à décorer en son milieu. Mansard et Gabriel avaient bien compris qu'il fallait un monument dont la hauteur n'excédât que d'assez peu la hauteur (10). L'éléphant, dont le volume imposant correspondait à l'échelle de la place, répondait à ces conditions.

Réalisé, cet animal, architectural par lui-même, eut été en harmonie avec le site dont il aurait orné le centre. L'Empereur avait-il saisi ce problème d'urbanisme? Nous ne le pensons pas, car, au même moment, il faisait élever place Vendôme la colonne qui s'accorde si mal avec les lignes de la place. Après lui, et justement à la Concorde et à la Bastille, Louis-Philippe devait répéter la même erreur. D'autre part l'éléphant, réalisé, eut été le seul monument impérial délivré de l'inspiration antique et empreint d'un goût exotique déjà romantique : Napoléon, là encore, était en avance sur son temps.

Juste dans sa théorie, l'éléphant était défectueux dans sa réalisation : les sculpteurs du Premier Empire n'étaient pas des animaliers, et la monarchie de Juillet aurait dû, pour faire œuvre valable, reprendre la question à zéro et s'adresser à Barye.

Après cela, peut-on dire avec Georges Cain que « les conceptions artistiques de Napoléon étaient parfois déconcertantes »? Peut-être, mais l'on sent souvent dans cet homme un précurseur (11).

XVII

LE ROI DE ROME ET PARIS

« — *Comment en France, se fait-il que l'on trouve tant de grands ouvrages commencés, et si peu de choses finies?*

— *C'est parce que la France, n'a jamais eu un homme comme vous.*

— *Non, répondit Napoléon, c'est parce que la France, toujours enviée par ses voisins, a toujours eu des guerres à soutenir : c'est parce qu'il faut des finances pour bâtir et que la guerre n'a jamais laissé à aucun de ses rois le temps ni le moyen d'en avoir.* »

PERCIER et FONTAINE

C'est au fameux médecin-accoucheur Antoine Dubois que revint l'honneur de mettre au monde, en présence de vingt-trois personnes, l'enfant de Napoléon et de Marie-Louise, le 20 mars 1811.

A peine eut-il constaté qu'il s'agissait d'un garçon, il s'aperçut, consterné, que le bébé qu'il tenait dans ses mains était inerte et ne respirait pas. Pour l'Empereur, pour toute la foule, massée sous les fenêtres, quelle déception! Enfin, un souffle anima l'enfant-roi, descendant de Napoléon, d'Henri IV et de Louis XIV.

Un rayon d'orgueil illumina le visage de l'Empereur, qui rendit doucement le bébé à sa mère, tandis que de grosses larmes coulaient sur ses joues. Il était neuf heures du matin, et le canon se mit à tonner. Le peuple, dehors, comptait les détonations. A la vingt-deuxième, une immense acclamation s'éleva, saluant le futur souverain. Par la fenêtre des Tuileries, Napoléon vit les badauds s'embrasser et crier : « Vive le roi de Rome. » Mais cet enfant ne devait être que le premier de la longue série de princes héritiers qui, durant tout le siècle, attendraient aux Tuileries une couronne qui ne leur échouera pas.

Toutes les églises parisiennes saluèrent l'événement par une volée de cloches. Pour sonner le gros bourdon de Notre-Dame, on avait embauché seize hommes à trois francs chacun, et à qui l'on remit en plus six pains, vingt litres de vin et deux livres de jambon. De grandes fêtes furent données, et Mme Blanchard partit en ballon pour annoncer la nouvelle en province. La Ville de Paris offrit à l'enfant royal son berceau, dessiné par Prudhon (1).

Mais le mariage impérial allait redonner corps à un projet qui depuis longtemps hantait Napoléon et ses architectes : abandonner les transformations des Tuileries, que Fontaine qualifiait de « rapetassages », et où le projet de réunion avec le Louvre avait en partie avorté, et construire un nouveau palais propre à abriter l'Empereur, tout son entourage et, au besoin, les douze rois qui, aux dires de Napoléon, pouvaient avoir à se trouver ensemble auprès de lui (2).

Ce palais, l'Empereur songea d'abord à le construire à Lyon, centre géographique de l'Empire, et Fontaine fut chargé d'en établir le dessin. Mais ni les architectes, ni le grand maréchal du palais Duroc, ni Daru, intendant général de la maison de l'Empereur, n'étaient attirés par la perspective de séjours au bord du Rhône, et les deux architectes s'arrangèrent, sans avoir l'air d'y toucher, pour attirer l'attention de Napoléon sur la colline de

Chaillot, sur laquelle Percier, dès 1786, avait placé le projet de jardin des Plantes qui lui avait valu le grand prix de Rome. Elle n'était occupée que par des petites maisons et des jardins et encadrée de deux anciens couvents : Les Bonshommes de Passy et la Visitation, célèbre par le séjour de Louise de la Vallière.

De fait, le lieu offrait une situation admirable. Du côté de la Seine, qui s'infléchissait doucement au pied de la colline, la vue s'étendait des Tuileries aux collines de Meudon et de Sèvres, de part et d'autre de l'École militaire où le jeune Bonaparte avait fait ses premières armes. Vers le nord-ouest, on pouvait établir des jardins s'étendant jusqu'au bois de Boulogne, où la Muette et Bagatelle auraient été transformés en annexes du nouveau palais. L'Empereur, qui avait le sens de l'adaptation du monument au paysage, et qui, nous l'avons déjà noté, savait accueillir les suggestions heureuses, se laissa convaincre et, le 29 novembre, donna à Fontaine l'ordre de lui présenter « un projet pour l'embellissement du Bois de Boulogne, en y ajoutant une maison de plaisance bâtie sur le sommet de la montagne de Chaillot ». « Napoléon, commentent les deux finauds architectes, prenait un petit détour pour en venir à l'idée qui lui avait été suggérée, et dont il s'emparait sans même s'en apercevoir. »

Mais le maître ne s'engageait pas à la légère. Il commença, en se rendant déjeuner à Bagatelle (3), par aller revoir le site, puis consulta le Conseil des Bâtiments et Montalivet, ministre de l'Intérieur, enfin, demanda à Fontaine une maquette, qui fut exécutée par Jacob, et qui a disparu. Quelques semaines, plus tard, l'Empereur, pendant son déjeuner, interrogea avidement Fontaine « sur les habitations des empereurs romains », sur les « principales résidences princières d'Europe », sur « le plus beau palais connu ».

Les grands personnages de la Cour étaient appelés à donner leur avis et un jour de décembre 1810, Napoléon, devant Fontaine, se tourna vers l'Impératrice, qui se récusa :

— Je ne m'y connais pas.

— Ne craignez pas, parlez, ils s'y connaissent encore moins que vous et je n'ai pas pris l'engagement de faire ou de croire tout ce qu'ils disent. Votre opinion m'est nécessaire, il s'agit du palais où logera notre fils.

Marie-Louise fit quelques observations, auxquelles tout le monde s'empressa d'applaudir.

Le 16 février 1811, quelques semaines avant la naissance du roi de Rome, l'Empereur alloua au nouveau chantier un crédit de trente millions. Percier et Fontaine tracèrent le plan d'un palais en fer à cheval, encadrant une cour elliptique et suivi, vers Passy, de parterres en demi-cercles. Le Château-neuf de Saint-Germain, dont les ruines étaient encore bien visibles, et en partie occupées par un Talleyrand devenu frondeur, leur avait fourni, côté Seine, l'idée de rampes inclinées encadrant des grottes. Napoléon, dit M. Hautecœur, jugea ce projet « d'un luxe trop asiatique », et les architectes durent simplifier les plans.

« Ceux, diront plus tard Percier et Fontaine, qui pourront se représenter un palais aussi étendu que celui de Louis XIV, occupant, avec ses accessoires, le rampant et le sommet de la montagne, qui domine la plus belle partie de la capitale, avec les moyens d'accès les plus faciles, n'hésiteront point à penser que cet édifice aurait été l'ouvrage le plus vaste et le plus extraordinaire de notre siècle. »

Effectivement, la situation était unique. Le site se prêtait d'autant plus facilement à une construction grandiose que le terrain était fort peu occupé. Des aquarelles (4), des plans de Percier et Fontaine nous donnent une idée de ce qu'aurait été l'édifice, composé d'un étagement de terrasses et de colonnades menant jusqu'au palais proprement dit, de quatre cents mètres de façade, où l'on retrouve le style harmonieux et un peu terne des deux compères. L'utilisation du terrain était particulièrement heureuse, et bien plus satisfaisante que dans les diverses solutions adoptées de nos jours pour le même emplacement.

De l'autre côté de la colline de Chaillot, Percier et Fontaine avaient également prévu l'aménagement du Bois de Boulogne, qui devait être le parc de la future demeure, et de ses abords. Du palais devait partir, à travers l'espace boisé prolongé jusqu'au pied de la colline, un grand axe, sur le tracé de l'avenue d'Eylau actuelle, et qui devait se prolonger jusqu'à la porte Maillot. Il croisait au milieu du bois, par un rond-point, vers l'actuelle rue Spontini, une vaste ménagerie, installée de biais par rapport à la perspective, dans l'espace bordé aujourd'hui par le boulevard Lannes et la rue de la Pompe.

Du palais devaient encore partir deux grands axes, l'un pour relier les jardins à l'arc de triomphe : c'est notre avenue Kléber, l'autre pour gagner le « faubourg du Roule » : notre avenue de Wagram. Enfin, une seconde ménagerie était prévue au parc Monceau, la Muette devait être transformée en vénerie, et Bagatelle en pavillon de chasse.

Il fallait d'abord déblayer le terrain : l'ancien couvent de la Visitation fut jeté bas, et on n'acheta pas moins de cent cinq maisons et cinq cent soixante-trois terrains, pour un prix global de 1 724 330 francs, ceci la plupart du temps de gré à gré, l'Empereur étant défavorable aux expropriations. Talleyrand lui-même, que l'on rencontre dans bien des spéculations, figurait, pour 59 000 francs, au nombre des vendeurs. Parmi ceux-ci, le propriétaire d'une maison à flanc de coteau, dont les locataires avaient déménagé dès l'annonce de la nouvelle construction, et qui gardait maison et charges sur les bras en attendant l'évacuation, se plaignit à l'Empereur, en pitoyables vers :

> Sire, au pied du Capitole
> Qui va couronner Chaillot...
> Je possède un hermitage
> Habité par l'indigent
> Qui prudemment déménage
> Et ce depuis qu'il apprend
> Que Napoléon le Grand
> Qu'on appelle aussi le juste
> Destine ce bâtiment
> A servir incessamment
> De rampe au palais d'Auguste...
> On prétend qu'au roi de Rome
> J'aurais bien dû m'adresser,
> Mais, Sire, à vous, c'est tout comme...
> Je suis sûr qu'en pareil cas
> Il ne vous dédira pas (5).

Napoléon, touché de l'épître, nomma le pétitionnaire concierge du palais du roi de Rome. On ignore combien de temps dura cette sinécure.

Moins heureux fut cet autre vendeur qui, ayant remarqué l'importante quantité de pierre à bâtir tirée de son terrain par les entrepreneurs, s'avisa de faire à l'Empereur un procès « en lésion d'outre moitié », qui fut plaidé comme entre particuliers, mais qu'il perdit...

On eut d'autres difficultés avec le possesseur de la principale propriété, établie là où devait s'élever le corps central du palais, et que Napoléon lui-même visita par deux fois au début de 1811 (6). Ce propriétaire, nommé Nettement, désirait 500 000 francs de son bien, ce qui était fort exagéré. On lui en donna 170 000, après des négociations épineuses où les fonctionnaires impériaux, Fontaine et Daru, firent preuve de leur souci de ménager les deniers publics, mais aussi d'une certaine désinvolture. En revanche, les propriétaires d'une autre maison, les héritiers Gaignin, ayant repoussé toute proposition, l'Empereur se refusa à les exproprier, et fit modifier les plans en conséquence. Au total, près de deux millions furent dépensés en achats de terrains.

Ceci fait, on commença à établir, sur cette colline de calcaire, de difficiles fondations, A partir de mai 1811, et pendant toute l'année 1812, on travailla activement. Des pierres furent tirées de la carrière de Conternaux, dans l'Yonne, ouverte pour la circonstance, on construisit un égout, puis le portique à trois arcades qui, au débouché du pont, devait donner accès aux sous-sols du palais, et que l'on voit sur les aquarelles de Fontaine.

L'admirable vue que, de la colline, on découvrait, par-delà le pont d'Iéna, sur l'École militaire et le Champ-de-Mars, était gâchée par la présence, en bordure de ce jardin, de baraquements et de carrés de légumes. L'Empereur, voyant grand, comme toujours, et juste, comme souvent, décida d'édifier là une cité administrative qui eût rassemblé sous sa vue un certain nombre de bâtiments d'utilité publique, analogues aux hôtels des ministères construits par Louis XIV autour du Château de Versailles. L'Empereur pensait réinstaller là un certain nombre d'administrations mal logées, en particulier les Archives. Le dépôt constitué par la Révolution et augmenté de fonds provenant de toute l'Europe, installé depuis 1808 à l'hôtel Soubise, était toujours sous le régime du provisoire, et dans un état déplorable. Les merveilleuses archives du Vatican, en particulier, étaient depuis quatre ans entassées dans la cour de l'hôtel, sous des baraquements. L'Empereur avait visité les lieux le 15 février 1810, et avait été frappé de l'exiguïté des bâtiments et des conditions déplorables de la conservation.

Napoléon voulait également reloger l'École normale, l'Université et l'École des beaux-arts. Le 6 mars 1812, il avait convoqué aux Tuileries un conseil pour évoquer cette question, et, en avril 1812, avait été prévue la construction de deux palais, l'un pour les Archives, l'autre pour l'Université.

Partant de ces bases, Percier et Fontaine établirent le « plan-masse » de cette cité administrative, qui eut été une des créations les plus étonnantes et les plus rationnelles du génie de Napoléon, et l'ordonnèrent autour du Champ-de-Mars. Aux quatre angles du jardin, ils plaçaient quatre édifices carrés, trois à affectation militaire (casernes (7) de cavalerie et d'infanterie, hôpital militaire) et un civil, le palais des Archives. Sur le quai, entre les Invalides et l'École militaire, se dresseraient le palais de l'Université et l'hôtel des Douanes avec, par derrière, un grand marché. Enfin, entre le boulevard des Invalides et la place de Breteuil, avait été projetée une grande prison pour laquelle, novateurs, les architectes avaient prévu le plan en étoile qui sera appliqué un demi-siècle plus tard à la Santé.

Ce sont là seulement les édifices mentionnés sur les plans publiés par Percier et Fontaine, mais les projets étudiés par M. Pierre Lavedan en comportaient encore bien d'autres : magasins pour le sel et le tabac, École des beaux-arts (8), palais du grand-maître de l'Université, des habitations pour les professeurs émérites, les savants, les hommes célèbres, qui « par des services importants, ou pour leurs talents, avaient mérité des respects de la reconnaissance nationale » (9).

Le décret du 21 mars 1812 ordonna la construction de ce vaste ensemble, dans lesquels devaient s'intégrer les divers édifices. Cellerier devait édifier le palais des Archives, Poyet et Damesme celui de l'Université, et Gisors l'École des beaux-arts. Ces deux derniers bâtiments furent finalement fondus en un, et, le 14 août 1812, Montalivet adressa à l'Empereur, qui était à Smolensk, un rapport sur le palais des Archives, qui serait composé d'un carré parfait englobant quatre cours. Le lendemain, pour la fête du 15 août, la première pierre des deux palais fut posée (10). Pour celui de l'Université, par suite de difficultés matérielles, on n'alla pas plus loin, mais le chantier du palais des Archives s'ouvrit en octobre : les fondations furent établies, et posées quelques pierres des façades. Mais des difficultés de terrain firent, en 1813, arrêter les travaux. La Restauration renonça à les reprendre et, en 1823, on dispersa les pierres, qui furent utilisées pour l'achèvement de la Bourse, la construction de l'Institut des sourds-muets et la restauration de la porte Saint-Martin (11).

Tout en parcourant en sens inverse les routes glacées de la Russie, Napoléon songeait au palais de Chaillot, dont il alla voir les travaux peu après son retour. En mars 1813, il dictait à Duroc : « Pour le palais du roi de Rome, pas de dépenses trop grandes; le palais doit être plus petit que Saint-Cloud, plus grand que le Luxembourg. Il doit être habitable avec seize millions dépensés. Il doit être plus beau que l'Élysée, le deuxième palais après le Louvre et ce sera une maison de campagne pour Paris. Je veux faire construire ce palais pour moi et non pour la gloire de l'architecte. L'achèvement du Louvre suffira pour la gloriole; l'Élysée me déplait, les Tuileries sont inhabitables. Ce qui me plaira sera simple et bâti selon mes goûts et ma manière de vivre, un Sans-Souci, un palais agréable plutôt que beau, entre cour et jardin, mon appartement du côté exposé au nord et au midi pour en changer selon la température, un palais de riche particulier, un palais de convalescent. Je veux une petite chapelle, un petit théâtre et pas d'eau auprès du palais. »

Percier et Fontaine établirent de nouveaux plans plus discrets, tout en continuant les travaux.

« Ce palais, écriront-ils plus tard, production de la fortune de l'Empereur Napoléon, éprouvait chaque jour les alternatives de ses succès et de ses revers. Une victoire remportée a fait plus d'une fois changer les proportions, l'étendue et la magnificence de nos projets, tandis qu'une défaite les a par suite réduits et diminués... »

Dans un rapport du 24 décembre 1813, ils écrivaient : « Les terrassements préparatoires dans la partie où sera située le palais et les premières constructions des abords en face du pont d'Iéna sont faits. »

Mais, l'année suivante, c'était la chute. « Ce palais avait été, dit M. Hautecœur, la peau de chagrin qui mesurait le destin de l'Empire. » « Tout n'est que vanité », avait dit Bossuet aux Visitandines, sur ce même emplacement.

De la terrasse de Meudon, où il séjourna pendant les derniers étés de l'Empire, le petit roi de Rome pouvait voir la colline où jamais ne s'élèverait sa demeure :

> Quand pour loger un jour ce maître héréditaire
> On eut enraciné bien avant dans la terre
> Les pieds de marbre du palais...
> Un cosaque survint qui prit l'enfant en croupe
> Et l'emporta tout effaré !

Le terrain, avec ses fondations mises en place et ses rampes d'accès, resta à l'abandon. La Restauration songea à y construire une caserne, dont la première pierre fut posée en 1826 (12) : c'est à cette occasion que l'endroit reçut le nom de Trocadéro, qu'il a conservé, mais la caserne ne vit jamais le jour et l'endroit resta vacant (13) jusqu'en 1876, date à laquelle on construisit au faîte de la colline, pour l'exposition de 1878, l'édifice de Davioud qu'ont connu les quadragénaires. Mais — et c'est ce qu'aucun des historiens de l'endroit n'a fait remarquer — cette opération ne fut rendue possible que parce que les terrains avaient été, soixante-cinq ans plus tôt acquis par Napoléon (14) : si cette opération foncière n'avait pas été réalisée à l'époque, elle n'aurait peut-être jamais pu être entreprise, et la colline serait aujourd'hui encore morcelée en propriétés particulières. Il s'agit donc là d'une part non négligeable de l'héritage impérial.

Entre temps, le 9 juin, le baptême de l'enfant-roi avait été célébré à Notre-Dame (15). Le vase et le goupillon d'or, le flacon de cristal contenant l'eau du baptême et la boîte à onctions avaient été dessinés par Percier. C'est bien entendu, l'indispensable oncle Fesch qui officia. Et, le soir, fut donnée une fête splendide, où l'on chanta :

Illustre enfant, tout doit s'unir
Pour chanter ce que tout présage :
Tu seras pour l'âge à venir
Ce que ton Père est pour notre âge

Ce baptême fut également l'occasion d'inaugurer les nouveaux aménagements, d'ailleurs non terminés, de la salle des Cariatides, et Percier et Fontaine furent nommés chevaliers de la Légion d'honneur. La salle fut nommée salle des Fleuves, à cause des deux statues du Tibre et du Nil, prises de guerre d'abord destinées au « Temple de la Gloire », et finalement placées là. Le Tibre, qui nous est resté, ne s'est, depuis, déplacé que de quelques mètres.

L'Empire était toujours éclatant, et, malgré tous les

NEUILLY
Madrid
Porte de Neuilly
La Planchette
PLAINE DE VILLIERS
LES TERNES

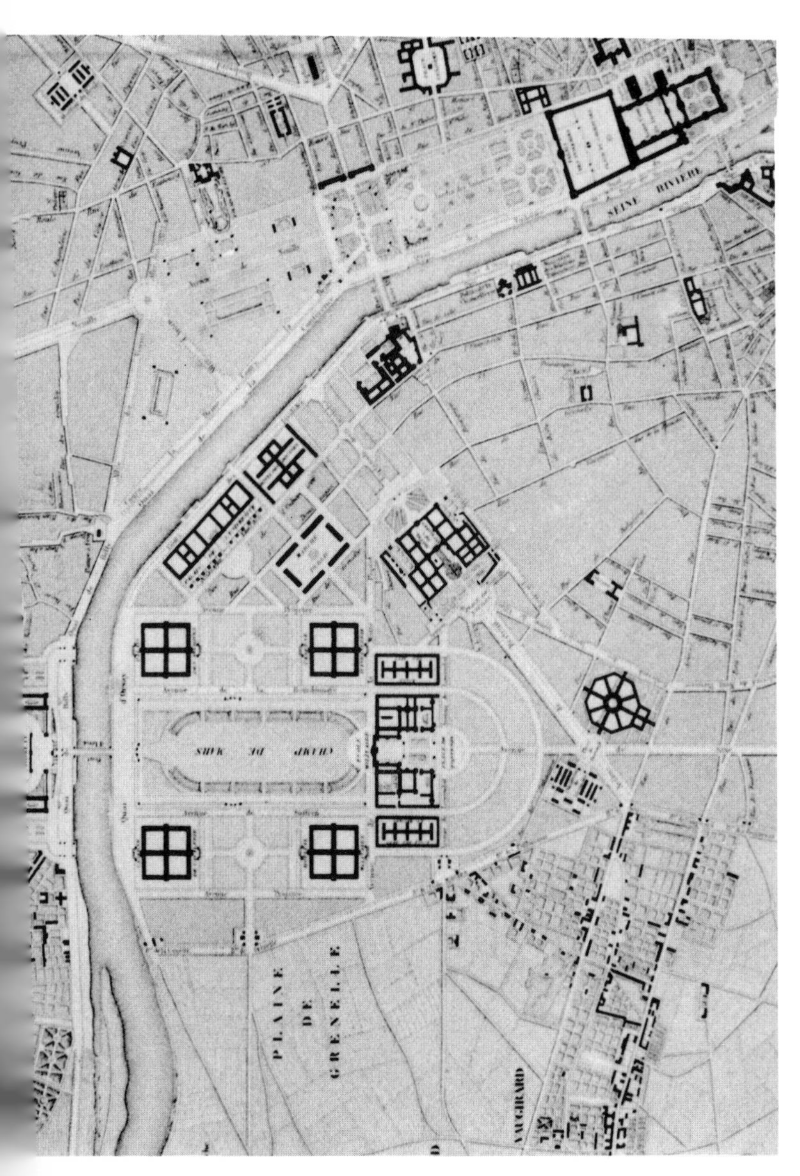

PERCIER et FONTAINE — *Projet pour le palais du Roi de Rome et le quartier du Champ de Mars*

chantiers en activité dans la capitale, riche de 620 000 habitants, on en ouvrait encore d'autres, et on agitait des projets.

C'est ainsi que Napoléon s'intéressait toujours au Panthéon, où il songea cette année-là à installer une partie des œuvres du musée des Monuments français, tandis que le reste partirait pour Saint-Denis. Lenoir protesta, gémit, écrivit à Napoléon, à Joséphine, qui gardait de l'influence, à Eugène. A cause de ces protestations ou malgré elles, rien ne se fit.

En revanche, en cette même année 1811, le peintre Gros fut chargé de peindre la coupole du Panthéon. Sa décoration devait représenter une « Gloire d'anges emportant au ciel la châsse de Sainte Geneviève », devant une assistance hétéroclite comprenant Clovis, Clotilde, Charlemagne, saint Louis, Napoléon et Marie-Louise. Gros signa le 1er août l'engagement d'exécuter ce travail en dix-huit mois, pour 36 000 francs, fit une esquisse aujourd'hui à Carnavalet, et se mit au travail.

En 1814, il recevait l'ordre de substituer Louis XVIII et la duchesse d'Angoulême au couple impérial, et voyait ses honoraires portés à 50 000 francs. Aux Cent-jours, on lui intimait de remettre Napoléon et, quelques semaines plus tard, à nouveau Louis XVIII et sa nièce, qui y figurèrent en définitive. Pour dédommager l'artiste de ces contre-ordres successifs, acceptés avec une peu glorieuse soumission, le peintre recevra en 1824 une gratification supplémentaire de 50 000 francs (16) : les révolutions ont du bon pour certains.

Malgré la substitution du personnage principal, la coupole est donc une œuvre impériale : elle joue, pour cette époque, le rôle de la coupole du Val de Grâce pour le règne de Louis XIV, et reste aussi méconnue que cette dernière.

Non loin du Panthéon, la petite place Sainte-Geneviève recevait, en 1810 ou 1811, une petite fontaine dont on ignore l'auteur : formée d'un hémicycle orné de trois mascarons, elle fait un effet très heureux sur la place dont elle orne le centre, s'accordant de façon charmante à l'aspect villageois du site. A la même époque, l'architecte Girard remplaca, rue Saint-Denis, la vieille fontaine du Ponceau par un jet d'eau de cinq mètres de haut, qui ne durera guère. Mais on allait lui fournir un bien plus bel emplacement.

Il restait deux places royales vacantes : la Concorde, pour laquelle aucun projet n'aboutissait, et la place des Vosges. Pour cette dernière, on avait d'abord songé à édifier un monument à l'Hymen, puis une statue au général d'Hautpoul, tué à Eylau (17). Finalement, en 1811, Girard y aménagea une grande pièce d'eau octogone, des bords de laquelle jaillissaient des jets d'eau. Sept ans plus tard, elle sera remplacée par le lourd Louis XIII de Dupaty et Cortot.

En même temps, Napoléon rendait l'hôtel de Beauharnais à Eugène et à Hortense, séparée de Louis. Elle y vint séjourner de temps à autre, mais choisit, le 23 octobre 1811, une résidence plus discrète pour donner naissance au futur duc de Morny.

Mais, du coup, Napoléon, s'étant dessaisi de Beauharnais et de l'Élysée, n'avait plus de résidence privée, au moment où il prenait de plus en plus les Tuileries en grippe. Ce vieux renard de Talleyrand s'arrangea pour lui vendre, à bon prix, le 12 décembre 1811, l'hôtel Matignon, dont Napoléon se dégoûta vite : il était dit que l'Empereur devait inaugurer les différents palais présidentiels des républiques suivantes.

Aussi, quand Joséphine proposa à Napoléon de lui rendre l'Élysée, qu'il aimait malgré ses défauts, l'Empereur accepta avec empressement et, par contrat du 13 février 1812, lui donna en échange le château de Laeken. Il s'installa faubourg Saint-Honoré deux jours plus tard, avec Marie-Louise et le roi de Rome (18). Le palais devint l'Élysée-Napoléon, et l'Empereur s'y sentait délivré du protocole :

— C'est ma maison de santé, disait-il.

Il y reçut Éléonore Denuelle, qui lui amenait leur fils, le jeune comte Léon, et aussi ses neveux : un bébé silencieux qui sera Napoléon III, et la fille d'Élisa, Napoléone Bacciochi, avec laquelle il n'avait pas toujours le dernier mot :

— On m'a dit, mademoiselle, que vous aviez pissé au lit.
— Oncle Bibiche, si vous n'avez que des bêtises à dire, je m'en vais.

L'Empereur s'étranglait de rire.

Talleyrand, que nous venons de voir toujours actif dans la coulisse, n'était plus ministre des Relations extérieures depuis 1809, et avait été remplacé par des personnalités plus ternes : Champagny, puis Maret. Mais Napoléon voulut redonner du lustre à l'institution, en lui faisant bâtir un édifice spécial : un terrain en bordure du quai d'Orsay fut choisi, où Bonnard commença en 1810 la construction de ce ministère. Mais Napoléon n'était pas très satisfait du plan adopté, et les travaux avancèrent lentement. L'édifice, achevé seulement en 1838, devint par la suite Cour des Comptes et fut incendié en 1871. Les ruines restèrent en place vingt ans durant, et furent finalement remplacées par la gare d'Orsay. Le nouveau ministère, construit plus à l'ouest sous la IIIe République, s'inspira de l'ancien, et nos diplomates doivent donc à l'Empereur de se targuer de leur appartenance au « quai d'Orsay ».

De cette année date encore un des ensembles les plus séduisants et les moins connus de Paris, la salle de l'ancien Conservatoire de Delannoy (19), dont le décor pompéien a d'ailleurs été refait au milieu du XIXe siècle (20). Pendant ce temps, Brongniart restaurait les chapelles du nord de la nef de Notre-Dame et enlevait les dernières gargouilles. Toujours à la même époque, on ornait la cour du Collège de France d'une petite fontaine composée d'un fronton surmontant un mascaron de bronze. Elle subsiste toujours, bien oubliée, dans une cour de cet établissement.

Au printemps de 1812, on vit le roi de Rome promené aux Tuileries dans la calèche (21) que lui avait offerte Caroline Murat, tirée par des moutons dressés par l'écuyer Franconi. L'Empereur le regarda plusieurs fois évoluer sous les arbres verts et, le 9 mai, partit pour la Russie.

XVIII

MARCHÉS ET ABATTOIRS

Bonaparte, malgré le besoin qu'il éprouvait de faire des grandes choses, accueillait également bien les projets d'amélioration d'une moindre importance ; son génie voulait de grandes constructions pour éterniser le souvenir de sa gloire, mais en même temps, sa sagesse administrative savait apprécier tout ce qu'il y avait de véritablement utile.

BOURRIENNE

Il faut citer ici à nouveau une phrase caractéristique : « Ce n'est pas, écrivait Napoléon en 1810 à propos du projet de rue Louvre-Bastille, lorsqu'on a déjà entrepris de donner à Paris des eaux, des égouts, des tueries, des marchés, des greniers d'abondance, etc., que l'on peut s'engager dans une si grande opération (1) ». En effet, dans cette fin du règne, comme s'il était de plus en plus saisi par la vanité des victoires ou des cérémonies, Napoléon se détache de l'architecture de prestige pour s'intéresser aux travaux utilitaires. Les fontaines avaient déjà constitué un important effort dans ce sens, mais qui avait ses prolongements sur le plan esthétique. Les marchés et les abattoirs, auxquels l'Empereur ne consacrera pas moins de quarante-six millions de francs, seront fait uniquement pour la commodité des parisiens. La construction de ces bâtiments utilitaires va malheureusement entraîner la liquidation d'un certain nombre d'anciens bâtiments monastiques.

La première création de marché avait été d'inspiration politique. En 1806, Napoléon était au pouvoir depuis six ans : l'opposition était désarmée, la représentation nationale asservie, le mot et l'idée de République avaient disparu et l'Empereur était devenu l'égal et le vainqueur des souverains de droit divin d'Europe. Le club des Jacobins, fermé depuis douze ans, ne signifiait plus rien, et l'Empereur osa le faire démolir (2). A son emplacement on édifia, de 1807 à 1810, un marché, sur les plans de Molinos. L'idée n'était d'ailleurs pas nouvelle, et avait été exprimée dès l'an VII (1798-1799), par les architectes Huet et Moitte (3). Napoléon avait simplement laissé au projet le temps de perdre son caractère explosif.

Le marché fut orné d'une rotonde, construite en 1810-1812, à laquelle était adossée une fontaine. Celle-ci disparut vers 1931 (les bâtiments du marché avaient eux-mêmes été reconstruits en 1865) mais la rotonde subsista, avec cette inscription : « Stationnement de nuit pour dix tonneaux de porteurs d'eau ». Finalement, tous les bâtiments du marché Saint-Honoré ont été démolis en 1958 pour la construction d'un garage. Comme décor du Premier Empire en cet endroit ne subsiste plus qu'un café aux devantures garnies de grilles, un des derniers de Paris.

En même temps que la construction du marché fut commencée celle d'un bâtiment qu'il était question de construire, à Paris, depuis le XVIIIe siècle; un magasin de réserve, c'est-à-dire un entrepôt de grains pour pallier la pénurie, aux époques d'approvisionnement difficile. En août 1807, l'Empereur commandait le projet, pour un bâtiment susceptible de contenir un ou deux millions de quintaux de grains et farines, et désigna pour sa construction le terrain de l'Arsenal, en bordure du futur canal Saint-Martin. Le 2 janvier 1808, Crétet posait la première pierre du bâtiment, qui fut bientôt dénommé « grenier d'abondance », appellation renouvelée d'un décret de la Convention. Il consistait en une longue série d'entrepôts, terminée à chaque extrémité par une façade monumentale, et disposés perpendiculairement au quai Morland, maintenant boulevard. Mais l'édification fut lente, au grand mécontentement de l'Empereur. Le 19 juillet 1812, de Russie, il écrivait encore : « Je ne sais par quelle fatalité cette construction avance si lentement. »

A la fin de 1813, les caves et une partie du rez-de-chaussée étaient terminés, sur 360 mètres de longueur et 23 mètres de largeur. Les travaux continuèrent jusqu'à la chute de l'Empereur, après laquelle on décida de réduire la hauteur. La Restauration termina l'ouvrage, et acheva en 1816 les portiques terminaux, décorés de piliers carrés. L'édifice, restauré après incendie en 1870, puis privé des terrains qui en dépendaient, est maintenant affecté au ministère des Anciens combattants. Cette « construction vraiment romaine », dira Balzac (4) est un des monuments les plus ignorés de Paris.

1808 vit s'ouvrir dans la Cité (5) le marché aux fleurs et aux oiseaux, sous de beaux acacias que saccagera Haussmann. Il fut orné de deux fontaines, qui seront transférées au XIXe siècle place Valhubert, et que les nécessités de la circulation ont fait récemment repartir pour une destination inconnue. Mais l'Empereur avait de plus grands projets : il voulait moderniser les halles spécialisées du commerce de gros, et doter Paris de marchés couverts de quartiers, à l'usage des particuliers.

Paris disposait déjà d'une halle au blé, construite en

FONTAINE — *Intérieur des magasins d'abondance*
La charpente a brûlé en 1870. Les façades extérieures et les piliers ont subsisté

1765 (6) à l'emplacement de l'hôtel de Soissons, dont avait été conservée la colonne de Jean Bullant. C'était un bâtiment circulaire, entourant une cour ouverte, pour la couverture de laquelle on avait ouvert dès 1782 un concours, pour lequel Bélanger, précurseur, avait proposé sans succès un projet de coupole métallique : il n'avait pas été pris au sérieux, et la couverture avait été construite en bois en 1783. Mais cette coupole, en octobre 1802, avait été incendiée par l'imprudence d'un plombier, et remplacée par une tente provisoire. Rondelet, l'ancien élève de Soufflot, spécialiste de constructions « techniques », avait vainement présenté un projet de reconstruction vers 1803. Un concours ouvert en 1805 n'avait pas abouti. Finalement, Bélanger, qui, toujours vainement, posait sa candidature chaque fois qu'un chantier menaçait de s'ouvrir, écrivit au ministre de l'Intérieur pour lui proposer son projet, fignolé vingt ans durant, de coupole métallique (7) : « Ce projet aurait l'avantage de prouver aux étrangers que, tandis que les armées de l'immortel Bonaparte franchissaient tous les obstacles, les arts exécutaient une entreprise aussi hardie dans ses conceptions qu'elle sera nouvelle pour toutes les nations (8) .»

En février 1807, la commission nommée à cet effet, insensible au modernisme, se prononça pour une coupole en pierre de taille, selon le projet de Rondelet, et écarta tout projet de coupole en fer. Mais, l'ingénieur des Ponts et Chaussées, chargé d'un ultime rapport, démontra l'inconvénient de ce procédé, en particulier quant aux points d'appui, et se prononça pour le fer. La commission se rangea à son avis.

Un décret de novembre 1807 assura le financement de l'opération, et un autre, d'avril 1808, chargea Bélanger du travail. La manufacture du Creusot fabriqua les pièces composant les 765 caissons, qui devaient être recouverts de feuilles de cuivre, mais les travaux avancèrent avec lenteur, provoquant le mécontentement de Napoléon, qui visita le chantier en 1812. La coupole ne fut achevée qu'en juillet 1813, et très admirée, même par les autres architectes. Fontaine, habituellement peu prodigue de louanges envers ses confrères, vanta dans un rapport à l'Empereur, « ce travail, l'un des plus remarquables qui ont été faits sous le règne présent ». Il est bien regrettable que la IIIe République nous ait privés de cette œuvre de précurseur, démolie en 1885.

En même temps, on eut l'idée de transformer en fontaine la colonne de Bullant, préservée par Bélanger. Celle-ci fut surmontée d'une inscription décorée qui, modifiée à plusieurs reprises, subsiste, bien que la fontaine ne coule plus depuis une dizaine d'années.

A côté du blé, le vin : depuis le XVIIe siècle existait déjà une halle aux vins, à l'angle de la rue des Fossés-Saint-Bernard et du quai, installée sur des terrains acquis de l'abbaye Saint-Victor, et mitoyens de cette dernière. Sa réorganisation fut décidée en fonction de la création du canal de l'Ourcq, dont on pensait qu'il amènerait à Paris les vins de Champagne. En 1808, on projeta la construction d'un entrepôt, mais on hésitait entre l'Arsenal et le quartier Saint-Bernard. Bélanger, de son côté, proposait sans succès la Salpêtrière (9). Plusieurs années se passèrent en projets contradictoires et en changements d'avis de l'Empereur, toujours mal à l'aise quand la solution ne lui apparaissait pas clairement. Au début de 1811, il songeait à Bercy et, le 8 février, il visita en détail cet enclos.

« Au retour, dit Lanzac de Laborie, l'idée lui vint de traverser le pont d'Austerlitz et d'entrer à la vieille halle des hôpitaux. A peine avait-il eu le temps de poser au directeur quelques-unes de ces questions statistiques où il se complaisait, et de pénétrer à cheval dans l'un des magasins, que les marchands, affairés, se pressaient autour de sa monture. Ce fut, comme de juste, une femme qui, la première, fut assez osée pour prendre la parole, conjurant l'Empereur de maintenir l'entrepôt au quai Saint-Bernard et assurant que le transfert à Bercy ruinerait tous les négociants. Comme l'assistance lui faisait unanimement écho : « Je ne demanderais pas mieux, reprit Napoléon, mais votre commission, depuis deux ans, n'a rien fait pour me faciliter les moyens d'exécuter le décret dont vous me parlez. M. Crétet, qui était pour vous, n'en a rien obtenu. Le terrain est trop cher pour que j'en fasse seul les frais. On me demande six millions pour cela, tandis que le terrain, à Bercy, ne me coûterait rien. » Les marchands, enhardis, protestèrent qu'ils supporteraient volontiers une partie, et même la totalité de la dépense. De plus en plus animé, le colloque se poursuivit pendant trois grands quarts d'heure, sans que le souverain descendit de cheval; pour conclure, il répéta que le choix de l'emplacement lui était indifférent, mais qu'il voulait enfin une solution. « Sous deux mois, la première pierre sera posée, à Bercy ou ici. » Et, s'étant fait faire place en levant sa cravache, il s'éloigna au galop (10). »

Les marchands eurent gain de cause, malheureusement pour l'abbaye Saint-Victor, qui fut démolie à la fin de 1810 ou au début de 1811 (11). La construction de la nouvelle halle aux vins commença peu après, pour se terminer en 1819. Les grilles d'enceinte présentent encore un profil caractéristique de l'époque.

Même processus pour la halle à la volaille, qui existait depuis le XVIIe siècle sur le quai des Grands-Augustins, à côté du couvent du même nom. La démolition de celui-ci fournit, à l'angle du quai et de la rue des Grands-Augustins, l'emplacement nécessaire à un grand bâtiment construit en 1812, et qui existait encore en 1904.

Les halles traditionnelles, à côté de Saint-Eustache, furent elles-mêmes agrandies par la construction d'un marché aux poissons et d'un marché aux œufs. Enfin, le Temple fut le théâtre d'une de ces opérations politico-utilitaires que Napoléon affectionnait. En 1812, il affectait au ministère des Cultes, écrasé de besogne depuis les difficultés avec le pape, l'ancien hôtel du Grand Prieur du Temple, qui fut approprié par Delannoy et Blondel (12). C'est alors que, par une sorte de compensation à la disparition des Jacobins, fut démoli le vieux donjon (13), monument-souvenir, édifice néfaste pour toute la monarchie française, et dans lequel Napoléon n'était pas fâché de supprimer un lieu de pèlerinage. En même temps, Molinos construisait, légèrement plus au nord, la « halle au vieux linge », qui sera reconstruite sous le Second Empire (14) un peu plus à l'est, et deviendra le fameux « carreau du Temple ».

Ceci pour les halles spécialisées, intéressant effort de décentralisation que ne suivra pas le Second Empire. Mais Napoléon voulait également donner aux Parisiens des marchés de quartier, couverts. On décida d'en construire sept, en plus de celui qui avait remplacé les Jacobins. Six d'entre eux virent le jour :

A l'emplacement du couvent des Grands-Carmes (15), place Maubert, Vaudoyer construisit de 1813 à 1828 le marché des Carmes, que l'architecte Rondelet dota d'un corps de garde auquel était adossée une fontaine. Une partie du marché subsiste, transformée en garage.

L'architecte Delespine construisit en bordure de la rue Vieille-du-Temple, de 1813 à 1819, le marché des Blancs-Manteaux, maintenant transformé en école.

Le marché Saint-Joseph fut construit entre les rues du Croissant, Montmartre et Saint-Joseph, en 1814, sur l'emplacement de la chapelle et du cimetière Saint-Joseph où avaient été enterrés Molière et La Fontaine. Il sera démoli vers 1865.

Le marché Saint-Martin fut construit par Peyre de 1811 à 1816 sur l'emplacement de l'ancien jardin du couvent Saint-Martin-des-Champs. Il se composait de deux halles parallèles encadrant une fontaine centrale, avec deux pavillons d'entrée à frontons et arcades (16). Il a cédé la place en 1878 à l'École Centrale (17).

Le marché Popincourt était situé entre les rues Oberkampf, de la Folie-Méricourt, l'avenue Parmentier et le passage Besley. Il fut démoli en 1902.

Enfin le marché Saint-Germain fut construit par Blondel de 1813 à 1818 sur l'emplacement de la très ancienne foire Saint-Germain. Bien que diminué des deux tiers en 1900, il reste le seul marché du Premier Empire encore en activité.

Mais une autre question pratique très importante fut également résolue, en 1809, celle des abattoirs. « Depuis le moyen âge, dit M. Hautecœur, les bouchers parisiens sacrifiaient les animaux en des tueries ou échaudoirs voisins de leurs étaux, parfois même dans les cours des immeubles ; le sang coulait dans les ruisseaux ; les déchets s'accumulaient dans les rues. Depuis longtemps la population protestait contre les exhalaisons de ces charniers et contre les vols des bouchers... »

De nombreux projets avaient été élaborés, et plusieurs architectes s'étaient intéressés à la question, dont, une fois de plus, Bélanger, qui, dès 1805, avait présenté un projet pour cinq échaudoirs hors Paris. Finalement, l'Empereur, le 10 novembre 1807, avait ordonné par décret la construction de six abattoirs, situés en cercle autour de la ville, et une sous-commission fut nommée pour étudier le problème. Elle ne se pressa guère, car ce n'est que le 2 décembre 1808 que la première pierre de la nouvelle tuerie de Rochechouart fut posée par Crétet, qui, le matin, avait assisté à l'arrivée des eaux de l'Ourcq, puis posé la première pierre de l'éléphant : journée bien remplie. La construction de cet abattoir, qui portait paradoxalement le nom de la dernière abbesse de Montmartre, fut confiée à Bélanger. « Les nombreux dessins conservés au Cabinet des Estampes et au musée des Arts décoratifs montrent avec quel soin il prépara les plans et les élévations. Il ordonnait, autour d'un échaudoir, qui ressemblait aux maisons à l'italienne, les fonderies de suif, les bouveries et bergeries, percées de séries d'arcades. Il élevait des fontaines, des colonnes, accumulait les allégories, bœufs et béliers, et manifestait partout ce désir du monumental qui animait les artistes (18). »

Les travaux furent commencés le 1er mars 1810, et l'Empereur visita le chantier à l'improviste le 24 septembre. Mais Rondelet, le vieil ennemi de Bélanger, avait été nommé inspecteur des travaux, et lui mettait des bâtons dans les roues. L'architecte, mal en cour, était tarabusté par Bruyère, directeur des Travaux publics qui lui reprochait, pas toujours à tort, d'être trop dépensier, et Bélanger fut acculé à la démission, le 5 mai 1811. L'abattoir fut achevé par un architecte obscur, Poidevin, sur des plans plus simples (19). Celui du Roule fut construit par Petit-Radel (20); celui de Ménilmontant par Happe (21), celui de Villejuif, ou d'Ivry, ou encore de l'Hôpital, par un architecte inconnu (22), et celui de Grenelle, commencé par Gauché, fut achevé par Gisors (23). Ils furent tous inaugurés en 1818 : aucun d'eux ne subsiste.

Enfin, on peut rapprocher de ces travaux l'aménagement des locaux de la poste aux chevaux, laquelle subsiste toujours au 67, rue Pigalle, avec sa cour pittoresque et son abreuvoir décoré d'une tête de cheval.

« Je tiens, écrivait Napoléon à Montalivet le 9 février 1811, que les quatre choses les plus importantes pour la Ville de Paris sont les eaux de l'Ourcq, les nouveaux marchés des Halles, les abattoirs et la halle aux vins. » Et, l'année suivante, il pressait encore l'achèvement du grenier d'abondance. « L'arc de triomphe, le pont d'Iéna, le temple de la Gloire peuvent être retardés de deux ou trois années sans inconvénient. » Il y a quelque chose de tragique dans l'attitude de ce grand homme déçu par la gloire et qui essaie de se raccrocher à l'utilitaire.

XIX

LA FIN

« *La terrible campagne de Moscou, en 1812, avait été tellement fatale à la France qu'il fallut dès lors suspendre toutes les dépenses dont le but n'était pas la défense de l'État.* »

FONTAINE

Alors que Napoléon parcourait en sens inverse les routes de Russie, le général Malet avait failli, à Paris, s'emparer du pouvoir. Démasqué au dernier moment, il avait été fusillé le 29 octobre 1812, dans la plaine de Grenelle. Le 18 décembre, sans s'être annoncé, l'Empereur arrivait aux Tuileries, terriblement changé malgré la fameuse phrase (« La santé de l'Empereur n'a jamais été meilleure ») du vingt-neuvième Bulletin. On s'attendait à des sanctions. Savary et Pasquier semblaient perdus, et en furent quittes pour quelques rebuffades. L'Empereur était bien obligé d'admettre que chacun avait ses défaites.

Seul, Frochot, vraiment trop naïf, fut destitué (1). Il fut remplacé par Chabrol qui, comme préfet de Montenotte, avait eu à surveiller le pape prisonnier à Savone (2).

Le malheureux pontife avait été, on le sait, amené à marches forcées jusqu'à Fontainebleau, prisonnier de l'Empereur. Celui-ci songea un moment à l'installer à l'Archevêché et faire de la Cité « un quartier privilégié ».

Ainsi auraient été réunis à Paris pouvoir temporel et pouvoir spirituel. Poyet fut chargé de remettre les bâtiments en état et d'acquérir les immeubles voisins. « Il aménagea des salons, un oratoire, éleva des écuries, où l'on retrouve la grande arche centrale des écuries d'Orléans, œuvre du même artiste (3). » Le mort-né « concordat de Fontainebleau », qui établissait la résidence du pape en Avignon, fit abandonner ce projet.

Quant à Chabrol, il s'attaqua à une question importante, celle des trottoirs. Les rues de Paris étaient encore soumises au ruisseau central, séparant deux parties inclinées, sur lesquelles les véhicules roulaient de guinguois, une roue dans la boue. Le « haut du pavé » était, pour les piétons, la zone la plus abritée, mais l'on risquait toujours, aux endroits où n'avaient pas été placés de bornes protectrices, de se faire écraser contre la muraille. Certains rares trottoirs avaient été établis au XVIIIe siècle et, en 1802, Frochot avait prescrit une enquête en vue de leur multiplication, mais, curieusement rétrograde, le Conseil des ponts et chaussées avait estimé que « cette installation se conciliait difficilement avec le fonctionnement des services hydrauliques », et Frochot s'était contenté d'équiper quelques voies, dont la rue du Mont-Blanc (Chaussée-d'Antin). Chabrol, après dix ans, passa outre aux obstructions et fit multiplier les trottoirs.

Malgré ses soucis, l'Empereur continuait à s'intéresser aux embellissements de Paris. « L'Empereur ne néglige pas les travaux commencés; seulement, il en réduit les allocations (4). »

Les premiers mois de 1813 virent encore quelques événements parisiens. Fontaine vit rétablir en sa faveur la charge de Premier architecte, ce qui ne fut d'ailleurs guère du goût de ses confrères, et l'on démolit la vieille pompe de la Samaritaine (5), qui avait eu le temps avant de disparaître de repasser son nom à un établissement de bains flottants, construit par Bélanger, lequel, avant de sombrer, lèguera lui-même cette appellation à un grand magasin.

Le 28 mars, Napoléon s'installa à l'Élysée et, le 7 avril, avant de partir pour l'Allemagne, y proclama Marie-Louise régente. Il revint après Leipzig. La gravité de la situation ne l'empêcha pas de s'occuper des travaux en cours : « A cheval, il se rend au palais des Archives, au Champ-de-Mars, traverse la Seine au pont d'Iéna et va visiter les travaux de Chaillot par la grande allée du jardin. Le 7 décembre... à la suite de la visite que Napoléon a faite dans la matinée à la Bourse, au marché Saint-Martin, au Grenier d'abondance, à la Madeleine, il y a une dernière conversation sur les constructions de Paris (6). »

Il ne s'agissait plus d'embellir la ville, mais de la défendre. Devant le danger, Napoléon se décida, le 8 janvier 1814, à ressusciter la garde nationale. Mais il se méfiait de la population et ce retour aux traditions républicaines ne se fit qu'avec restriction : on ne reprit pas l'élection des officiers par la troupe et l'on choisit l'état-major dans la noblesse ancienne ou impériale. Seuls furent enrôlés comme hommes de troupe les contribuables payant un impôt supérieur à dix francs, ce qui éliminait artisans et ouvriers, et les armes ne furent distribuées qu'avec parcimonie. Une politique plus large aurait peut-être sauvé la ville, et le régime.

Le 27 février 1814, l'Impératrice recevait du ministre de la Guerre le dernier trophée de l'Empire, les drapeaux de Montmirail. Le 29 du mois suivant, elle quittait Paris avec le roi de Rome. Le soir, les Alliés étaient à Bondy.

Ils menacaient le nord-est de la ville; Marmont s'installa à l'est du canal de l'Ourcq, couvrant le cours de Vincennes, les barrières du Trône et de Charonne, Romainville, Ménilmontant, Belleville et les Buttes-Chaumont. A l'ouest du canal, Mortier gardait le pied de la butte Montmartre. Moncey, avec une poignée de volontaires, défendait la barrière de Clichy, Ils avaient 22 000 hommes, gardes nationaux et élèves des grandes écoles, contre 180 000. Les coalisés conduisirent trois attaques conjuguées : Barclay de Tolly et les Russes contre Romainville, le prince de Wurtemberg et les autrichiens contre la barrière du Trône, Blücher contre Montmartre et Clichy. La bataille fut engagée très tôt, le matin du 30 mars.

L'École polytechnique, a dit un de ses historiens, « avait frondé Napoléon vainqueur. Elle fut, comme tout le peuple de Paris, avec Napoléon vaincu ». Les promotions de 1812 et 1813 s'illustrèrent, et deux taupins furent tués à la batterie des élèves, barrière de Vincennes. Mais Moncey manquait d'hommes et de fusils, par suite de la méfiance avec laquelle avait été reconstituée la garde nationale, qui pourtant se battit avec loyauté. On n'enregistra aucune défection républicaine et une seule royaliste : Regnault de Saint-Jean-d'Angely. La barrière de Clichy fut défendue héroïquement.

A deux heures, les munitions commencèrent à manquer. Joseph qui avait son quartier général au Château-Rouge, avait d'abord ordonné de tenir jusqu'à la mort; puis, dès midi, il partit en autorisant les deux maréchaux à capituler. Ils ne voulurent user de la permission que lorsque l'ennemi fut dans Paris. Ignorant que Napoléon, qui avançait à marches forcées, n'était qu'à quelques lieues de la ville. M. de Quelen alla à Bondy, revint avec Nesselrode, Orloff,

Paer et Patterson. A cinq heures, l'armistice fut signé, chez le marchand de vins à l'enseigne du *Petit-Jardinet*, dans le faubourg de la Villette. Le colonel Fabvier signa au nom des deux maréchaux. Dans la nuit, Alexandre et Frédéric-Guillaume quittèrent Bondy et vinrent, du haut des Buttes-Chaumont, contempler Paris.

Napoléon était à Fromenteau quand le 30, à dix heures du soir, il apprit la capitulation. A la même heure, dans Paris, les soldats exaspérés criaient à la trahison. Sur les Buttes-Chaumont, les dragons du général Ordener agitaient leurs sabres et criaient « qu'ils voulaient se battre encore » ! Dans la nuit, le maréchal Sérurier fit brûler, dans la cour des Invalides, les drapeaux pris dans toute l'Europe, témoins d'une gloire vaine, mais immortelle.

XX

CENT JOURS D'ÉPILOGUE

Pour les Parisiens, le succès du retour de l'île d'Elbe s'inscrivait dans la progression rapide des titres du *Moniteur :* « L'anthropophage est sorti de son repaire », « L'ogre de Corse vient de débarquer au golfe Juan », « Le monstre a traversé Lyon », « L'usurpateur a été vu à soixante lieues de la capitale », « Bonaparte s'avance à grands pas, mais il n'entrera jamais à Paris », « Napoléon sera demain sous nos remparts », « L'Empereur est arrivé à Fontainebleau », et enfin, le 22 mars : « Sa Majesté Impériale a fait son entrée hier au château des Tuileries au milieu de ses fidèles sujets. »

Les Tuileries n'étaient restées vides qu'une journée et, engraissé par les eaux de vaisselle de l'occupation russe de l'année précédente, le fameux marronnier du jardin avait indifféremment offert ses fleurs précoces au vieux roi chassé et à l'Empereur miraculeusement restauré, qui s'était aussitôt remis au travail. « Mon intention, écrivait-il à Carnot, nouveau ministre de l'Intérieur, est que les travaux commencent à Paris à partir de lundi. Faites-moi un rapport demain dimanche sur les travaux qu'il convient de reprendre, en donnant la préférence à l'utilité (1). »

C'était plus que jamais le temps de dire « Ce n'est pas tout d'être aux Tuileries, il faut y rester », et peut-être cette pensée rappela-t-elle à Napoléon le souvenir de Bourrienne, qui était revenu à Paris en 1813, pour accueillir Louis XVIII avec enthousiasme l'année suivante. Quatre jours après son arrivée, l'Empereur fit mettre sous séquestre l'hôtel de son ancien compagnon de Brienne.

Dans les demeures de la couronne, Napoléon avait retrouvé l'Élysée, car Louis XVIII, pour le garder, avait, à son ancienne propriétaire, donné en échange l'hôtel Matignon. Aussi, après quelques temps aux Tuileries, l'Empereur s'installa-t-il faubourg Saint-Honoré, le 17 avril. Dans cet hôtel où avait grandi Alfred de Vigny, l'Empereur rêvait à la grandeur et à la servitude militaire. Des méchantes langues répandirent que c'était parce qu'aux Tuileries il craignait d'être assassiné. En réalité, il sortait tous les jours : visite de la manufacture de Richard Lenoir, tour des travaux en cours de Montmartre à Belleville, distribution d'aigles, revues, toutes activités qui le distrayaient d'un travail auquel il ne croyait plus.

— Je ne le reconnais plus, disait Carnot, il flotte, il hésite. Au lieu d'agir, il bavarde. Il demande des conseils à tout le monde.

Napoléon n'avait revu ni sa femme ni son fils, mais il voulait forcer le destin, et ordonna de reprendre les travaux du palais du roi de Rome. Percier et Fontaine se remirent à la tâche, sans illusions :

« Quoique après la sortie de l'île d'Elbe et pendant les Cent-Jours, nous ayons reçu ordre de reprendre les travaux de Chaillot, quoique un assez grand nombre d'ouvriers ont été occupés à continuer les terrassements et les fouilles du palais, il nous fut impossible de retrouver les illusions du rêve qui venait de finir. Nous restâmes persuadés que tout était terminé, et cependant nous dûmes exécuter les ordres qui nous étaient donnés (2). »

L'Empereur pensait aussi à la construction d'un pont triomphal pour relier la place de Grève à Notre-Dame, à l'emplacement de l'actuel pont d'Arcole. Et, pour le Pont-Neuf, non content de tirer un trait sur le projet d'obélisque, il se déclara partisan de la continuation du monument d'Henri IV, commencé par la Première Restauration, et donna des ordres pour faire accélérer les travaux : « J'ajouterai, dit-il à l'architecte, à ce qui manquera la somme nécessaire pour achever le travail. »

C'était, décidément, l'Empire libéral, constitutionnel, et dépouillé du culte de la personnalité. Il refusait de faire remettre sa statue sur la colonne Vendôme découronnée : « C'est sans mon aveu, disait-il, hypocrite, que cette statue avait été placée; je ne veux pas qu'elle soit remise en place. » Et il ordonna l'étude d'une statue du peuple français, qui restera en cartons.

Il avait, en revanche, conservé ses préventions contre les Polytechniciens, malgré leur brillante conduite de l'année précédente. Monge, une fois de plus, défendit ses élèves, exaltant leur patriotisme. L'Empereur se laissa convaincre et, pour la première fois, le 28 avril 1815, leur rendit visite.

Le 31 mai, il réintégrait les Tuileries, pour s'y préparer à la cérémonie du lendemain. On avait en effet décidé de tenir au Champ-de-Mars une grande assemblée, baptisée, par un mauvais jeu de mots, Champ-de-Mai, et qui avait été fixée... au 1er juin. Napoléon commit l'erreur de s'y présenter, non en redingote et petit chapeau, mais tout de blanc vêtu, en soie, suivi de ses frères (quatre, compris Lucien, à nouveau présent aux heures difficiles) dans le même costume. La cérémonie, où fut proclamé le fameux

« acte additionnel » rédigé par Benjamin Constant, fut décevante. Décevante aussi, le 7 juin, l'ouverture, par l'Empereur, du nouveau Corps législatif : Napoléon se liait les mains en se livrant aux bavardages des députés, et sans profit pour quiconque.

Après quelques semaines d'hésitations, la guerre était certaine. A la veille de son départ, l'Empereur eût un entretien avec le général baron de Caux, qui travaillait dans les bureaux du ministère de la Guerre :

— Pensez-vous, lui demanda-t-il, que les Parisiens défendront la ville si je suis battu?

— Pas plus que l'an dernier, Sire. Ils aiment beaucoup l'Empereur, mais ils aiment encore plus leurs boutiques.

Nanti de ce décevant, mais sage avis, Napoléon partit le 12 juin prendre le commandement de l'armée. Le 18, dans la journée, arrivaient les premières nouvelles de Waterloo et, le soir, Napoléon était à l'Élysée. Le 19, sur l'initiative de La Fayette, les députés, toujours prêts au coup de pied de l'âne, s'emparaient du pouvoir. Sur un guéridon de l'Élysée, Napoléon signa sa seconde abdication.

Les deux chambres nommèrent un gouvernement provisoire de cinq membres : Fouché, président, Carnot, Grenier, Caulaincourt et Quinette. « Ingratitude humaine! dit d'Espezel. Qui se souvient que, pendant quinze jours, Quinette et Grenier ont régné sur la France? »

Le 25 juin, Napoléon quittait Paris pour la dernière fois. Le départ avait été fixé à midi. Bien avant l'heure, une foule immense s'entassait tout autour de l'Élysée, criant : « Vive l'Empereur! Ne nous abandonnez pas. » Napoléon eut peur de ne pouvoir résister à l'émotion, et fit sortir sa voiture, avec Montholon, Las Cases et Gourgaud (déjà!) par le grand portail, pendant qu'il partait par le parc. Il sortit par la grille des Champs-Élysées, monta dans la voiture de Bertrand, se retourna pour contempler la façade du palais et partit pour Malmaison sous un soleil éclatant. Quelques minutes plus tard, il franchissait pour toujours les barrières de Paris, en passant devant l'arc de triomphe.

CONCLUSION

Rarement souverain aura-t-il mis tant de lui-même dans les travaux qu'il ordonnait. A toutes les étapes de la conception et de l'exécution d'un projet, monumental ou utilitaire, nous retrouvons la volonté de l'Empereur, son désir de faire grand, beau et vite. C'est donc lui-même qu'il faut juger à travers ses réalisations et ses projets, en dressant le passif et l'actif de cette campagne de moins de quinze ans.

Côté passif, il faut remarquer que l'Empereur n'a pas su concevoir pour la capitale un plan d'ensemble. La conception du « zoning » pour employer un barbarisme anticipé, ne lui apparaît pas, sur le plan social ni sur le plan administratif. Ce reproche, qui pourrait paraître anachronique, a peut-être le mérite de donner à penser que Napoléon, dans sa politique générale, a été moins « planificateur » qu'on le pense habituellement, et a bien souvent, comme dans Paris même, procédé par impulsions. C'est seulement à la fin du règne que nous voyons apparaître, pour l'ouest, une conception d'ensemble : ne reprochons pas à l'Empereur de n'avoir pas eu le temps de la réaliser, mais à ses successeurs de n'avoir pas poursuivi l'œuvre entreprise.

Dans la capitale, l'Empereur s'attache essentiellement à la résolution de problèmes particuliers, qui peuvent se ramener à quatre : doter la ville de monuments, majestueux ou utilitaires (et la délimitation n'est pas nettement tranchée entre ces deux catégories) — en même temps, assurer l'équipement et la salubrité de Paris — réinstaller des services mal logés ; — donner du travail aux ouvriers. L'ouverture de chantiers résoudra à la fois ces quatre problèmes, mais permettra également des solutions interchangeables : d'où cette sorte de valse-hésitation entre édifices et affectation, l'emplacement du monument et son utilisation étant très souvent remises en cause. Il nous paraît évidemment paradoxal de voir un édifice à colonnes voué, au gré des projets, à abriter une église, un temple de la Gloire, une Bourse, un théâtre. Sans se donner le ridicule de reprocher à Napoléon d'avoir ignoré l'architecture fonctionnelle, il faut souligner le côté empirique de ses réalisations.

La seconde remarque à émettre sur l'œuvre de l'Empereur est d'ordre financier. Soulignons d'abord que les travaux de Paris, à l'époque, n'ont rien coûté aux Parisiens : les ressources étaient prises sur la liste civile et, aussi sur le Domaine extraordinaire, c'est-à-dire les biens des souverains étrangers acquis par fait de guerre : si Louis-Philippe a été beaucoup loué pour avoir restauré Versailles sur ses fonds personnels le même compliment peut, *a fortiori*, être adressé à Napoléon. Rien qu'à Paris, de 1800 à 1813, on a dépensé soixante-deux millions pour les monuments publics, et cent deux millions pour les grands travaux.

Par ailleurs, pour compléter ce budget, Napoléon, nous l'avons dit, émettait une idée révolutionnaire en matière de finances : tirer parti des plus-values à attendre des travaux entrepris (1). Mais il ne sera guère suivi sur ce plan, ni par ses services, ni par les événements et seul, Haussmann donnera toute son importance au système, sans obéir à un des scrupules de l'Empereur, ennemi des expropriations, le respect de la propriété privée.

On peut donc penser qu'un appel au budget national ou municipal, d'une part, une politique financière plus hardie et moins soucieuse d'un strict équilibre, par ailleurs, auraient pu permettre de plus grandes et de plus rapides réalisations.

Enfin, certains ont fait reproche à l'époque impériale du style employé, de son goût pour le pastiche antique, et ont qualifié Napoléon d' « héritier de l'âge des lumières, à la fois utopique et borné (2) ». Certes, jamais peut-être dans l'art français l'imitation de l'antiquité n'avait été aussi attentive, mais jamais aussi elle n'avait été portée à ce point de grandeur. Que l'on compare les édifices du règne de Louis XVI : l'École de chirurgie, le Panthéon, Saint-Louis-d'Antin, à ceux de l'Empire, et l'on constatera sans partialité que cette époque, si elle a érigé le pastiche en système, l'a du moins traité avec une monumentalité qui dépasse toutes les modes. Il est d'ailleurs intéressant de noter que le style Empire a trouvé dans le XVIIIe siècle finissant les deux sources d'inspiration qui lui convenaient, justifiées qu'elles étaient par les événements extérieurs : la Rome impériale, bien sûr, mais aussi l'Égypte : les fontaines du Châtelet et de la rue de Sèvres, le portique de l'hôtel de Beauharnais, le style décoratif « retour d'Égypte », descendent tout droit de la rue des Colonnes, et des boiseries de Rousseau au salon de compagnie de Trianon.

On pourra discuter la façon dont ces éléments ont été utilisés. Mais il est bien vain de reprocher à une époque son style, ou ses idées. Soulignons plutôt une dernière fois que Napoléon, par son goût des thèmes exotiques, sa recherche de l'inattendu, ses préoccupations historiques, ses réalisations funéraires, est déjà romantique en art, comme il l'est dans la façon dont il construit sa légende.

Par ailleurs, nous avons dit que grâce à l'effort financier consenti, l'Empire a réalisé des démolitions massives et utiles, Carrousel, rue de Rivoli, Chaillot. Et il est significatif de remarquer que le régime impérial est le dernier dont nous ayons facilement accepté les destructions, à cause de l'intérêt des ensembles qui les ont remplacés : la rue de Rivoli a fait oublier les Feuillants et la salle du Manège, et la voie triomphale Louvre-Bastille, si elle avait été réalisée, aurait peut-être réussi à faire oublier Saint-Germain-l'Auxerrois; tandis que nous pleurons encore, peut-être même à tort, car nous nous en faisons une image flattée, les destructions d'Haussmann, à cause de son impuissance à les remplacer de façon satisfaisante. Au fond, Napoléon est le dernier créateur monumental dans Paris, et il faudra attendre l'achèvement du quartier de la Défense pour voir, peut-être, le flambeau repris.

Si l'on passe à l'actif, on ne peut qu'être impressionné par cette activité multiforme, entraînée, dirigée, stimulée par la volonté d'un seul. Homme de technique, membre de l'Académie des sciences, attiré par les matériaux nouveaux, préférant les ingénieurs aux architectes, mais qui n'a pas hésité, sans distinction d'opinion, à employer aux côtés de Percier et Fontaine tous les anciens maîtres d'œuvre de l'Ancien Régime : Chalgrin, Brongniart, Gondouin, Vaudoyer, et même un mal en cour comme Bélanger. Il n'est pas non plus un sculpteur notable de l'époque : Houdon, Cartellier, Chaudet, Clodion, Chinard, Bosio, Deseine, qui n'ait été employé sur les chantiers impériaux, et si l'époque n'a pas trouvé son Delacroix décorateur, Gros a cependant peint la coupole du Panthéon, tandis que David, Ingres, Isabey, Gérard étaient comblés de commandes. N'oublions pas à ce propos qu'aucune des décorations intérieures officielles n'est parvenue jusqu'à nous : l'œuvre de Napoléon est incomprise et méconnue, en partie parce qu'elle a été une des plus maltraitées du capital parisien.

Énorme bilan d'une œuvre de quinze ans que, seuls, des événements extérieurs ont contraint à l'inachèvement. Et encore ne faut-il pas oublier que les édifices utilitaires : halles, marchés, abattoirs, ont disparu, que ceux, comme les fontaines, qui se situaient sur la marge du décoratif et de l'utilitaire, ont été décimés, enfin que certaines réalisations : canaux, quais, égouts, trottoirs, numérotage, achats de terrains et démolitions, sont pratiquement invisibles. Quand on reporte sur un plan de Paris les diverses réalisations étudiées dans ce livre, on est frappé de leur nombre et de leur diversité.

Quelques années supplémentaires, et ces réalisations fragmentaires se seraient rejointes, réunies, et auraient donné naissance à un urbanisme, empirique par endroits, mais aussi raisonné par d'autres : que l'on songe à ce qu'aurait été le quartier administratif du Champ-de-Mars, face à la véritable cité de Chaillot, qui aurait doté Paris de la résidence souveraine qui lui manque toujours. Ce double projet eut-il été réalisé que toute la destinée de Paris s'en fut trouvée modifiée. La voie Louvre-Bastille aurait conditionné l'évolution des quartiers de l'est, et l'axe Madeleine-Montmartre créé une voie de pénétration nord-sud parfaitement adaptée et logique : même une idée baroque comme celle du temple de Janus témoigne d'un souci très marqué d'adaptation au site. Et ses successeurs n'ont vraiment le droit de rien reprocher à l'Empereur, qui, au même endroit, ont planté le Sacré-Cœur...

L'œuvre de Napoléon a surtout manqué d'un continuateur. Le temps d'arrêt de trente-cinq ans marqué par les deux monarchies a suffi pour couper tout l'élan créateur de l'époque impériale, et le Second Empire, au lieu de continuer, devra créer à nouveau, ce dont, esthétiquement parlant, il était incapable. Il est significatif que, sur le seul point où Haussmann ait chaussé les bottes de Napoléon, la rue de Rivoli, il ait renoncé au décor monumental qui en faisait le principal intérêt. Et si nous ne regrettons peut-être pas le Louvre de Fontaine, nous n'arrivons guère à apprécier celui de Lefuel.

Que l'on compare le bilan urbanistique, monumental, utilitaire de ces quatorze années hachées de guerres à celui des dix-huit ans paisibles du règne de Louis-Philippe, et l'on sera frappé du fait que, au fond, très peu de monarques se sont vraiment intéressé à Paris. Louis XIV lui-même n'a agi que poussé par ses ministres, et seulement au début de son règne. En somme, depuis Henri IV, les deux seuls souverains à s'être vraiment et constamment occupés de la capitale sont les deux Napoléon : il ne semble pas que la ville leur en ait jamais témoigné la moindre gratitude.

« Paris, dit Louis Réau, n'a pas le caractère d'une ville Louis XV; mais il s'en est fallu de peu qu'il ne devint une ville Empire ». Ce n'est pas la faute de Napoléon — ou du moins ce n'est pas sa faute en tant que « politique intérieur » — si Paris est devenu une ville Second Empire, mais l'œuvre du neveu n'a pu dissimuler celle de l'oncle. Quand le promeneur, placé au pied de l'obélisque, porte ses regards vers les quatre points cardinaux, toutes les constructions : arc de l'Étoile, Chambre des Députés, arc du Carrousel, Madeleine, qu'il aperçoit dans les quatre directions sont napoléoniennes. Ce n'est pas un maigre bilan, ni un mince éloge.

Pourquoi alors avoir choisi un édifice Louis XIV pour le repos de l'Empereur aux bords de la Seine, au milieu de ce peuple parisien qu'il a tant aimé?

NOTES

Chapitre I

(1) La date exacte a été rétablie par M. Paul Bartel, *La jeunesse inédite de Napoléon*, Paris 1954.

(2) Nous connaissons exactement le décor par une aquarelle de Lespinasse (Carnavalet).

(3) Où se trouvait le bureau des coches d'eau.

(4) « Il est probable et même vraisemblable, dit M. Paul Bartel (*op. cit.*) que Napoléon occupa, au moins provisoirement, une des chambres ou cellules de l'infirmerie, comme le faisaient d'ailleurs de nombreux élèves au mois d'octobre. »

(5) Le décor de la chapelle n'a pas changé depuis cette époque, à l'exception du maître-autel, qui se trouve aujourd'hui à l'église Saint-Pierre-du-Gros-Caillou.

(6) Il ne semble pas que cela soit possible, aucun élève de l'École militaire n'étant, à cette époque, autorisé à découcher. Chacun devait être, lors de ses sorties, obligatoirement suivi par un « bas-officier » chargé de le ramener à l'École avant minuit. Le fait n'aurait pu avoir lieu qu'après la sortie de Bonaparte de l'école.

(7) Laure Permon, à l'époque, avait à peine un an, et ses mémoires, écrits cinquante ans plus tard, peuvent souvent être pris en flagrant délit de mensonge. Sur cette question, voir Vitre, *La mansarde de Napoléon au quai Conti*, in Bul. Soc. Hist., Paris, t. XIV, 1884, p. 164 et Dupont-Ferrier, idem, 1935.

(8) M. Paul Bartel (*op. cit.*), qui dit que la maison existe encore, n'est pas allé y voir...

(9) On donne généralement à cet hôtel le nom d'hôtel de Metz, et on le situe souvent au 12. En réalité, nous ne possédons pas de renseignements précis, et il peut s'agir aussi du 10. A l'heure actuelle, ce dernier numéro est moderne, alors que le 12, avec son entrée décorée de refends et, à l'intérieur, ses colonnes doriques de Paestum, peut avoir été construit vers 1780. *Cf. Bull. des Amis des monuments parisiens*, 1892.

(10) Il habitait l'hôtel de Longueville.

(11) On a souvent supposé qu'il avait assisté aux massacres de septembre, ou encore qu'il s'était caché, avec sa sœur Élisa, pendant ces journées. En réalité, nous ne savons rien sur ce sujet, dont il n'a jamais parlé. D'ailleurs les massacres eurent lieu à l'intérieur des prisons.

(12) « Je me souviens, et je puis attester que l'Empereur m'a parlé, en plusieurs circonstances, du séjour qu'il fit pendant quelque temps dans un hôtel garni : « Au Cadran bleu », rue de la Huchette, 8 ou 10, près celle du Petit-Pont, hôtel, où il occupait une petite chambre au 4e ou 5e étage, ayant vue sur la Seine. Il la payait trois francs par semaine, et je crois me rappeler que c'est le père Patrault qui lui procura ce logement » (lettre de Montholon, citée par F. Masson, *Napoléon et sa famille*, t. I, p. 112).

(13) Ce passage avait été ouvert à partir de 1792, sur les terrains de l'ancien hôtel Chassepou de Verneuil. En 1798, il fut transformé en rue qui prit le nom de rue des Colonnes, ce qui prouve que l'architecture sous laquelle il se présente encore aujourd'hui existait déjà, peut-être même depuis la création du passage. On a souvent qualifié de « Retour d'Égypte » le style de cet ensemble, qui n'est que du Louis XVI finissant.

(14) *Mémorial de Sainte-Hélène*, t. I, p. 311.
(15) Rue de la Manutention actuelle.
(16) Elle habitait à cette époque 62, rue de la Chaussée-d'Antin, où Bonaparte lui rendit pour la première fois visite le 23 vendémiaire. Mais il l'avait rencontrée avant : Barras et Ouvrard fixent cette première rencontre, chez Mme Tallien « quelques jours avant le 13 vendémiaire ». Napoléon lui-même, peut-être par calcul, la date du 16.
(17) L'hôtel se trouvait à l'emplacement du 49, de la rue de Châteaudun et du sol de cette rue, avec un passage menant à la rue Saint-Lazare. Il fut démoli en 1857. Son mobilier, passé par héritage à la marquise d'Harambure, se trouve au château de Boran. On a souvent prétendu qu'un fragment du jardin subsistait au 60, rue de la Victoire. En réalité, la totalité du terrain a été lotie sous le Second Empire.
(18) On pense que Bonaparte devint l'amant de Joséphine vers l'automne 1795.
(19) La bague est dans les collections du Prince Napoléon.
(20) Il y était dit né le 5 février 1768, jour même de la vente de la Corse à la France, mais la réunion de l'île au royaume n'est que du 15 août 1768. Bonaparte naquit un an plus tard, jour pour jour.
(21) On a écrit, à la suite de Bourrienne, beaucoup d'erreurs sur ce mariage. Nous rétablissons les faits d'après la copie de l'acte conservée aux Archives de la Seine (l'original a brûlé en 1871) et L. de La Vallée-Poussin, *Les vieux murs d'une grande banque*, Paris, h. c., 1924.
(22) Ce détail, ainsi que d'autres rapportés par nous, est tiré de l'ouvrage de M. Éric Kahane, *Un mariage parisien sous le Directoire*, Paris, h. c., 1961.
(23) Il avait été élu dans la section des Arts mécaniques en 1797 et avait pris séance le 15 nivôse an VII (9 janvier 1798). L'Institut siégeait alors dans la salle des Cariatides, au Louvre. Une aquarelle de Ch. de Wailly représente une séance (reproduite dans : Chr. Aulanier, *Histoire du palais et du musée du Louvre*).
(24) Napoléon donnera l'hôtel, en 1806, au colonel Lefebvre-Desnouettes, qui avait épousé une de ses cousines. La même année, le 29 décembre, dans l'hôtel du 29, rue de la Victoire, donné par Napoléon à Éléonore de la Plaigne, naîtra le comte Léon, premier fils naturel de l'Empereur : de cet hôtel, démoli sous le Second Empire, ne subsistent que les fresques décoratives du salon, maintenant à Malmaison. Enfin, un autre hôtel de la rue de la Victoire, construit par Bélanger (emplacement de la synagogue), fut, acheté en 1802 par Bonaparte pour son frère Louis, qui le revendit en 1804.

Chapitre II

(1) Il remplaçait le savant Laplace, ancien professeur de Bonaparte à l'École militaire, nommé au lendemain du 19 brumaire, et qui s'était révélé inférieur à la tâche.
(2) Elle se trouvait avant guerre dans l'orangerie de Potsdam d'où elle a disparue après l'arrivée des armées russes. La bibliothèque de l'Assemblée possède un dessin original de Chaudet pour cette statue.
(3) Procédé appris chez Servandoni.
(4) La date est donnée par une lettre de d'Angiviller à Vien (*Nouvelles arch. de l'Art fr.*, t. XXII, 1906, p. 296).
(5) Le Sénat a également osé supprimer en 1961 la chambre où avait été détenu le maréchal Ney, chambre qui avait conservé son décor.

(6) Le Sénat conserve deux tribunes et deux bureaux de secrétaires, de style Empire, qui ont longtemps figuré à l'opéra de Versailles. Il est possible que ce soient ceux de la salle de Chalgrin.

(7) Les historiens du Luxembourg ont généralement attribué à Chalgrin la suppression du Cabinet doré de Marie de Médicis, et l'aménagement de l'actuel salon des messagers d'État, avec des colonnes provenant des Thermes de Cluny et des espagnolettes de fenêtres dont l'architecte aurait donné le dessin. Mais il semble bien que ces travaux n'aient été exécutés que sous la Restauration par le successeur de Chalgrin, Baraguay.

(8) Nous n'avons de témoignage de la présence des Rubens dans cette galerie qu'à partir de 1805. Mais nous savons que, en 1802, les Jordaens étaient marouflés, et la galerie ouverte au public. Les Rubens devaient donc déjà s'y trouver.

(9) La galerie est devenue le magasin de la Bibliothèque.

(10) Nous en connaissons deux esquisses différentes, conservées au Louvre. *Cf.* Gérard Hubert, in *Revue des Arts*, n° 3, 1951.

Chapitre III

(1) Elle sera démolie en 1811. Il en reste une porte monumentale, rue de Lille.

(2) 31 *bis*, Fain, *Mémoires*.

(3) *Journal inédit de Fontaine*, coll. part., vol. A., p. 2.

(4) Venise, par le 5e article secret du traité de paix du 15 mai 1797, s'était engagée à céder « vingt tableaux et cinq cents manuscrits au choix » (Bonnal, *Chute d'une république, Venise*, Paris, 1885). Bonaparte alla beaucoup plus loin.

(5) Il avait même été question, en cette année 1797, de transporter de Rome à Paris, par le Tibre et le Rhône... la colonne Trajane ! On se contentera, dix ans plus tard, d'une copie, la colonne Vendôme.

(6) Archives nationales, F^{13} 1192.

(7) Quartiers et arrondissements ont été complètement remaniés en 1860. *Cf.* Mellié, *Les sections de Paris*, 1898.

(8) Cité par Lanzac de Laborie, *Paris sous Napoléon*.

(9) *Correspondance*, t. I.

(10) Sur l'origine de cette voie, *cf.* Bul. Soc. Hist. de Paris, 1924. Une des premières représentations de ce passage est une gouache de Carnavalet, postérieure à 1807. Plusieurs autres passages furent ouverts sous l'Empire, mais la galerie Vero-Dorat, contrairement à ce qu'écrit Mme Biver, Dodat n'a été ouverte que sous la Restauration.

(11) *Correspondance*, t. I, p. 492.

(12) *Journal des Débats*, messidor IX.

(13) *Cf.* plus loin.

(14) *Correspondance*, t. I, p. 572.

(15) Une estampe de Carnavalet représente la cérémonie.

(16) F^{13} 100^3, dossier 6. *Cf.* aussi la chemise *Chinard* à la Bibliothèque d'Art et d'archéologie.

(17) Les descriptions de l'époque parlent du « génie militaire », mais il s'agit incontestablement d'une femme : la Victoire?

(18) *Décade*, an IX, t. XII.

(19) 22 septembre 1800. *Cf.* papiers de Lenoir, *Inventaire des richesses d'art de la France*, t. I, p. 184.

(20) Citons par exemple le théâtre du Vaudeville, qui était installé dans le célèbre hôtel de Mme de Rambouillet, à l'emplacement de l'actuel ministère des Finances.

(21) La fameuse réponse de Bonaparte à Louis XVIII, lui déconseillant de chercher à reprendre le trône, était du 7 septembre, mais l'attentat avait été préparé en dehors de Cadoudal.

(22) G. Lenôtre, *Limoëlan*, dans *Vieilles maisons, vieux papiers*, 3e série.

(23) Les mouvements d'humeur de l'Empereur étaient en général simulés. A Saint-Cloud, ayant un jour tenu des propos très violents aux évêques, il déclara juste après à l'archevêque de Pradt : « Vous me croyez sûrement très en colère, eh bien! tâtez-moi le pouls! » Celui-ci était parfait. « Chez moi, reprit Napoléon, la colère n'a jamais dépassé ça », dit-il en désignant son cou.

(24) La démolition des maisons endommagées isola désormais l'hôtel de Nantes, qui, complètement dégagé, subsistera sur la place jusqu'à la fin de la monarchie de Juillet.

(25) Bausset, *Mémoires*, 1827.

(26) A partir de ce moment, on ne parlera plus officiellement que de Fontaine, et non de Percier, que Bonaparte semble poursuivre d'une hostilité durable, dont nous ne connaissons pas la raison. Mais Fontaine, bravant le maître, continuera à présenter tous ses travaux comme le fruit de leur collaboration.

(27) Du 18 au 22 septembre. Cette exposition est représentée sur deux gouaches du musée Carnavalet.

(28) Par la loi du 27 ventôse an IX (1801), Bonaparte avait créé les commissaires-priseurs, qui remplaçaient les huissiers-priseurs de l'Ancien Régime, et leur avait conféré un uniforme, « habit complet noir, chapeau à la française et ceinture de soie noire », mais non un siège social, et ils s'installèrent provisoirement à l'hôtel des Fermes. Ce n'est qu'en 1852 que naîtra l'hôtel Drouot.

(29) Sur cette question, *Cf.* A. Arnaud, *Pompiers de Paris*, Paris 1958.

(30) On ignore pourquoi le gouvernement ne fit partir celui-ci qu'en 1806. Dans l'intervalle, il fut logé dans une cellule de l'ancien couvent des Capucins, et peignit une *Apothéose de Napoléon* pour le salon de l'Empereur à l'Hôtel de Ville (esquisse à Carnavalet).

(31) Il l'avait acheté le 2 germinal an IX (23 mai 1801) et le fit décorer par Leconte. *Cf.* Jarry, *Vieilles demeures parisiennes*, Paris 1945.

(32) On le voit, édifié entre les deux chevaux de Marly, sur une peinture de J.-B. Cazin conservée à Carnavalet.

(33) Dès les premiers jours du Consulat, on avait songé à abattre la forteresse et à tracer une place sur son emplacement. Nous avons en effet (Archives nationales, N III, Seine 914) un projet en ce sens, signé des membres du Conseil des Bâtiments civils et du ministre de l'Intérieur Laplace, qui date donc du passage de ce dernier au ministère, novembre-décembre 1799.

(34) Une des dernières représentations de la forteresse est la gouache de Naudet, de 1798, conservée à Carnavalet.

(35) *Correspondance*, t. VII.

(36) Elles sont maintenant dans le parc de Sceaux.

(37) On les voit sur deux gravures de Dessacs et Lebeau, et Barbizza et Marsaldi, reproduites dans C. de Vinck, *La place du Carrousel*, Paris 1931.

(38) Ce n'était pas, comme certains l'ont écrit, la première fête officielle. Le 9 novembre précédent, un *Te Deum* avait déjà été chanté en l'honneur de la paix.

(39) Ces monuments se trouvaient autrefois à Saint-Paul-Saint-Louis. Lenoir avait sauvé les anges, mais ceux-ci lui avaient été repris pour orner la chapelle du pape, lors du couronnement de l'Empereur. *Cf.* Ledoux-Lebard, *La statue de la Paix de Chaudet*, in *Institut Napoléon, recueil de travaux*, Paris 1945.

(40) Cette démolition est représentée sur une gouache de Carnavalet. Le réfectoire subsiste (musée Dupuytren).

(41) Cité par Héron de Villefosse, *Histoire de Paris*, p. 276.

(42) Le pont avait d'abord été baptisé pont des Quatre-Nations, du nom du collège voisin.

(43) Fontaine et Percier exprimèrent leur inquiétude dans une lettre à Bourrienne, publiée par Bausset, *op. cit.*

(44) Le corps de Kléber, ramené d'Égypte en 1801 par le général Belliard, resta déposé au château d'If, et ne recevra de sépulture que sous la Restauration.

(45) Mme M. L. Biver (*op. cit.*) a critiqué cette opinion, traditionnelle, en faisant remarquer qu'à Sainte-Hélène, Napoléon avait dit le plus grand bien de Kléber. Mais l'on connaît le souci de l'Empereur en exil de « corriger » son règne, et de tenter d'effacer ses rancunes personnelles.

Chapitre IV

(1) Ce faisant, elle ne faisait qu'agrandir l'ancien cimetière du bas Montmartre, qui se trouvait à l'est de la rue Caulaincourt.

(2) *Les tombeaux ou essai sur les sépultures*, an IX, cité par Hautecœur, *Histoire de l'Architecture classique*, p. 220.

(3) Celles-ci, aménagées sommairement pour remplir ce rôle, avaient été consacrées par une cérémonie religieuse le 7 avril 1786.

(4) On estime à trois ou quatre millions le nombre d'individus représentés par les ossements des Catacombes.

(5) La plus célèbre, et la plus impressionnante, est celle des Capucins à Palerme.

(6) Cité par Ch. Kunstler, *Paris souterrain*.

(7) On ne plaça pas de cimetière à l'ouest, à cause des vents défavorables.

(8) Baron-Desfontaines, mort en 1822, sera enterré au Père-Lachaise, avec cette épitaphe : « N'occupe dans ce lieu que la place de sa tombe ».

(9) Hautecœur, préface à Marie-Louise Biver, *Le Paris de Napoléon*, Paris 1963.

(10) Il est possible que les restes donnés comme ceux de Molière soient authentiques. Mais il semble bien que La Fontaine ait été enterré aux Innocents et que ses ossements aient été dès le règne de Louis XVI mélangés à ceux des Catacombes *Cf. Intermédiaire des chercheurs et curieux*, juil. 1959.

(11) Notons encore que reposent au Père-Lachaise, non seulement bien des compagnons d'armes de l'Empereur, mais aussi deux femmes aimées de lui : Éléonore de la Plaigne, mère du comte Léon, et Pauline Fourès.

Chapitre V

(1) La démolition du couvent est représentée dans deux tableaux d'Hubert Robert (Carnavalet).

(2) Un grand dessin à la plume, signé de Fontaine, représentant une travée de la rue de Rivoli, est au cabinet des Estampes.

(3) Il est curieux de noter que, dans son projet de 1686 pour la place Vendôme, Louvois avait déjà prévu des arcades au rez-de-chaussée.

(4) *Mémoires d'outre-tombe*, t. III.

Chapitre VI

(1) Seulement en 1820. L'ordre, reconstitué en 1802, avait été à nouveau supprimé en 1810, et rétabli en 1816. Le séminaire fut fermé en 1906, et le bâtiment abrite maintenant les Contributions indirectes.

(2) Les vitraux enlevés servirent en partie à boucher les vides du haut des verrières et le restant fut vendu à un peintre-verrier, et disparut.

(3) 29 mars 1800.

(4) 9 ventôse an XII.

(5) Bausset, *op. cit.*

(6) D'après M. L. Biver, *op. cit.*

(7) Né en 1709, il avait connu à Versailles Françoise de Nargonne, veuve de Charles d'Angoulême, et donc belle-fille de Charles IX.

(8) *Cf.* Christian de Sèze, *Isabey et les poupées du Sacre*, in *Miroir de l'Histoire*, nº 117.

(9) L'annulation fut prononcée sur ces trois chefs : défaut de présence du curé de la paroisse, défaut des témoins prescrits, défaut du consentement réel de l'Empereur. Les deux premiers arguments étaient discutables, le pape ayant donné toutes les dispenses. La cause était cependant plaidable (Napoléon avait incontestablement subi une « violence morale ») mais ne pouvait de toutes façons être jugée que par le pape, seul maître d'étudier les annulations de mariage des souverains. Mais en 1809, Napoléon se garda bien de s'adresser au pape, alors prisonnier à Savone, et préféra faire pression sur l'officialité de Paris. La catholique cour de Vienne ferma les yeux. Le pape ne reconnut jamais cette annulation, mais seulement à cause de l'irrégularité de la procédure : il ne se prononça jamais sur le fond.

(10) On a dit et répété que Lebon fut assassiné dans les fourrés des Champs-Élysées le 2 décembre 1804 à l'aube, et Sacha Guitry lui a même fait dire en mourant : « Si l'on avait éclairé le jardin avec mon procédé, ce ne serait pas arrivé. » En réalité, l'acte de décès de Philippe Lebon (Archives nationales) fixe au 1er décembre sa mort, simplement causée par la goutte : des lettres de lui-même et de sa veuve en attestent.

(11) On ignore généralement que Lebon avait observé les propriétés explosives du gaz d'éclairage mélangé à l'air, et son action sur un piston : il avait ainsi établi la première théorie du moteur à explosion.

(12) Elles avaient été auparavant bénies à Notre-Dame : un tableau de Carnavalet représente la scène.

(13) Le peintre avait en réalité reçu la commande de quatre toiles : le Sacre, l'intronisation de L.L. MM. à Notre-Dame (c'est-à-dire la cérémonie civile suivant la cérémonie religieuse), la Distribution des Aigles et la réception à l'Hôtel de Ville. Seules, la première et la troisième furent exécutées.

(14) L. Dubech et P. d'Espezel, *Histoire de Paris.*

(15) La première réunion dans le nouvel édifice eut lieu le 4 octobre 1806.

(16) Elle était ornée de décors peints représentant un aigle et huit muses, qui ont disparu lors de la récente restauration. Un dessin aquarellé représentant la transformation de la chapelle en salle de séances est dans la coll. Ledoux-Lebard.

(17) Hautecœur, *op. cit.*

(18) Rue du 6-Juin-1944.

(19) L'hôtel Thelusson était à l'angle des rues Lafayette et Lafitte. La dernière aile a été abattue en 1929. Les jardins allaient jusqu'à la rue Chantereine.

(20) Des dessins de Girodet pour le décor de la salle de bains de l'Élysée sont conservés à Carnavalet.

CHAPITRE VII

(1) Ce projet est donc antérieur à celui de Pastoret, de 1797, dans lequel M. François Boucher (*Le Pont-Neuf*, Paris, 1925, t. II, p. 101) voit la première expression de cette idée de colonnes dont on parlera dix ans durant.

(2) Projet et plans aux Archives nationales, N III, Seine 762.

(3) Le square du Vert-Galant ne sera créé que sous le Second Empire.
(4) Le décret a été publié par M. François Boucher, *op. cit.* 99.
(5) Archives nationales, F[13] 870.
(6) Poyet voyait grand : la colonne Vendôme en aura quarante-trois.
(7) A Carnavalet.
(8) *Cf. Arch. de l'art français*, 1re série, t. VI, p. 340.
(9) *Inv. des richesses d'art de la France*, t. I, p. 345.
(10) Pendant toute la Révolution, la Liberté, juchée sur un socle trop petit pour elle, avait eu l'air de garder inconfortablement l'équilibre : symbole... Ce n'est qu'en août-septembre 1799 que Peyre avait établi un rapport plus convenable entre la statue et le piédestal.
(11) Archives nationales, F[13] 325 a.
(12) A. Mousset, *op. cit.*
(13) Idem.
(14) *Papiers de Lenoir*, *op. cit.* I 291.
(15) Albert Mousset, *op. cit.*
(16) Saint-Vincent-Duvivier, in *Revue des Beaux-Arts*, 1er juillet 1856.
(17) Albert Mousset, *op. cit.*
(18) Bausset raconte que, sur les canons pris, une vingtaine furent demandés à l'Empereur par son ministre des Finances Gaudin. Ils étaient destinés à refaire les balanciers de l'Hôtel des Monnaies, et devaient être gravés chacun du nom d'Austerlitz. Napoléon ordonna au ministre de la Guerre de mettre une batterie de vingt canons à la disposition de son collègue des Finances.
(19) On trouvera tous détails techniques dans le *Bulletin de la Société des Amis des monuments parisiens*, 1896.
(20) Il avait été remarqué pour son envoi au Salon de 1807 : *Honneurs rendus à Raphaël après sa mort.*
(21) M. Hautecœur dit que les modèles de ces sculptures sont conservés au Musée monétaire, mais ce musée ne garde qu'un dossier relatif à une réduction en bronze de la colonne, exécutée en 1832 par un certain Brenet, et qui a disparu depuis. Une réduction identique fait partie des collections du Prince Napoléon.
(22) Mme Biver (*op. cit.*) combat cette « légende », pourtant rapportée par les journaux de l'époque, mais ses arguments semblent discutables. Et elle se trompe en déclarant que l'Empereur était représenté en costume du Sacre. D'après les gravures, il était bien costumé en imperator.
(23) Cette victoire a une histoire assez curieuse. Lors de la descente de la statue, elle fut emportée par un groupe d'ouvriers et laissée par eux en gage chez un marchand de vins. Celui-ci la remit au préfet de la Seine, qui la fit, quelques mois plus tard, comprendre dans une vente aux enchères. Un employé de la préfecture de Police l'acquit pour 32 francs, et ses héritiers la revendirent plusieurs milliers de francs au prince-président. Celui-ci lors de la réfection de Dumont, l'obligea, malgré ses réticences, à réutiliser cette victoire, qui remonta ainsi sur la colonne. Mais, quand en 1871, la statue fut renversée, la statue disparut. On la dit conservée dans une collection privée.
(24) Un tableau de Bouhot du musée Carnavalet, daté par erreur de 1808, représente la place avec la colonne terminée.
(25) On ignore généralement que le modèle en plâtre de la statue de Chaudet fut conservé. D'après Jules Rohaut (l'*Illustration*, 13 novembre 1873) il était vers 1832 en la possession d'un peintre de Tournai.
(26) *Cf.* plus haut, no 112.
(27) Nous avons retrouvé à Maisons-Laffitte une statue qui est une variante de celle de Seurre.
(28) Lanzac de Laborie, *op. cit. Cf.* plus haut no 23.

Chapitre VIII

(1) Les Grecs, dit Plutarque, avaient l'habitude de ne célébrer leurs victoires que par des trophées en bois et de ne jamais les relever lorsque le temps les avait détruits, « afin de ne pas éterniser les haines en rendant ces édifices trop durables ».

(2) *Cf.* plus haut, nº 90.

(3) Le plan est aux Arch. nationales, N III, Seine 1274.

(4) La même année, était commencé un troisième arc à Milan.

(5) Bausset, *op. cit.*

(6) Chaptal prétend que Napoléon obligea Fontaine à commencer les fondations avant d'avoir terminé plans et devis.

(7) L'une d'elles, gravée sur ordre de Denon, portait « Denon direxit » et, plus bas, en plus petit : « Fontaine architecte ».

(8) Baltard, *Arc de triomphe du Carrousel*, Paris 1875.

(9) Cité par M. L. Biver, *op. cit.*

(10) Journal inédit de Fontaine, cité par Madeleine Tartary (*Miroir de l'Histoire*).

(11) L'arc de Septime-Sévère mesure 21 mètres de haut et 23 mètres de large, celui du Carrousel 15 mètres de haut et 20 mètres de large.

(12) Elles provenaient du vestibule du château, décoré par Louvois en 1679.

(13) A l'intérieur se trouvent trois salles, une au-dessus de chaque arche; deux terrasses, invisibles d'en bas, encadrent le groupe.

(14) Les auteurs de ces statues sont Dumont pour le sapeur, Bridan pour le carabinier, Moutoni pour le carabinier de ligne, Dardel pour le grenadier, Foucou pour le chasseur à cheval (lequel est à pied), Corbet pour le dragon, Taunay pour le cuirassier, et le Lyonnais Chinard, l'auteur du buste de Mme Récamier, pour le carabinier de cavalerie. Des moulages conservés au musée de l'Armée permettent d'examiner plus facilement ces morceaux.

(15) Mariole figure en tous cas dans la *Distribution des Aigles* de David, en bas à droite.

(16) *Cf.* Henri Lachouque, *Le premier sapeur de France*, in *Miroir de l'Histoire*, nº 19.

(17) Ils représentent *la capitulation d'Ulm*, par Cartellier, *Austerlitz* par Espercieux, *l'entrée à Vienne* par Deseine, *l'entrée à Munich* par le vieux Clodion, *l'entrevue des deux empereurs* par Ramey, *la paix de Presbourg* par Lesueur. Le bas-relief de Lesueur, sculpté sur l'intrados de l'arccentral, *La Victoire couronnant Napoléon*, a été transformé sous la Restauration : L'Empereur s'est mué en trophée d'armes.

(18) Charles Percier, *Résidences des souverains*, p. 22.

(19) Il est représenté, en place dans le char, sur une des planches gravées par Baltard, sur l'ordre de Percier et Fontaine, et publiées en 1875.

(20) Où on plaça à côté d'eux une inscription en bronze stigmatisant la « cupidité ennemie », inscription qui a été enlevée pendant la guerre de 1914-1918.

(21) *Cf.* Gérard Hubert, *L'art français au service de la Restauration*, *Revue des Arts*, nº 4, 1955.

(22) Ce serait d'après Percier et Fontaine (*L'arc du Carrousel*) « un sceptre surmonté de la figure de l'illustre auteur de La Charte », c'est-à-dire Louis XVIII : mais il faudrait aller y voir...

CHAPITRE IX

(1) *Correspondance*, XII, 9841.
(2) *Inventaire des richesses d'art de la France*, I, 166.
(3) *Correspondance*, XII, 10217.
(4) Ribart de Chamoust, directeur du canal du Midi à Adge était associé de l'Académie des sciences et belles-lettres de Béziers à la date de 1767. Il n'était pas membre titulaire de l'Académie, ce qui laisse supposer qu'il était étranger (Renseignements communiqués par MM. Ros, archiviste municipal, secrétaire de l'Académie, et Lugand, conservateur du musée de Béziers).
(5) Archives nationales, 0^1 1590, cité par Mousset, *op. cit.*
(6) *Inventaire des richesses d'art de la France*, I, 161.
(7) Archives nationales, F^{12} 1032, cité par Mousset, *op. cit.*
(8) Elle se trouve au centre du petit arc faisant face à Passy, recouverte d'une dalle de plomb.
(9) Le dessin, avec l'annotation, est dans les collections du Prince Napoléon.
(10) Archives nationales, F^{13} 203 et 206.
(11) Elles iront à 8,37 m.
(12) Il est représenté dans un tableau de Taunay (musée de Versailles) et un dessin de Hennequin (musée de Bagnères-de-Bigorre), reproduits dans *Société d'iconographie parisienne*, 1932.
(13) Cité par Mousset, *op. cit.*
(14) Rappelons que l'arc du Carrousel tiendrait à l'aise sous la voûte de celui de l'Étoile.
(15) Archives nationales, F^{13} 499 et 510.
(16) Archives nationales, F^{13} 1027.

CHAPITRE X

(1) Archives nationales F^{13} 1005, dossier 3.
(2) 3 décembre 1808. Archives nationales F^{13} 1005, dossier 3.
(3) Signé « Chaudet membre de l'Institut et de la Légion d'honneur, rue de Seine n° 6 en face celle Mazarine. »
(4) Seule, la partie orientale du Châtelet avait été démolie de pluviôse X à frimaire XI. La partie occidentale fut démolie en 1806. *Cf.* H. Lemoine, *La démolition du Grand Châtelet et la formation de la place*, in Mémoires de la Soc. d'Hist. de Paris, t. XLIX.
(5) Archives Nationales F^{13} 1005 dossier 3.
(6) Cité par Mousset, *op. cit.*
(7) Archives nationales, F^{13} 1005.
(8) Idem.
(9) Mousset, *op. cit.*
(10) Archives nationales, F^{13} 1005.
(11) Idem.
(12) Idem.
(13) Idem.
(14) Mousset, *op. cit.*
(15) Et non 1824, comme ont dit bien des auteurs. L'édition de 1822 de Dulaure la montre déjà à son nouvel emplacement.
(16) Paul Léon, *Fontaines de Paris.*

Chapitre XI

(1) Bausset, *op. cit.*
(2) *Correspondance*, t. XII, p. 125.
(3) Il nous est connu par une gravure. *Cf. Bull. des Amis des monuments parisiens*, 1885, p. 44.
(4) Ils représentaient *Les droits naturels de l'homme en société*, par Boichot, *L'Empire et la protection de la Loi*, par Fortin et *La nouvelle jurisprudence*, par Roland. Des fragments de ce dernier subsistaient encore en 1885 (*Bull. des Amis des monuments parisiens*, 1885).
(5) Elle avait déjà été en partie démolie par le percement en 1800, de la rue de l'Abbaye, qui s'appela rue de la Paix de 1802 à 1809.
(6) L'Hôtel-Dieu avait en 1805 repris possession de l'église Saint-Julien-le-Pauvre, jusque-là magasin à sel, et s'en servait comme dépôt d'approvisionnement.
(7) A Versailles. *Cf.* Charles Otto Zieseniss, *Un portrait du maréchal Ney au Musée de Versailles*, in *Revue du Louvre*, 1962, nº 1. Une aquarelle de Fontaine (col. Morel d'Arleux) représente le salon.
(8) De nombreux maréchaux et hauts dignitaires se firent, à la même époque, construire ou aménager dans Paris de luxueuses résidences, dont l'étude dépasserait trop notre sujet. Signalons cependant la charmante et peu connue maison de campagne du maréchal Masséna, qui subsiste 23, rue Jean-Dolent.
(9) 7 heures et 20 heures de notre horaire.
(10) 8 heures de notre horaire.
(11) Ce point a été précisé par Mme M. L. Biver, *op. cit.*
(12) Voir l'état de la question dans M. L. Biver, *op. cit.*
(13) Rappelons qu'en 1936, le pont a été élargi, en respectant les motifs sculptés, qui ont été reportés sur les nouvelles façades, et les cavaliers placés perpendiculairement au pont, ce qui leur donne un effet plus heureux.

Chapitre XII

(1) Archives des Affaires étrangères.
(2) 82 dit Hautecœur, 127 dit l'*Inv. des rich. d'art de la France.* Mme M. L. Biver dit plus de 80, et en a retrouvé une vingtaine, dont elle a identifié les auteurs.
(3) *Correspondance*, 1807.
(4) R. A. Weigert, *La Madeleine*, Paris 1962.
(5) Dans une autre lettre à Cambacérès (13 novembre 1808), Napoléon émet l'idée de faire construire ce monument par le Corps législatif, dont les membres seraient taxés d'une participation de cent francs par an, de façon à recueillir quinze millions. « C'est un moyen, ajoute-t-il, d'avoir un beau monument que la position de Paris réclame, et de le faire faire aux frais de personnes que cela ne gênera pas » (*Vieux Montmartre*, 3e série, 1897-1900, p. 338).
(6) Mousset, *op. cit.*
(7) Le Musée Carnavalet conserve un projet, par Delannoy, de transformation de l'édifice en église St.-Napoléon.
(8) Cité par Mousset, *op. cit.*

Chapitre XIII

(1) La seule représentation connue de cette scène est une assiette, décorée par Swebach en 1808 et acquise en 1964 par le musée de Malmaison.
(2) Les conscrits étaient partis de la porte Saint-Denis le 2 février 1807, scène qui a fait le sujet d'un tableau de Boilly (Carnavalet).

(3) Cette galerie est représentée sur une gouache de Carnavalet.
(4) *Cf.* le dessin *La Victoire et la Paix*, conservé à Carnavalet.
(5) Disparu. L'actuel date de 1842.
(6) Elle ne s'installera rue d'Ulm qu'en 1847.
(7) De 1800, nous avons également un autre projet, par Lecomte, conservé à Carnavalet.
(8) Ces divers frontons, et les bas-reliefs disparus, sont reproduits dans *Société d'iconographie parisienne*, 1929.
(9) Le modèle est à Carnavalet.
(10) Il ne semble pas qu'elles aient jamais été mises en place. Cependant, une aquarelle de Fontaine, reproduite dans son ouvrage *Journal des Monuments de Paris*, montre, sur le pont, des statues aux socles marqués du N. Peut-être ne s'agit-il que de maquettes provisoirement installées, ou même d'un dessin d'imagination.
(11) Lors de l'élargissement du pont de la Concorde, en 1930, les massifs carrés de Perronet ont été reproduits sur les nouvelles façades de l'ouvrage, mais taillés en pointe de diamant, afin de ne plus donner l'impression de socles vides.
(12) *Correspondance*, 14599, 21 décembre 1808.
(13) Chalgrin avait-il concouru? Des plans conservés aux Archives de la Bourse portent son nom.
(14) Bausset, *op. cit.*
(15) Elle lui apprenait vraisemblablement la collusion de Talleyrand et de Fouché, qui jusque-là se détestaient.
(16) Fontaine, *Résidences des souverains*, *op. cit.*
(17) Pendant cette période, Napoléon a habité l'Élysée du 28 février au 10 mars, du 15 au 18 mars et du 31 mars au 13 avril 1809.
(18) Celui-ci occupa le premier étage du bâtiment, jusqu'en 1865.
(19) Au Salon de 1804, Gisors avait proposé d'y établir des « Thermes Napoléon », surmontés de cette devise : *Flabit spiritus ejus et fluent aquae.*
(20) *Correspondance*, t. XIX, p. 406.

Chapitre XIV

(1) Cité par Mousset, *op. cit.*
(2) Idem.
(3) Des plans, élévations et coupes de Chalgrin pour l'arc sont conservés aux Archives nationales, N III Seine 1164.
(4) Au Luxembourg, où il avait un appartement.
(5) Le Directeur des travaux de Paris proposa en 1819 de la transformer en château d'eau.
(6) C'est le seul architecte dont le nom figure sur le monument. Quel régime se souciera de rendre justice à Chalgrin?
(7) On ignore généralement que les quatre hauts-reliefs des piédroits glorifient la Révolution (le *Départ des volontaires*), l'Empire (*Napoléon couronné par la victoire; la Résistance*) et la Restauration (*la Paix*). L'électique Louis-Philippe a ainsi étendu à tous les régimes qui l'avaient précédé depuis 1792 l'hommage que Napoléon réservait à ses seuls soldats. Sous l'Empire, Denon avait proposé comme sujets pour les « trophées », les « agrandissements de l'Empire ».
(8) Aussi modestement qu'avait été posée la première pierre trente ans plus tôt, et hors de la présence de Louis-Philippe.

(9) Sur cette question, *cf.* E. Le Senne, *Les projets de couronnement de l'arc de triomphe*, in *Bul. Soc. hist. des VIIIe et XVIIe arrondissements*, t. XIII, 1911.

(10) Il s'agit de Julie, femme de Joseph, Élisa, Pauline et Hortense. Caroline, bien que l'aînée d'un an d'Hortense, avait réussi à se faire dispenser de la corvée comme étant la plus jeune. La traîne de Joséphine au Sacre avait été portée par Julie, Élisa, Pauline et Caroline.

(11) Cité par Christiane Aulanier, *le Salon carré.*

(12) La cérémonie est représentée dans deux tableaux de Rouget, au musée de Versailles. Un dessin de Benjamin Six, représentant le cortège dans la Grande Galerie après la cérémonie, est au Louvre.

(13) Archives nationales, 0[1] 149.

(14) L'ambassade se trouvait 40, rue du Mont-Blanc (actuelle Chaussée-d'Antin).

(15) Elles furent installées rue de Sévigné (hôtel Poulletier, hélas) et rue du Vieux-Colombier, où elles se trouvent toujours, et à la préfecture de Police.

(16) Ce passage doit beaucoup à l'ouvrage de Mme M. L. Biver (*op. cit.*) dont nous nous écartons cependant sur certains points (*cf.* n. 19).

(17) Même jour que l'inauguration de la colonne Vendôme.

(18) *Description de la colonne Vendôme*, Paris, s. d. On trouvera des documents sur cette statue aux Archives nationales, F[12] 511.

(19) Lemot, chargé de l'opération, conserva la tête et les pieds du Desaix et les offrit à Lenoir pour le musée des monuments français. On ne sait ce qu'il en advint. Il existe également un moulage de la statue, qui se trouvait en 1883 en haut de l'escalier sud-est de la Cour carrée. Le piédestal, démoli en 1816, fut déposé chez Lenoir. *Cf. Inv. des rich. d'art. de la France*, t. I, p. 434.

(20) C'est pourquoi nous avons encore à proximité, une rue du Château-d'Eau.

(21) Son projet a été gravé (col. André Dupuis).

(22) Hautecœur, *op. cit.*

(23) Son projet est à Carnavalet.

(24) Son projet, étudié par Mme M.-L. Biver, est aux Archives Nationales. Nous en publions un autre, inédit, qui en est peut-être une variante.

Chapitre XV

(1) De ces pillages nous sont restés *Les Noces de Cana* de Véronèse, et quelques statues antiques : Le Tibre, la Pallas de Velletri, le gladiateur d'Agasias, le vase Borghèse.

(2) Ce fut la « rue impériale », qui a été peinte par Canella (Carnavalet).

(3) Emplacement de la place du Carrousel.

(4) Ce second étage s'arrêtait, au nord, quelques travées avant l'angle nord-ouest. Au sud, il semble que l'on ait, au XVIIIe siècle, également commencé à remplacer l'attique par l'étage dans les travées avoisinantes de l'aile est. Il semble bien, de toutes façons (*cf.* n. 211) que Percier et Fontaine aient abattu, au nord et au sud, les embryons de second étage réalisés avant eux.

(5) Et même, en retour sur la face est, Percier et Fontaine refirent les avant-corps des deux extrémités.

(6) Ces « parties commencées », démolies par Fontaine, devaient être des amorces de second étage construites par Soufflot au XVIIIe siècle, et devenues inutilisables.

(7) Journal inédit de Fontaine, cité par Madeleine Tartary, *Le Louvre et les Tuileries sous Napoléon*, in *Miroir de l'Histoire*, décembre 1954.

(8) Christ, *Le Louvre et les Tuileries*, Paris 1949.

(9) Documents sur leur transfert, réalisé en novembre 1807, dans les papiers de Lenoir, *op. cit.*

(10) Tous les auteurs, et en particulier M. Pierre du Colombier (*Jean Goujon*) ont admis que les deux frontons qui décorent le guichet Saint-Germain-l'Auxerrois provenaient de la façade sud du Louvre, et les ont étudiés comme tels. Nous ferons cependant remarquer que ces frontons du guichet de la colonnade n'ont ni la même forme (pas de décrochement central) ni les mêmes dimensions (ils sont nettement plus grands) que leurs homologues de l'aile ouest. En tout état de cause, en y joignant les sculptures de l'École des beaux-arts, nous n'aurions là que les éléments de deux avant-corps sur les trois qui devaient être ornés.

(11) Au même avant-corps se distingue la date 1805 ou 1806.

(12) Un dessin de Percier pour cette porte est conservé dans la col. Le Fuel.

(13) Chappe s'était, l'année précédente, suicidé en se jetant dans son puits.

(14) Il fut inauguré pour le Salon de 1812.

(15) Plusieurs des artistes expulsés allèrent s'installer dans les chapelles de l'église de la Sorbonne, aménagées à cet effet.

(16) Va 76 fol.

(17) *Journal inédit de Fontaine*, cité par Mad. Tartary, *op. cit.*

(18) Idem.

(19) La première travée de cette aile, en partant des Tuileries, avait été construite dès la fin du XVIIe s. Elle figure sur des gravures du XVIIe et sur un dessin d'Isabey et Carle Vernet, fait de leur logement de la Grande Galerie, et représentant une revue consulaire (*Cf.* Carle de Vinck, *La place du Carrousel*, Paris 1931).

(20) Le quatrième avant-corps en partant des guichets de Rohan est plus large que les autres, et décoré de niches, que l'on devrait bien garnir de statues. Dans l'esprit des architectes, il marquait sans doute le centre de la nouvelle aile, dite aile Napoléon, qui se serait donc étendue jusqu'à l'actuel pavillon central du ministère des Finances.

(21) L'Albertina. Napoléon, rappelons-le, revenait de Vienne.

(22) La saint Napoléon avait été instituée en 1806, et fixée au 15 août, jour anniversaire de l'Empereur. L'existence de ce saint paraît extrêmement problématique. *Cf.* Michel Sicard, *La saint Napoléon*, in *Miroir de l'Histoire*, septembre 1960.

(23) Cette chapelle figure encore dans le recueil de Percier et Fontaine (*Résidences de souverains, op. cit.*), publié en 1833. Visconti et Lefuel la remplaceront par un pavillon d'angle très inspiré du pavillon de Rohan de Percier et Fontaine, et qui, avec son air de palais florentin, a beaucoup d'allure : personne cependant ne le remarque. Fontaine, mort en 1853, plus que nonagénaire, vécut assez pour voir l'abandon définitif de son plan, et le début de l'exécution de celui de Visconti.

(24) Il en subsista, jusqu'en 1850 un fragment d'abside que l'on voit sur un tableau de Mlle Jauner, de 1833 (Carnavalet). Les stalles de cette église partirent pour l'Oratoire, qui devint temple protestant à la place de Saint-Louis du-Louvre, qui l'était depuis 1802.

Chapitre XVI

(1) *Correspondance*, 14 mai 1806. Mme M. L. Biver (*op. cit.*) a fait remarquer que ces projets sentent le gothique troubadour. Là encore, Napoléon romantique...

(2) « L'éléphant de la Bastille, dit M. Hautecœur, évoquait l'animal que l'Empereur, avant de choisir l'abeille, aurait voulu prendre comme symbole. » (Préf. à M. L. Biver, *op. cit.*). Nous ne connaissons pas l'origine de cette assertion.

(3) Hautecœur, *op. cit.*

(4) Moutoni avait, pour cela, fait des études au Jardin des plantes, d'après l'éléphant femelle, prise de guerre rapportée de Hollande, et que l'Empereur avait fait somptueusement installer : « Napoléon lui a fait édifier, dit un visiteur de 1814, une somptueuse demeure, avec piscine » (cité par M. L. Biver, *op. cit.*).

(5) Une d'entre elles, peut-être celle de Dillon, est à Carnavalet.

(6) Une autre dans la col. Raymond Poteau. Citons encore neuf dessins et un d'Hervier au Louvre, et un autre d'Alavoine à l'École des Beaux-Arts.

(7) C'est le mot de Metternich.

(8) 11 juillet 1831, cité par Biré, *Les dernières années de Chateaubriand*, p. 58.

(9) Journal inédit de Fontaine.

(10) Les monuments à Louis XIV de Coysevox (place Vendôme) et à Louis XV de Bouchardon (place de la Concorde) étaient à peu près deux fois plus hauts que larges.

(11) Sur la question de ce monument *cf.* Archives de la Seine, Q^{10} 747, et Archives de la Bibliothèque Historique de la Ville de Paris, dossier IV, 7 ms 16.086.

Chapitre XVII

(1) Il en existe deux exemplaires, conservés à Fontainebleau et à Vienne. Le dessin de Prud'hon pour ce berceau est dans la col. Odiot.

(2) Ce chapitre doit beaucoup à l'étude de M. Roger Wahl, *Le palais du roi de Rome*, Neuilly 1955.

(3) Napoléon avait acheté Bagatelle, aliéné par la Révolution, en 1806, pour 170 000 francs. Fontaine l'avait remis en état. Le roi de Rome y fut conduit à plusieurs reprises.

(4) Une est conservée à Malmaison, deux autres se trouvaient en 1932 dans la col. de Mme Theys-Foulon (Exp. *Le roi de Rome*, Orangerie, nº 324) et deux (autres?) dans la col. de Mlle Jacqueline Bosscher (Exp. *Auteuil-Passy d'autrefois*, musée Galliéra, 1935). Un dessin à la plume et au lavis représentant l'élévation de la façade et une coupe en profondeur est dans la col. Jean Meunié. Un plan de situation à la plume et à l'aquarelle est aux Archives des bâtiments civils. Dans la col. de Mme Dupont se trouve un album contenant plans, élévations, coupes et projets.

(5) Cité par Jacques Bourgeat in *Miroir de l'Histoire*, nº 64.

(6) On trouvera le récit de cette première visite dans les *Souvenirs de la Restauration* de A. Nettement.

(7) Napoléon, grand militaire, n'a pas construit de casernes au moins dans Paris. Mais, à proximité, signalons les importantes constructions du Mont-Valérien, dont les plans sont aux Archives nationales, et dont une partie fut réalisée.

(8) Un projet pour la façade d'une École des beaux-arts (dessin à la plume) est aux Archives nationales.

(9) Cité par Hautecœur, *op. cit.*

(10) Que sont devenues ces premières pierres, avec leurs inscriptions de métal?

(11) *Cf.* Bernard Mahieu, *Les projets napoléoniens au Champ-de-Mars*, in *Bul. Soc. hist. de Paris*, 1962.

(12) Elle fut retrouvée en 1849.
(13) En 1840, Vitet et Marochetti présentèrent un projet de tombeau colossal de Napoléon sur la colline de Chaillot (*Revue des Deux-Mondes*, septembre 1840).
(14) Les terrains sont passés à plusieurs reprises, au XIXe siècle, en tout ou en partie, de la propriété de l'État à celle de la Ville, et réciproquement. Finalement, le premier garda les bâtiments, et la seconde les jardins.
(15) La scène est représentée dans un dessin de J. Goubaud, du musée de Versailles.
(16) *Inv. des rich. d'art de la France, op. cit.* t. II.
(17) Le sculpteur Moitte, survivant de l'Ancien Régime, qui en avait été chargé, était mort avant de mener sa tâche à bien, et sa maquette avait été jugée peu satisfaisante. *Cf.* Biver, *op. cit.*
(18) Il y restera un mois et demi.
(19) Dès ventôse an X (1802), Delannoy avait relevé des plans du bâtiment et fait un projet de bibliothèque (Archives nationales, N III, Seine 1418).
(20) On pourra rapprocher de cette réalisation un projet de réfection du décor intérieur de l'Odéon, conservé aux Archives nationales, N III, Seine 1144.
(21) Elle se trouve à la *Wagenburg* de Schœnbrunn.

Chapitre XVIII

(1) *Correspondance*, nº 16905, 14 septembre 1810.
(2) Décret du 31 janvier 1806.
(3) Leurs plans sont aux Archives nationales, N III Seine 210 et N III Seine 935.
(4) *La femme de trente ans*, cité par M. L. Biver (*op. cit.*), qui écrit à tort que le bâtiment a disparu.
(5) Il fut transféré du quai de la Mégisserie.
(6) Sur les plans de Le Camus de Mézières.
(7) Plans et études de Bélanger, datés de 1809-1812, sont conservés aux Archives nationales, N III Seine 1067.
(8) Cité par Stern, *A l'ombre de Sophie Arnould : Bélanger*, Paris.
(9) Archives nationales N III Seine 1065 et 1066.
(10) Lanzac de Laborie, *Paris sous Napoléon*. Un tableau de Bouhot (musée Carnavalet) représente la scène.
(11) La tombe de Guillaume de Chanac (XIVe siècle) qui se trouvait dans l'église abbatiale, fut transportée au Louvre, et l'orgue à Saint-Germain-des-Prés. On voit encore dans la cour du 4, rue Linné quelques traces d'arcades de l'abbaye.
(12) Il fut démoli en 1853.
(13) Il avait servi de prison jusqu'en 1808. Un des derniers plans que l'on possède du donjon avant sa démolition est celui de M. Beaumont, de 1804 (Archives nationales, N III Seine 1505).
(14) Le donjon se trouvait à l'emplacement du sol des rues des Archives et Perrée, empiétant un peu sur le trottoir et le square. La halle au vieux linge se trouvait entre les rues Dupetit-Thouars et Perrée.
(15) L'opinion de M. Hillairet, qui prétend (*Évocation du vieux Paris*), que l'ancien cloître du couvent a été réutilisé dans la nouvelle construction, ne résiste pas à l'examen des lieux.
(16) Il est représenté sur une gravure du *Petit atlas pittoresque de la Ville de Paris en 1834*, de V. Perrot.

(17) La fontaine fut longtemps conservée au centre de la cour de l'école. Elle ne disparut qu'en 1929.
(18) Hautecœur, *op. cit.*
(19) Il se trouvait entre la rue et le boulevard Rochechouart, l'avenue Trudaine et la rue Bochart-de-Saron. Il fut démoli en 1868 et a cédé la place au collège Rollin, maintenant lycée Jacques-Decour.
(20) Il se trouvait entre le boulevard Haussmann et les rues de la Bienfaisance, de Miromesnil et de Téhéran. Il fut démoli en 1868.
(21) Il se trouvait entre les rues de Ménilmontant, Saint-Maur, du Chemin-Vert et l'avenue Parmentier. Il fut démoli en 1868.
(22) Il était situé boulevard de l'Hôpital, à l'emplacement de l'actuelle École des arts et métiers, et fut démoli en 1904.
(23) Il était situé entre les rues Pérignon, Barthélemy, Bellart et Bouchut. Il fut démoli à la fin du XIXe siècle, et remplacé par les abattoirs de Vaugirard actuels.

Chapitre XIX

(1) Le 23 décembre.
(2) On a souvent cité l'anecdote selon laquelle, en octobre 1812, Chabrol, s'étant présenté à l'improviste aux Tuileries, fut apostrophé par l'Empereur, qui, le trouvant trop jeune, lui aurait demandé son âge. Chabrol aurait répondu : « Sire, j'ai tout juste l'âge qu'avait Votre Majesté quand elle gagna la bataille d'Arcole. » Réponse qui aurait décidé de son avancement. Mais, en octobre 1812, Napoléon était en Russie, et, à cette époque, Chabrol, né en 1773, avait trente-neuf ans, alors que Bonaparte à Arcole, en avait vingt sept...
(3) Hautecœur, *op. cit. Cf.* également V. Bindel, *Un rêve de Napoléon, le Vatican à Paris*, Paris 1942.
(4) Méneval, *Mémoires.*
(5) Une des cloches de la pompe de la Samaritaine est à Saint-Eustache.
(6) Bausset, *op. cit.*

Chapitre XX

(1) *Correspondance*, 5 avril 1815.
(2) *Résidences des souverains*, *op. cit.*

Conclusion

(1) Napoléon avait même eu l'idée d'imposer la plus-value que retireraient les immeubles dégagés par les démolitions, ce qui annonce notre « surface corrigée ».
(2) André Chastel, *Le Monde*, 1963.

L'auteur remercie Mlles G. et B. Morel d'Arleux, MM. Le Fuel, Alfred Marie, eunié, le docteur Ledoux-Lebard et la Direction des Archives de France.

BIBLIOGRAPHIE SOMMAIRE

Les sources de cette étude sont de trois sortes :

MANUSCRITES : ce sont les documents d'archives dont la plupart sont conservés aux Archives nationales, dans les séries F^6, F^{12}, F^{13} et F^{21}. Quelques documents, d'acquisition récente, sont conservés aux Archives de la Seine (en particulier dans la série Q^{10}). Les principales références ont été indiquées en note. Nous avons pu également consulter le journal inédit de Fontaine, conservé par ses héritiers.

GRAPHIQUES : des dessins originaux sont conservés dans de nombreuses collections publiques (Carnavalet, Malmaison, col. Destailleurs de la Bibliothèque Nationale, Archives) et privées (héritiers de Percier et de Fontaine). Les estampes du musée Carnavalet et de la Bibliothèque nationale et les plans manuscrits des Archives nationales (série N III) fournissent d'importants renseignements. Il faut cependant noter que l'absence d'un inventaire général des collections napoléoniennes des musées français est fort regrettable. De nombreux documents graphiques ont été présentés en 1955 aux Invalides, à l'exposition *Napoléon et Paris,* dont nous avons pu consulter le catalogue grâce à l'obligeance de M. Alfred Marie.

IMPRIMÉES : les différentes décisions ou projets écrits de l'Empereur (lettres, décrets) sont rassemblés dans la *Correspondance générale* de Napoléon. A partir de ces textes, il faut utiliser, parfois avec prudence, les mémoires des contemporains, dont les principaux sont : Bausset, Bourrienne, Fain, Méneval, la duchesse d'Abrantès, Pasquier, Beugnot, Chaptal, Mme de Rémusat, la reine Hortense, Hyde de Neuville, le duc de Gaète, Marco Saint-Hilaire, Kotzebue, la comtesse Potocka, Nodier, Mme de Reiset, Roederer, etc. Percier et Fontaine ont consacré plusieurs ouvrages abondamment illustrés à leur œuvre parisienne du Premier Empire. On consultera également avec profit les descriptions de Paris contemporaines (Dulaure, Legrand et Landon, Béranger, Quatremère de Quincy, Voiart, Amaury-Duval), et les journaux de l'époque (Aulard, *Paris sous le Premier Empire*).

Pour ce qui est de la bibliographie proprement dite, nous nous contenterons de citer quelques-uns des très nombreux ouvrages traitant de la question, toutes les études particulières utilisées par nous ayant été citées en note. L'ouvrage de Lanzac de Laborie, *Paris sous Napoléon*, est vieilli et dépassé sur de nombreux points, mais fournit encore nombre de renseignements précieux. Le livre de M. Albert Mousset, *Petite histoire des monuments de Paris* (Paris **1947**) a renouvelé la question sur plusieurs points, grâce à des recherches d'archives. On ne manquera pas de consulter les ouvrages magistraux que sont l'*Histoire de l'urbanisme* de Pierre Lavedan et l'*Histoire de l'architecture classique en France* de Hautecœur, ainsi que, sur le plan historique pur, les œuvres de Fred. Masson et de Louis Madelin, avec les publications de l'Institut Napoléon. Enfin, citons à nouveau l'important ouvrage de Marie-Louise Biver, *Le Paris de Napoléon* (Paris **1963**) dans lequel on trouvera une abondante bibliographie, presque exhaustive, à laquelle on pourra ajouter les papiers de Lenoir, quelques articles parus dans le *Bulletin de la société d'Histoire de l'Art français*, *La Revue du Louvre* et *La Gazette des Beaux-Arts*, ainsi que nos études personnelles sur les fontaines. L'œuvre sculpturale du Premier Empire sera étudiée dans la thèse de doctorat de M. Gérard Hubert, actuellement sous presse.

TABLE DES ILLUSTRATIONS

INDEX

Monuments et principaux artistes

TABLE DES MATIÈRES

Parus dans la même collection :

MAURICE RAT

Les femmes de la Régence

GABRIEL AUDISIO

Hannibal

JACQUES LEVRON

Le destin de Madame du Barry

PATRICE BOUSSEL

Histoire des vacances

ROBERT MARCHAND

Le Ciel n'a pas de toit

ALAIN DECAUX

La belle histoire de Versailles

GEORGES POISSON

Histoire souriante de Paris

CONSTANTIN DE GRUNWALD

Alexandre II et son temps

FRANÇOIS PIETRI

Chronique de Charles le Mauvais

JACQUES JANSSENS

Joséphine de Beauharnais et son temps

GEORGES MONGREDIEN

Cyrano de Bergerac

A paraître :

JEAN BABELON

La reine Margot

JEAN LUCAS-DUBRETON

Philippe II

GHISLHAIN DE DIESBACH

La cour d'Angleterre sous le règne de Georges III

ROMAIN ROUSSEL

Jacques Cœur

CONSTANTIN DE GRUNWALD

Le tsar Nicolas II